D1365752

DESIGN FRANÇAIS

1960-1990

TROIS DÉCENNIES

Direction d'ouvrage
Margo Rouard (APCI)
Françoise Jollant Kneebone (CCI)

Secrétariat de rédaction
Nicole Brégégère, Chantal Noël (CCI)
Relecture du texte anglais
Jeanne Bouniort
Iconographie et légendes
Sido Hennequart (APCI)
avec la collaboration de
Myriam Provoost, Jean Schneider, Cécile Thomas (APCI)
Marielle Dagault (CCI)
Photographie
Jean-Claude Planchet (CCI)
Biographies
Patrick Renaud, Marina Garcia (CCI)

Traductions
Mary Deschamps, Richard Neill,
Société Gedev, Christine Warren
Coordination du texte anglais
Gisèle Bessac (APCI)
Administration
Josette Guilbert (CCI)
Secrétariat
Marie-France Monstin, Geneviève Robin (APCI)

Fabrication
Patrice Henry

Conception graphique
et couverture
Roman Cieslewicz
assisté de Agnès Cruz

Photogravure
Haudressy Arts Graphiques, Paris
Impression
Blanchard, Le Plessis-Robinson

© APCI/Éditions du Centre Pompidou, 1988
n° d'éditeur : 630
ISBN 2-85850-473-3
Dépôt légal : juin 1988

Tous droits de reproduction, d'adaptation,
de traduction et de représentation des textes
et des illustrations réservés pour tous pays.

DESIGN FRANÇAIS 1960-1990

TROIS DÉCENNIES

Ouvrage publié
en coédition avec
l'Agence
pour la promotion
de la création
industrielle
et le Centre national
des arts
plastiques,
ministère de la Culture
et de la Communication
à l'occasion
de l'exposition
« Design français
1960-1990 :
trois décennies »
présentée par
le Centre de création industrielle
du 22 juin
au 26 septembre 1988
dans le Forum
du Centre national d'art et de culture
Georges Pompidou
à Paris.

A.P.C.I / Centre Georges Pompidou

WISSER MEMORIAL LIBRARY

TS71
.D48
copy 2

L'exposition « Design français 1960-1990 : trois décennies » présentée dans le Forum du Centre Georges Pompidou, du 22 juin au 26 septembre 1988, est une coproduction de l'Agence pour la promotion de la création industrielle, du Centre national des arts plastiques et du Centre de création industrielle/ Centre Georges Pompidou.
Avec la participation du ministère de l'Industrie, du Commerce extérieur et de l'Aménagement du territoire.

Agence pour la promotion de la création industrielle
Présidente : Anne-Marie Boutin
Directeur : Margo Rouard
Assistante : Myriam Provoost

Centre de création industrielle/
Centre Georges Pompidou
Directeur : François Burkhardt
Administrateur : Georges Rosevègue
Attachée de direction : Sylvie Wallach-Barbey

Commissaires et conception :
Margo Rouard (APCI)
Françoise Jollant Kneebone (CCI)
assistées de Sido Hennequart (APCI)
avec la collaboration de
Myriam Provoost, Cécile Thomas (APCI)

Commissaire déléguée :
Marie-Laure Jousset (CCI)

Scénographe :
Philippe Starck

Architecte :
Philippe Delis

Graphisme :
Edith Devaissier
assistée de Marion Solvit

Coordination administrative :
Colette Oger (CCI)

Audiovisuel :
Jean-Paul Pigeat
assisté de Nicole Chapon, Sophie Mourthé (CCI)
Réalisation :
Patrick Arnold, Sylvaine Dampierre,
Olivier Kuntzel, Georges Méguerditchian

Relations publiques et presse :
Ariane Diané-Sartorius, Marie-Jo Poisson-Nguyen
assistées de Marie-Thérèse Mazel-Roca (CCI)

Cette exposition a été réalisée
grâce au parrainage de Louis Vuitton,
et au concours de Pont-à-Mousson SA
et de J.-C. Decaux SA.

REMERCIEMENTS
Nous remercions les agences et les sociétés françaises qui ont permis par leur généreux concours la réalisation de cette exposition, et tout particulièrement :
Maïmé Arnodin
Monique Barbaroux/DAP
Marc Boissel
Madame De Felice/Mobilier national
Denise Fayolle
Aline Fouquet/VIA
Raymond Guidot
Peter Knapp
Peter Kneebone
Jean-Claude Maugirard/VIA
Roger Tallon
Huguette Torcheux/DAP

Amnesty international
Art Press
Centre national d'art contemporain
Télé-Europe

Les maquettes exposées ont été réalisées par les créateurs eux-mêmes ou par la Société Carrafont.

Dominique BOZO

Président
du Centre national
des arts plastiques

Trois décennies ! Il s'agit donc d'une exposition bilan. Bilan nécessaire si l'on sait le retard du public français dans le domaine du design et l'ignorance dans laquelle il est, par trop, de la qualité de ce qui est spécifiquement français dans cette discipline. Sans doute plus d'ailleurs pour les deux premières décennies. Car tout récemment, des initiatives diverses ont offert aux générations les plus jeunes, aux créateurs et au public, des possibilités absentes précédemment.
Exposition bilan et choc pour le public qui y fera la découverte d'un nouveau visage du design français. Exposition surprenante aussi, tant la présentation de Philippe Starck s'avère audacieuse et pertinente, puisqu'il a su nous épargner la présentation cacophonique, incohérente mais habituelle des objets réels. Celle des stands de foire à laquelle la muséographie ne sait d'ordinaire échapper, tant la mise en scène de notre décor contemporain est difficile, froide, documentaire.

La création du design se trouve aujourd'hui dans les produits : objets du quotidien ; le graphisme : l'affiche, les journaux, la télématique ; l'architecture intérieure et le mobilier : agencement des lieux publics, des intérieurs privés.
Une littérature surabondante a fait le procès du design français : « inexistant, sans idée, orthopédique... » ! On pourrait poursuivre la liste des critiques.
Depuis 30 ans pourtant, les créateurs ont su créer par deux filières : la tradition « Arts déco » et la tradition « ingénieur ». Resituer les créateurs dits industriels dans leur contexte artistique n'est pas chose facile. L'objet va actuellement de l'art à l'industrie, de l'industrie à l'art : l'artiste récupère l'industrie, le designer récupère l'artiste et l'objet se situe de façon imprécise entre métiers d'art, art, industrie.
Ainsi Diego Giacometti dessine des luminaires pour le musée Picasso (1980), Agam et Pierre Paulin aménagent l'Élysée (1972), Arman crée sa tour de voitures, *Long terme parking* (1982) et Bertrand Lavier expose ses « objets peints » (un piano, un réfrigérateur...).
Lorsque le design crée sa propre contestation, sa démarche ressemble à certaines expériences artistiques contemporaines. L'art revient là où le design ne devrait pas renoncer. L'art, qui fait tant place à l'objet aujourd'hui, emprunte ses formes au design, s'approprie de nouveaux ready-made qu'il combine entre eux et confronte à de nouveaux contextes imaginaires, eux. C'est ce que pratiquent des artistes tels que Richard Artschwager, John Armleder, Jeff Koons, Mac Collum, Didier Vermeiren, qui s'approprient, transforment ou déforment les objets manufacturés parce qu'ils sont trop ou pas assez design !

L'aller-retour de ces objets est une chose précieuse à aider, valoriser, conserver. C'est l'une des missions de l'État. Qu'il me soit permis de rappeler ici que le Centre national des arts plastiques au sein du ministère de la Culture et de la Communication a voulu et coproduit cette manifestation, avec le Centre national d'art et de culture Georges Pompidou, au sein duquel le Centre de création industrielle remplit une mission d'information, de confrontation, de critique. Ainsi, poursuivons-nous ensemble l'action engagée en faveur de la création industrielle, en en valorisant particulièrement l'aspect créatif, en célébrant délibérément les créateurs.

Three decades of design! An exhibition, of course, but also a critical appraisal. Which appears the more necessary when one judges by the slowness of the French public to awaken to this area of design, and, what's more, its deep ignorance of the quality of the specifically French products that do exist. More particularly so in the first two decades, since more recently, various initiatives have provided the younger generations of creative talent and the general public with new and unprecedented opportunities. An appraisal which is indeed full of surprises and a chance to discover French design under a new light; it is made the more surprising by the daring yet relevant manner in which Philippe Starck has organized the space; he has managed to spare us the cacophonic and incoherent display of actual products typical of trade fairs, from which museography seems unable to detach itself, so complicated, cold and documentary-like is the staying of our contemporary environment.

Today, design creativity is to be found in all products, whether they be everyday objects or the graphic arts — posters, newspapers, telematics —, interiors or furniture, public or private places.
French design has been on trial if the quantity of ink spilled is anything to go by. « It's inexistant, devoid of ideas, orthopedic... » they wrote. Criticism did not stop at that.
Nonetheless, for thirty years, creativity has operated through two traditional channels — the « arts déco » route and the « engineering » route. To position so-called industrial designers in an artistic context is no easy matter. The present trend is for the object to travel back and forth between art and industry, for the artist to borrow from industry, for the designer to borrow from the artist and for the product to travel indiscriminately between arts, crafts and industry.
Accordingly we find Diego Giacometti designing lamps for the Picasso Museum (1980), Agam and Pierre Paulin decorating the Elysée Palace (1972), Arman building his « long term parking », a concrete car tower (1982), and Bertrand Lavier exhibiting his « painted objects » (a piano, a refrigerator...).
When design launches its own protest, the approach is reminiscent of certain experiments more familiar to contemporary art. Art bounces back where design should not give in. The art world, which today gives pride of place to the object, readily borrows from the design world, and appropriates new ready-mades which are then combined or related to a different fictional world. In this way, artists such as Richard Artschwager, John Armleder, Jeff Koons, Mac Collum, Didier Vermeiren take over and reshape industrial objects in order to correct a lack or overuse of design.

The movement of these objects back and forth is one that should be safeguarded, recognised and encouraged. This is in fact one of the state's objectives. Let me take this opportunity here of reminding that the Ministry of Culture and Communication's Centre national des arts plastiques wished for, and coproduced this exhibition along with the CNACGP within which the C.C.I.'s role is to inform on the confrontation of opinions. Thus we can pursue together the action launched in favour of industrial design, paying particular attention to its more creative side and deliberatery putting the spotlight on its creative talents.

François BURKHARDT

Directeur
du Centre de création industrielle

Si le design des années 50 a été marqué par une certaine liberté des formes, venue en droite ligne des pays nordiques, des États-Unis et d'Italie, la décennie qui a suivi a vu triompher le rationalisme anglo-saxon ainsi que le mouvement du « conter design » italien, porteur, dans les années 70, d'un profond renouveau. Quant aux années 80, elles semblent fortement marquées par l'empreinte du « nouveau design » européen, qui prône le retour à une vision plus artistique de la production industrielle.
C'est par la relance des avant-gardes, elle-même liée au renouveau des arts plastiques et à la revalorisation de l'artisanat, que l'architecture d'intérieur va susciter, en ce début des années 80, un grand intérêt sur le plan international. C'est ce côté décoratif de la production qui va caractériser le renouveau du goût, en réaction contre la domination d'un design fonctionnaliste trop étroitement technologique. La même tendance se manifestera parallèlement en République fédérale d'Allemagne, en Espagne, en Angleterre et, sous une forme plus liée à la production industrielle, en Italie.

Le design français vit alors un nouveau souffle. Il a, depuis longtemps, étendu son champ d'intervention de la mode au design de machines, du secteur technologique à l'architecture d'intérieur, la décoration, les arts plastiques, la communication visuelle et le stylisme automobile. Il lui faut maintenant trouver, à l'intérieur même de cet amalgame, sa spécificité dans une sorte de « design élargi » qui ne repose encore sur aucune définition théorique. Le domaine des créateurs devient illimité, aussi n'est-il pas rare d'en trouver qui soient à la fois architectes, graphistes, designers de produits industriels, décorateurs. C'est une pratique inconcevable dans les pays anglo-saxons et nordiques, où chaque domaine du design correspond à une spécialité bien délimitée. Ce n'est pas un hasard si, en France, le terme de créateur est préféré à celui de designer, car il permet de mieux traduire cette tendance « généraliste », reliée à la tradition des mouvements artistiques et des arts décoratifs.
Il existe, par ailleurs, en France, un autre design que l'on pourrait qualifier d'« anonyme » : celui des ingénieurs, dans les domaines extrêmement avancés des technologies de pointe de haute qualité.
Entre ces deux pratiques se situe une troisième tendance, liée au développement d'un standard basé sur la production industrielle.
Ce sont ces trois aspects du design français de l'après-guerre qui seront présentés dans l'exposition.
Le rapprochement actuel du design et de l'œuvre artistique demande une réflexion approfondie sur l'emploi des termes design, décoration et arts plastiques, ainsi que sur la question de la légitimation de la profession de designer. Car il ne faut pas oublier la différence essentielle qui sépare un objet destiné à l'utilisation d'un objet conçu pour l'observation. L'objet d'utilisation, produit industriellement, se développe selon une multiplication sérielle et des méthodes spécifiques. Le design exerce ainsi une influence déterminante sur le goût et le rapport d'identité qui peut exister entre le consommateur et le produit. C'est une démarche bien différente de celle de l'artiste. La période de recherches, que nous avons particulièrement ressentie en Europe centrale, est certainement transitoire. Il faudra bien un jour adapter toutes ces libertés formelles à des codes de lecture correspondant à des besoins précis et des modes de production adaptés à l'évolution des innovations technologiques.
Le design est appelé à jouer un rôle fondamental dans la conciliation entre l'artistique et le technologique, en créant l'imaginaire d'une grande scénographie du quotidien. A l'industrie reviendra le rôle de rendre cette vision réalisable en qualité et en quantité.
La chance du design français sera de pouvoir répondre au défi d'un design mieux contrôlé, tout en gardant son label « made in France », qui devra signifier : haute qualité des produits industriels.

Although during the 50s, design demonstrated a certain amount of formal freedom, which was coming straight from Nordic countries, United States and Italy, the following decade witnessed the triumph of Anglo-Saxon rationalism, along with the Italian «counter-design» movement that was to bring about a profound rejuvenation. As for the 80s, they seem to be much influenced by what we call a «new design» in Europe, advocating the return to a more artistic view of industrial production.
It is through the revival of the avant-gardes, itself linked to the renewal of visual arts, and to the revaluation of craftmanship, that interior design has attracted much attention on the international scene in the early 80s. The decorative aspect of production is setting forth the renewal of taste, in reaction against the domination of a functional design, too closely related to technology. The same trend has occurred simultaneously in Germany, Spain, Great Britain, and at a more industrial level, in Italy.
French design has taken a new lease on life. It has, for a long time, extended its scope from fashion to machinery, from the technological area to interior design, decoration, visual arts, visual communication and automobile design. Now, it needs to find a specificity whithin this very amalgam, in a kind of «extended design» that is not yet based on any theoretical definition. The designer's field becomes unlimited. Thus it is not rare to find men and women who are at the same time architects, and graphic, product and interior designers. This would be an unconceivable situation in Anglo-Saxon and Nordic countries, where each field of design is clearly defined. However, it is not a mere coincidence that, in France, the term «creator» is preferred to the term «designer», because it accounts better for this «generalistic» tendency, linked to the tradition of artistic movements and decorative arts.
In addition, one finds in France another kind of design that could be referred to as «anonymous»: that of engineers who evolve in the highly advanced fields of sophisticated technologies.
Between these two practices, there exists a third tendency, related to the development of a standard that is based on industrial production.
All these three aspects of post-war French design will be shown in this exhibit.
The recent convergence between design and the artistic work requires a thorough questioning of the use of words such as design, decoration or visual arts, and of the legitimacy of the very profession of designer. Because one must not forget the essential differences that separate an object intended for use from one that is intended for observation. The utilitarian object, produced on an industrial basis, will develop according to a serial multiplication and a specific method. Thus design exerts a crucial influence on taste and on any identification that can exist between the consumer and the product. This is far away from the artist's approach.
The phase of experiments, most acutely felt in Central Europe, is no doubt transitory. But sooner or later these formal liberties will have to adjust to certain specific reading codes attuned to precise needs, and to production methods which follow technological innovations.
By creating the imaginary world for a vast staging of the daily life, design will undoubtedly play a fundamental role in the conciliation between art and technology. But it is up to the industry to make this vision attainable, both quantitatively and qualitatively. The asset of French design lies in the fact that it will be able to meet the challenge of a more controlled design, while keeping its «Made in France» label, which must mean «high quality of industrial products».

INTRODUCTION

Margo ROUARD
Françoise JOLLANT KNEEBONE

Commissaires de l'exposition

Peut-on classer, trier l'immense forêt des objets et des signes qui nous entourent pour établir un inventaire permanent dans lequel entrent et sortent les créateurs et leurs drôles de production ?
Peut-on classifier, geler dans le temps ces créateurs qui créent notre cadre de vie, du fer à repasser au générique de télévision, et de la voiture aux transports en commun ? Ce foisonnement, réflexion faite, n'est pas plus bizarre que celui de notre environnement naturel. Prenons le temps de le regarder, le valoriser, à travers les choix de cette exposition.

« Design français 1960-1990 : trois décennies » n'est pas un catalogue raisonné d'objets mais un regard sur les créateurs liés au monde des produits industriels, un regard sur ces démarches de concepteurs des objets manufacturés et sur les signes qu'ils engendrent à travers leurs étranges dossiers et maquettes.
Cette réunion extra-ordinaire, inévitablement sélective, reflète les courants, les créations, les changements de mentalité, des styles de vie comme des réalités économiques.
Ce regroupement disparate d'objets témoigne que le design porte en lui cet élément de durabilité et de résistance au temps, qui est le propre de l'art. Une charge d'innovation qui tourne souvent à l'avantage du produit et de son image, en lui donnant un surcroît de force et un essor économique.

Quels créateurs ?

L'approche aux créateurs est celle du design pris dans sa globalité :
Les créateurs de produits : les objets quotidiens, le train, les arts de la table, le mobilier.
Les créateurs graphiques : de l'affiche aux journaux et de la publicité à la télématique.
Les créateurs d'environnement : agencement des lieux privés et publics.

Quelle approche ?

Un parcours chronologique, des années 60 aux années 80, nous permet de regarder à la loupe certains créateurs et leur démarche originale, succincte mais percutante, expression de leur forte originalité.
Quelques thèmes : art et design, presse et design, l'aide de l'État, le phénomène du mobilier des années 60, situent les créateurs dans leur contexte et permettent d'éclairer cette vue panoramique.
Pas de volonté d'exhaustivité, pas d'approche corporatiste, mais un regard historique sur la double tradition d'ingénieur et du courant Art déco, qui fait la spécificité du design national.
Il y a presque autant de critères de classification que d'objets, de signes eux-mêmes et donc de créateurs.
L'exposition, le catalogue ne présentent pas l'analyse fonctionnelle, formelle et structurale des objets, mais les situent dans leur époque (1960/70/80) avec leur perspective historique, leur résistance au temps.
Au-delà de la création pure, il y a des modes, des courants fondamentaux liés à la vie culturelle, économique et sociale. « Design français : trois décennies » est l'histoire de ces constructeurs-designers-rêveurs et de leur relation, harmonieuse ou non, avec la vie artistique et économique du moment.
Le principe de la scénographie est basé sur la présentation, sous forme de maquettes, de tous les produits. Du briquet « Cricket » au TGV, tout a, au regard de l'histoire, la même importance. Moyen d'expression et de travail essentiel aux créateurs et aux industriels, ces maquettes ne sont donc, en aucun cas, un artifice scénographique.
Merci aux créateurs et aux entreprises qui ont compris et soutenu ce projet ambitieux.

Can one group and sort through the immense forest of objects and signs which surround us, in order to establish such a permanent inventory as designers and their odd products will go in and out of it? Can one classify and freeze for a time these designers who create our daily environment, from an iron to television credits and a public service vehicle? This abundance, after all, is no more strange than that of our own natural environment. Let's take time to observe it and value it through the choices of this exhibition.

«Design français 1960-1990: trois décennies» is not a descriptive catalogue of objects, but a look at designers who are linked with the industrial product: a look also at their approach to these manufactured objects and at the signs generated through their strange documents and models. This extraordinary assembly, although inevitably selective, reflects trends, creations, changes in mentalities and styles of life as well as in economic realities.
This ill-assorted group of objects illustrates how design carries with it a certain durability and resistance to time, which is the very essence of art. An element of innovation, which is both advantageous to the product and its image, in endowing it with an additional strength and economic surge.

Which designers?

In approaching designers we consider design in its widest sense.
Product designers: everyday objects—the train, tableware, furniture.
Graphic designers:from newspapers and advertisements to telematics.
Interior and environmental designers: the arrangement of private and public areas.

What approach?

A chronological survey from the 60s to the 80s has allowed us to look at certain designers and their original mode of work, in a succinct but striking close-up, limited perhaps, but expressive of their strong originality.
Several themes: art and design, press and design, State support, the furniture phenomenon of the 80s, all of these serve to situate the designer in his own context and shed light on this panoramic view.
Neither an exhaustive purpose nor a corporatist approach, but an historical look at the joint traditions of engineering and Art Déco, which typify our national design.
There are almost as many classification criteria as objects, signs as such and, therefore, designers. The exhibition and the catalogue do not attempt to present a functional, formal or structural analysis of the objects, but to place them within their epoch (1960-70-80) with their historical perspective and their resistance to time.
Beyond pure creativity, there are fashions and fundamental currents which are linked with cultural, economic and social life. «Design français, trois décennies» is the story of these constructors/designers/dreamers and their relation, whether harmonious or otherwise, with the artistic and economic life the times.
The staging of this exhibition is based on the presentation of all the products in their model form. Every object has historically the same importance, from the Cricket lighter to the TGV. These models are more than just a scenic contrivance, they represent the basic means by which the designer and industry express themselves.
Our grateful thanks go to both designers and enterprises, who have understood and unfailingly supported this ambitious project.

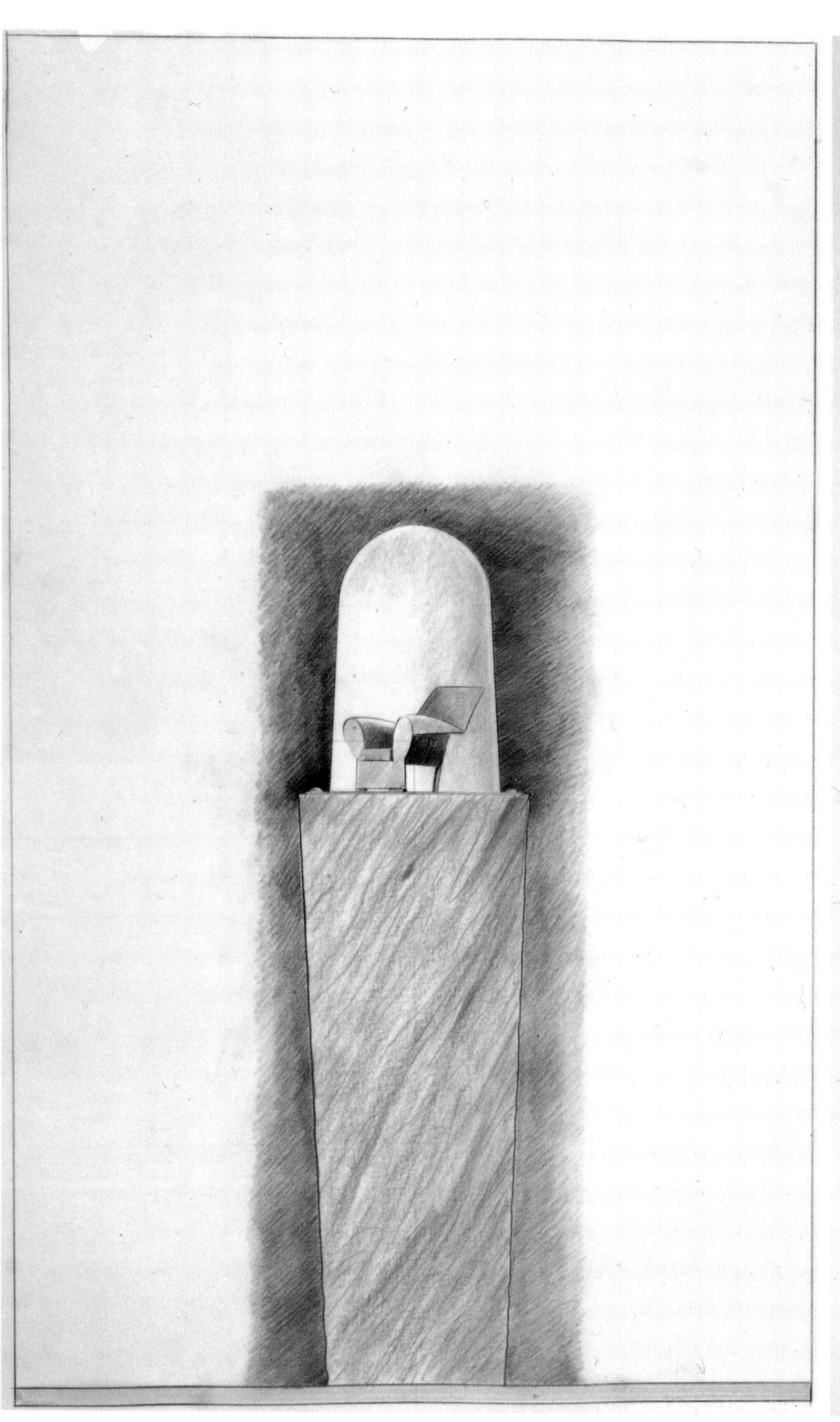

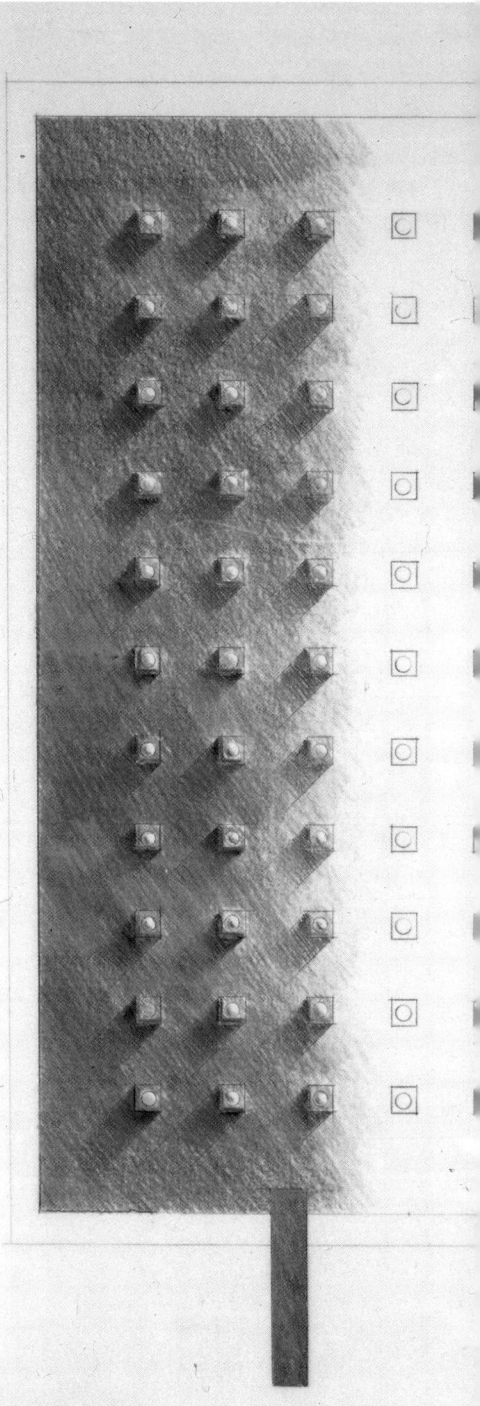

Ph. Starck, scénographie de l'exposition « Design français 1960-1990 : trois décennies », stèle et plan-masse.
Dessins Ph. Starck.

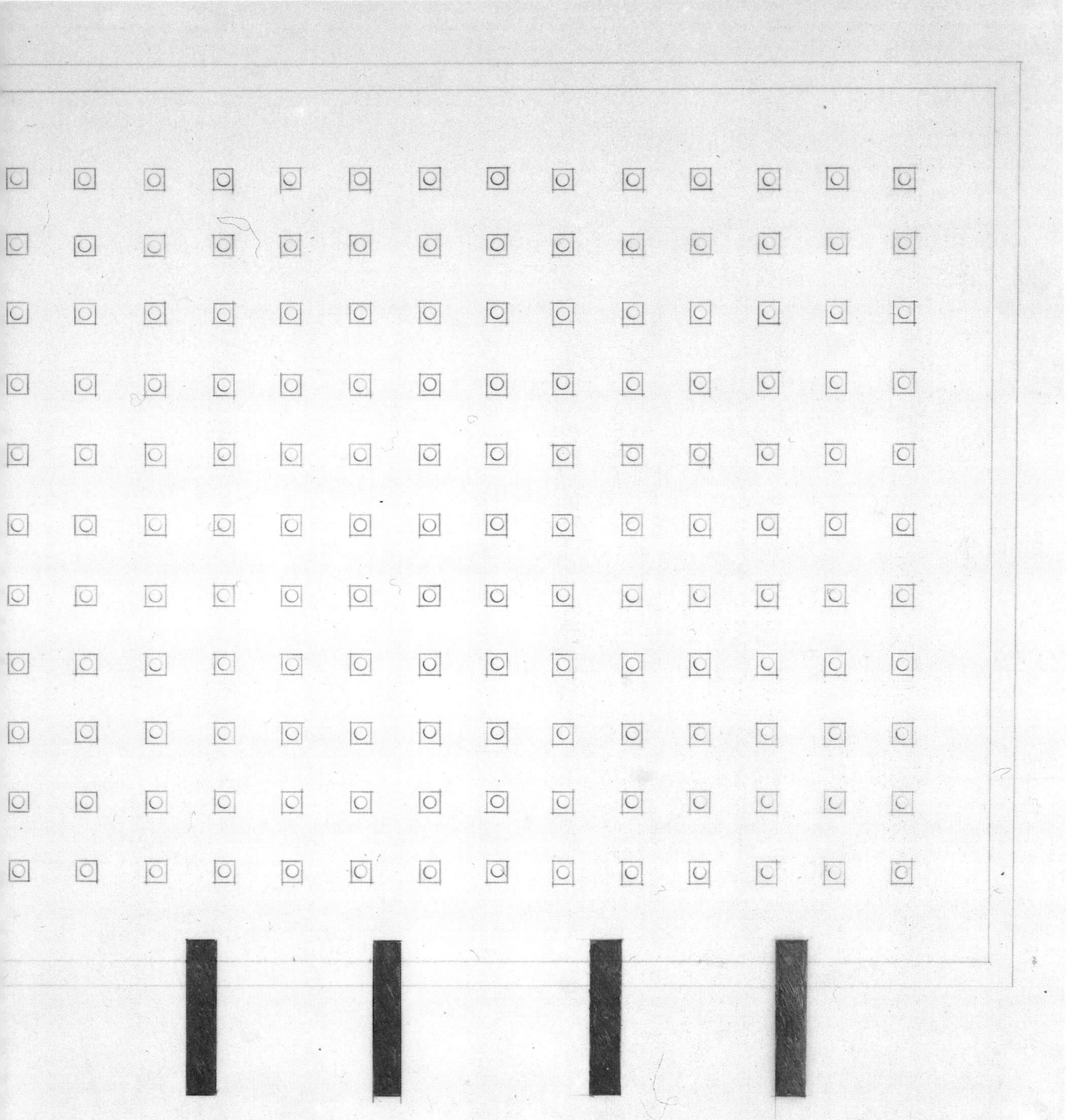

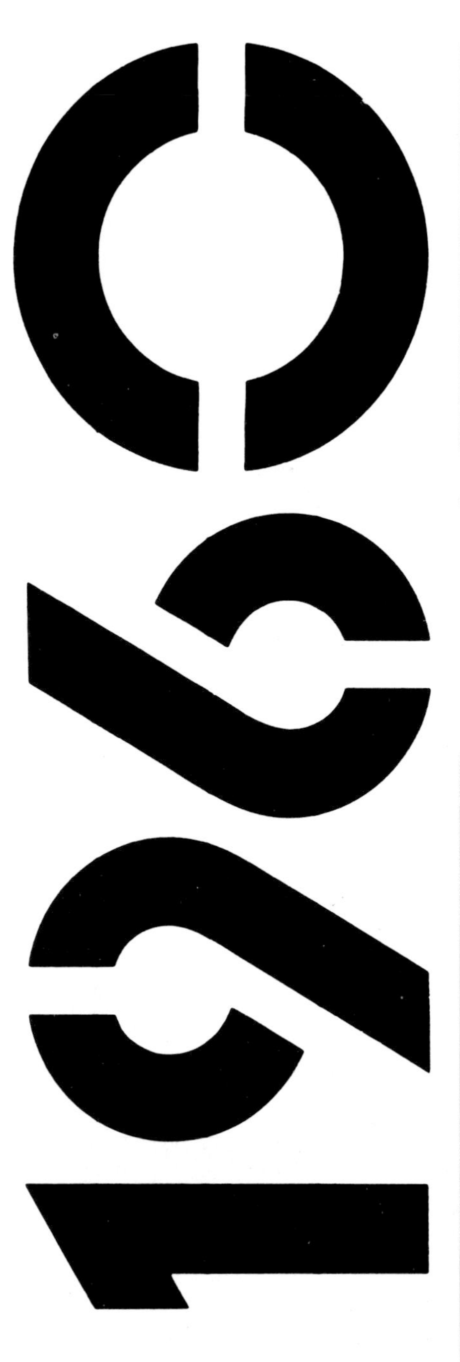

Jean-Luc Godard, *Week-end,* 1966.
Document archives des *Cahiers du cinéma.*

François MATHEY

THE SIXTIES

On sait les témoignages sujets à caution, l'objectivité toujours relative surtout quand s'y mêle quelque passion qu'il n'y a pas lieu de neutraliser pour autant. Quand, de surcroît, on prend plus de vingt ans de recul, il est fatal que les événements prennent des proportions différentes, insignifiantes ou considérables selon les références que l'actualité propose. Ainsi l'histoire se fonde, au petit bonheur, sur des relations aussi douteuses que de bonne foi et il n'en faut finalement retenir que ce qui conforte les préjugés du lecteur.
Ces réserves faites, abordons les années 60 et la création industrielle française, autrement dit le design. Le terme de création industrielle est en effet une manière pudique d'éviter celui de design qui sent son volapück et puis, « parlons français ! ». Il est bien évident qu'il ne s'agit pas ici de EDF-GDF, de l'industrie mécanique, de Citroën, Renault, de Saint-Gobain, Pont-à-Mousson, le Creusot et autres Rhône-Poulenc, encore qu'il y aurait beaucoup à dire sur ce sujet. Malgré sa timide prétention, le terme actuel de création industrielle ne concerne en fait, sous couvert inavoué de design, qu'une tentative d'actualisation ou une manière de prise de conscience d'un art bien français, à la recherche de lui-même et qui n'ose plus se dire décoratif. Pourtant, en 1960, en ce pays où la Compagnie des arts français — entre autres — donne encore la mesure du bon goût contemporain, on ne peut plus ignorer ce design qui draine avec lui des idées nouvelles qui nous viennent des pays anglo-saxons, recouvrant indifféremment l'architecture, le graphisme, les casseroles, les bidets, qu'il faut bien prendre en considération si l'on veut être à la mode et que l'on ne sait comment manipuler, précisément parce qu'elles se moquent de la mode. Il y a pourtant la définition qui fait autorité de Tomàs Maldonado : « Activité créatrice qui consiste à déterminer les propriétés formelles des objets que l'on veut produire industriellement. Par propriétés formelles, on ne doit pas entendre seulement les caractères extérieurs mais surtout les relations structurelles et fonctionnelles qui font d'un objet une unité cohérente. » La définition est claire, mais on voit bien qu'au-delà de l'objet proprement dit, du produit, il s'agit d'une certaine attitude en face de la création et que le dilemme qu'elle implique — forme-fonction, forme-contenu — induit nécessairement une véritable éthique, exigeante, rigoureuse. Comment celle-ci pou-

We accept testimonies with caution, objectivity is always relative, especially where passions are involved, which are not to be neutralised however. When we stand back about twenty years, it is inevitable that events take on different proportions, either insignificant or sizeable according to the references that actuality proposes. Thus history is based on dubious or true records and finally we must retain that which conforts the preconceived ideas of the reader.
Having accepted these reservations, let us look at the 60s and French industrial creation, in other words at the «design». The term «création industrielle» (industrial creation) is in effect a way of avoiding, with a certain decency, the international connotations of the word design, after all «let's speak French!» It is evident here that we are not concerned with the EDF or GDF Companies, the mechanised industries of Citroën, Renault, Saint-Gobain, Pont-à-Mousson, Le Creusot or others like Rhône-Poulenc, although there could be a lot to discuss in this area also. In spite of its modesty, the term «création industrielle», under the guise of design, implies a revamping or an awareness of an art which is well and truly French, and which no longer dares to call itself decorative. However in 1960, in a country where the «Compagnie des Arts Français», among others, dictated what was considered to be good contemporary taste, we could no longer ignore «design», which carried new ideas from Anglo-Saxon countries, encompassing architecture, graphic art, saucepans or bidets, and which was definitely up-to-date, but difficult to handle because it defied fashion. The standard definition given by Thomas Maldonado says «Creative activity consisting in determining the formal properties of objects that one wishes to produce industrially. One should not merely understand by formal properties the external character, but especially the structural and functional relationship which makes the object a coherent unity». The definition is clear but one sees that beyond the object or product proper, it concerns a certain attitude toward the creation and that the implied dilemma—form-function, form-content—, necessarily involves a demanding and rigorous ethics. How could this not only become the golden rule of French creators but also of their clients and the

vait-elle devenir la règle des créateurs français mais aussi de leurs clients et du grand public ? Mais on n'attrape pas les mouches avec du vinaigre et le design veut être bien davantage qu'un simple condiment. Comment donc fut-il reçu, comment il a vécu au cours des années 60, sera notre propos mais il convient d'évoquer la situation politique, économique, culturelle, car tout se tient, s'imbrique et se noue si intimement que l'on ne sait jamais comment dérouler la pelote.
Il y a toujours quelque arbitraire à saucissonner les décennies et à les considérer par tranches comme si chacune était une entité suffisante, indépendante de toute contingence extérieure. Pour les besoins de la cause et la commodité du propos, admettons l'aberration. En gros, il s'agit des débuts de la cinquième République (née en octobre 1958), du septennat du général de Gaulle jusqu'aux événements de mai 68 que l'on peut envisager avec leurs séquelles comme une coupure psychologique suffisante. Par scrupule, n'oublions tout de même pas quelques points de repère qui, s'ils n'ont de fait aucun rapport immédiat avec le design, surtout en France, peuvent expliquer la compréhension qu'en a le grand public, faciliter son accueil, son refus et sa postérité. La chronologie des faits importants — ou supposés tels — que l'histoire nous rappelle est la conséquence de facteurs si nombreux, si divers que l'on serait tenté de les ordonner par rubriques mais il est sans doute préférable de les énumérer en vrac, tel un pot-pourri — c'est de cela qu'il s'agit — au gré des dates comme s'il y avait dans la « fortuitude » de leur apparent enchaînement des connexions inimaginables.

1960

John Kennedy, président des États-Unis ; lancement de Spoutnik IV ; inauguration de Brasilia ; Le *Rhinocéros* de Ionesco ; *Hara-Kiri,* journal bête et méchant ; *Compressions* de César ; *La Dolce Vita* de Fellini ; création du Pop Art à New York et Los Angeles ; premier manifeste du Nouveau Réalisme à Milan.

1961

La guerre d'Algérie ; l'OAS ; premier vol spatial de Gagarine en URSS et d'Alan Shepard aux États-Unis ; à la Galerie J à Paris, exposition des nouveaux réalistes : « 40° au-dessus de Dada ».

general public? However you cannot catch flies with vinegar and design intends to be something more than a mere seasoning. How then was it received? How did it survive the 60s? This will be our subject-matter, but we have to take into account the political, economical and cultural situation, which was so intimately involved with the subject that you can no longer see the woods from the trees.
It is always arbitrary to observe decades coldly and consider them in dissected parts to be studied as if each one were an entity. Let us accept this aberration for the purposes of the argument. It largely concerns the beginnings of the 5th Republic (October 1958), the administration of General de Gaulle until the events of 1968, which can be considered with their aftermath as a sufficient psychological schism. Let us not forget, by scruple, a few points of reference that have nothing immediately to do with design (and especially in France), but can explain its meaning for the general public, promote its acceptance, its refusal and its posterity. The chronology of theses important events — or supposedly important — about which history reminds us, is the consequence of numerous factors which one could be tempted to classify by headings, but should probably look at globally, there being such a pot-pourri of events, as if in their fortuitous link by date they would reveal some unimaginable connection.

1960

John Kennedy is President of the United States of America; Sputnik IV is launched; Brasilia is inaugurated; Ionesco's «Rhinoceros»; the stupid and sadistic magazine «Hara-Kiri» appears; César's Compressions; Fellini's «Dolce Vita»; Pop Art is created in New York and Los Angeles; first Manifesto of New Realism in Milan.

1961

The Algerian war; the OAS; the first individual space flights by Gagarin (USSR) and Shepard (USA); Exhibition of the «Nouveaux Réalistes» in Paris at the Gallery J: «40° au dessus de Dada».

1962

Glenn and the Mercury capsule. The launchings of

1962
Glenn et la capsule Mercury ; lancement de Mariner, de la fusée Titan II, de Ranger IV ; débuts de la mondiovision ; révélations de Soljenitsyne sur le Goulag ; *La Galaxie Gutenberg* de McLuhan ; exposition « L'objet » au musée des Arts décoratifs, Paris ; Lévi-Strauss : *La Pensée sauvage* ; Jean-Charles : *La Foire aux cancres*, 1 140 000 exemplaires vendus.

1963
Jean-Paul Sartre : *Les Mots* ; Guy des Cars : *Sang d'Afrique*, 1 958 142 exemplaires vendus ; 150 000 jeunes à la Nation autour de Johnny Halliday.

1964
L'Hourloupe de Jean Dubuffet ; Martin Luther King, Prix Nobel de la Paix.

1965
Exposition au musée d'Art moderne de New York, « The responsive eye » du mouvement de l'Op'Art ; la Grande-Bretagne adopte le système métrique ; Georges Perec : *Les Choses* ; Mary Quant crée la « minijupe ».

1966
Début de la grande Révolution culturelle prolétarienne en Chine, lancée par Mao Tsê-Tung.

1967
Première greffe du cœur de Barnard ; dôme géodésique de Buckminster Fuller à l'Exposition de Montréal ; exposition « Superlund » à Lund par Pierre Restany ; « Lumière et mouvement » au musée d'Art moderne de la Ville de Paris ; présentation de l'avion franco-britannique Concorde à Toulouse ; naufrage du pétrolier Torrey Canyon : la marée noire ; exposition de la Bande dessinée et de la Figuration narrative au musée des Arts décoratifs.

1968
Daniel Cohn-Bendit et le mouvement étudiant du 22 mars ; les affiches contestataires de mai à l'École des beaux-arts ; Jean-Claude Killy obtient trois médailles d'or au Jeux olympiques ; André Malraux : *Les Antimémoires.*

Mariner, Titan II and Ranger IV; the satellite broadcasting; Solzhenitsyn's revelations on the Gulag. McLuhan's «Gutenberg Galaxy»; the exhibition «L'objet» at the Musée des Arts Décoratifs in Paris; Lévi-Strauss: «La Pensée sauvage»; Jean-Charles: «La Foire aux cancres», 1,140,000 copies sold.

1963
Jean-Paul Sartre: «Les Mots»; Guy des Cars: «Sang d'Afrique», 1958,142 copies sold; 150,000 young people around Johnny Hallyday in the Place de la Nation.

1964
Jean Dubuffet's «Hourloupe»; Martin Luther King is awarded the Nobel Prize in peace.

1965
Exhibition in the New York MOMA: «The Responsive Eye» showing the Op Art movement; Great Britain adopts the metric system; «Les Choses» by G. Pérec; Mary Quant creates the miniskirt.

1966
Mao Tse-tung and the Great Cultural and Proletarian Revolution.

1967
Barnard and the first heart transplant; Geodesic Dome by Buckminster Fuller at the Montreal World Fair. The «Superlund» exhibition in Lund by Pierre Restany; «Lumière et mouvement» at the Musée d'Art Moderne de la Ville de Paris; presentation of the Franco-Britannic «Concorde» at Toulouse; the sinking of the Torrey Canyon: tidal pollution; exhibition of comics and the «Figuration narrative» at the Musée des Arts Décoratifs.

1968
Daniel Cohn-Bendit and the student movement of the 22nd of March; May posters at the Ecole des Beaux-Arts. Jean-Claude Killy wins three gold medals at the Olympic Games; André Malraux: «Antimémoires».

1969
Georges Pompidou replaces General de Gaulle

1969

Le général de Gaulle se retire, remplacé par Georges Pompidou ; Apollo XI : Armstrong et Aldine sur la lune ; exposition « Qu'est-ce que le design » au musée des Arts décoratifs.

De ces événements au hasard épinglés et de bien d'autres, qu'est-ce que l'opinion retiendra ? Et qui fait l'opinion ? Encore ne faudrait-il pas oublier que le premier bas Dim sans couture date de 1960, que Brigitte Bardot a régné sur cette décennie. Souvenons-nous des petites robes à carreaux en Vichy. Ce sont pourtant là des faits de société, et en toute naïveté, on ne sait pas de ceux-ci ou de ceux-là lesquels pèsent encore le plus sur notre époque actuelle.
En marge et parallèlement à l'Histoire qui se complaît dans les idées, il y a la formidable histoire, dont on ne parle guère, des objets et des œuvres, de ces créations éphémères, des échanges et des produits que l'on relègue dans les rubriques spécialisées des grands quotidiens, après les Sports, l'Economie, sous le terme global de Culture. La création industrielle y a quelquefois sa place dans la mesure où elle se rattache à une création de consommation directe et se traduit en termes médiatiques de publicité. C'est à travers ce biais que le grand public accède au design étranger et qu'un fauteuil ou une chaise admirée dans un magazine chez le dentiste a quelque rapport avec les noms de Mies van der Rohe, Marcel Breuer, Saarinen, Bertoia, Charles Eames. Il a aussi entendu dire que le design est scandinave et même italien mais pour ce qui est de la France, il ne sait rien. Il faut bien admettre l'évidence. Pour en avoir fait maintes fois l'expérience personnelle au début de 1960, le chauffeur de taxi sait, une fois sur quatre, que Picasso est un peintre. Il ignore bien entendu le nom de Dubuffet mais il est susceptible de réagir à celui de son presque homonyme. Alors il ne faut s'étonner de rien et, en matière de design, il faudra une très lente, ingrate et patiente initiation tandis que le public aura longtemps le sentiment d'une sorte de mystification, comme si je ne sais quelle confrérie ésotérique tentait de le circonvenir. Il y avait eu une longue quête depuis les années 20, en France, pour rationaliser la création esthétique et la débarasser de tous les faux-semblants qui sclérosaient l'Art décoratif. Les efforts de l'UAM, de Formes utiles n'ont pas abouti par manque de leader admis par tous mais ils avaient dégagé des

after his resignation; Apollo XI: Armstrong and Aldine walk on the Moon; exhibition « Qu'est-ce que le design? » at the Musée des Arts Décoratifs.

What will the general public remember of these events collected at random and what does opinion make of them? And still we should not forget that the first seamless Dim stocking made its appearance in 1960. During this decade, Brigitte Bardot reigned supreme, and there were gingham dresses. Those facts were the marks of society, and in complete naivety, we do not know which one was responsible for influencing our epoch.
At the same time and on the fringe of history, there was the wonderful story of which one hardly speaks, of objects and works, ephemeral creations, exchanges and products which was relegated after the sports and financial pages of the big newspapers, under the generic heading « Culture ». We can argue that there is sometimes a place for industrial creation because of its link to the consumer society through the advertisements. In this way the public discovers foreign design, or admires an armchair or a chair in a magazine while waiting at the dentist's and associates them with such names as Mies van der Rohe, Marcel Breuer, Saarinen, Bertoia, Charles Eames. It has also learnt that design is « Scandinavian » or even « Italian » but when it comes to « French », it knows nothing. The evidence is clear. Having personally experienced this so many times in 1960, I can tell that one out of four taxi drivers knows that Picasso is a painter, but he has never heard of Dubuffet although he shows some reaction to a namesake. Thus nothing could surprise you, and where design is concerned we still need a long, thankless and patient initiation for a public which feels deceived by some esoteric sect. There has been a long struggle since the 20s to rationalise aesthetic creativity and rid it of shamming which pervaded decorative art. The efforts made by the UAM and « Formes Utiles » came to nothing through lack of leadership, generally admitted, but they had pointed to some directions. Thanks to firm and constant action by Paul Breton at the Salon des Arts Ménagers, André Hermant and René Herbst managed to attract the attention of the public. It wasn't a question of design, but simply of an industrial aesthetic which saw each year

pistes. Grâce à l'action ferme et constante de Paul Breton au Salon des arts ménagers, André Hermant, René Herbst avaient réussi à retenir l'attention du grand public. Il n'était pas question de design, seulement d'esthétique industrielle à travers une sélection sévère où chaque année le sanitaire et la robinetterie triomphaient volontiers. Mais les principes étaient sérieux. « Sont utiles et belles les formes qui manifestent l'accord entre les exigences de la matière et les aspirations de l'esprit. » Pour citer encore André Hermant dans son ouvrage *Formes utiles* (1959) : « La fonction crée l'organe, disaient jadis les biologistes. Mais en même temps l'organe développe la fonction. Ainsi, la roue est née sans doute de l'effort de mouvoir. Le galet aidant au glissement est devenu rouleau, puis le rouleau essieu (...). Et la roue a fait le chariot (...). Tout objet organisé par une fonction est forme pour l'esprit, de par sa perception sensible : la roue est à la fois organe et forme — et toute forme organisée semble comme elle déterminée par l'usage, par l'utilité organique (...). En ce sens, Forme utile tend à devenir comme un nom commun désignant les machines, les objets usuels, les outils ménagers, considérés sous les angles de l'Esthétique et de L'Efficacité. » Mais il est bien évident que la forme n'est pas fatalement déterminée par la fonction et qu'un pur fonctionnalisme, souvent mal compris, risque d'aboutir à un formalisme géométrique absurde. La querelle ou l'antagonisme des points de vue apparut avec évidence lors de l'exposition « Formes utiles » au musée des Arts décoratifs (1963), succédant au même endroit à celle de « L'objet » qui militait en faveur de la liberté totale de l'artiste, comme un pied de nez à la forme et à la fonction. Si le succès de l'entreprise fut mitigé et sujet à de légitimes controverses, au moins la voie était ouverte pour de futures transgressions mais pour lesquelles il fallut attendre encore vingt ans.

On ne sort pas impunément d'un bouleversement aussi terrible que la guerre sans transformations profondes de la société. Rien ne sera plus comme avant, du moins on le croyait. Certes, les traditions, si l'on peut dire, ont pris un rude coup : l'enseignement des Beaux-Arts, l'Institut, les Écoles, tentent de perdurer et y réussissent assez bien. Les grandes commandes, à de rares exceptions près, sont confiées à quelques grands patrons qui passent leur

triumphs in taps and bathroom fittings. Anyway, the basic principles were serious. «How useful and beautiful are the forms which manifest the reconciliation between the demands of the material and the aspirations of the spirit.» To quote again André Hermant from his work «Formes Utiles» (1959), «Yesterday's biologists said that function creates the organ. At the same time the organ develops the function. Thus, the wheel was invented because of the need of movement. The pebble aiding advancement becomes the bearing, then the axle... and the wheel created the waggon... Any object organized by a function is a form to the mind, given the sensitive perception: the wheel is both organ and form — and any such organized form seems determined by its usage and by organic utility... In this sense useful form tends to become a name applied to a machine, familiar object or home utensil considered in the light of aesthetics and efficiency. It is, however, evident that form does not necessarily follow function, and that pure functionalism, often misunderstood, could end up as an absurd geometric formalism. The quarrel or antagonism between these different points of view was highlighted in the exhibition «Formes Utiles», at the Musée des Arts Décoratifs in 1963, after the exhibition «L'Objet» had militated in favour of the total liberty of the artist, flouting form and function. Although the success of the enterprise was modified and subjected to legitimate controversies, at least the way was left open for future transgressions, even if it meant waiting another twenty years.

Society does not come out of such terrible upheavals as wars without being subject to profound changes. Nothing would be the same as before, at least that was the general consensus. Traditions had certainly suffered a severe blow: the teaching of the Beaux-Arts, the Institute, the Schools attempted to continue and succeeded to a certain extent. Important commissions, with a few rare exceptions, were confined to a few big businessmen, who were preoccupied in convincing the clients to support overcrowded agencies. There was no talk of interior design, seen as a waste of time and better left to the individual initiatives of more or less qualified decorators or to specialized

temps à solliciter le client pour entretenir des agences pléthoriques. Pas question de penser à l'aménagement intérieur, perte de temps qu'il vaut mieux abandonner à l'initiative individuelle, à des décorateurs plus ou moins diplômés ou à des entreprises spécialisées. Mais il existe une minorité et qui ne s'en laisse pas imposer, celle de ceux qui furent constamment les adversaires des idées reçues et dans la Résistance, qui sont pratiquement les mêmes et pour les mêmes raisons. C'est logique. Dès le lendemain de la Libération, c'est auprès des anciens qui avaient connu ou milité dans l'orbite de De Stijl, du Bauhaus ou de l'Esprit nouveau, que se tournent les jeunes. De Le Corbusier, Pingusson, Prouvé, ils attendent des solutions radicales qui ne trichent plus avec la vérité. Des mouvements comme l'UAM, Formes utiles, tentent d'orchestrer les bonnes volontés mais en France, dès l'instant qu'il s'agit de doctrines, chacun a la sienne et s'y tient ; quand il s'agit de création, par conséquent de commandes, il faut convaincre ceux qui détiennent le pouvoir et les décideurs de toutes catégories, l'État par nature hésitant sous prétexte d'équité, les industriels, les promoteurs, chacun étant également soucieux de se garder des aventures risquées. On peut tout de même citer l'Église Sainte-Bernadette à Nevers de Claude Parent et Paul Virilio (1964), également de Claude Parent, la Maison de l'Iran à la Cité universitaire (1968). La Bibliothèque des Enfants de Clamart par l'équipe Renaudin, Riboulet, Thurnauer et J.-L. Verret (1965). Le Palais de la Foire à Grenoble par Jean Prouvé (1968). Le Ricolais trouve un accueil aux États-Unis et y poursuit ses recherches sur l'architecture tridimensionnelle. Sans doute, ce maigre bilan est-il incomplet mais comment l'opposer aux milliers, dizaines de milliers de pavillons Phénix qui, à partir de 1962, illustrent la mesure, le bon goût, la raison, enfin toutes ces vertus fondamentales où le Français moyen se reconnaît volontiers.

En général, c'était l'architecture qui donnait le « la » à l'ensemble de la création. On conçoit aisément que la création passe désormais par d'autres circuits, les grandes firmes spécialisées, les magasins, les expositions, les salons, la presse et la publicité. Knoll, Herman Miller occupent à Paris un terrain vierge pour répondre ou favoriser les besoins du secteur tertiaire, banques, hôtels, aéroports. Se multiplient les bureaux d'études. Technès, fondé pas J. Viénot en 1954, est

firms. There existed however a minority, unwilling to yield, who would be the constant adversaries of accepted ideas and always part of a «resistance»: the same people for the same reasons. It was logical. At the Liberation, the young turned to these veterans who had known or militated around De Stijl, the Bauhaus or «L'Esprit Nouveau»: radical solutions were expected from Le Corbusier, Pingusson and Prouvé, and no more cheating about the truth. Movements such as the UAM and «Formes Utiles» attempted to promote good wills, but where doctrines are concerned in France, everyone has his own and retains it; where creation is concerned, because of the commissions, you have to convince those who are in position to make the decisions, such as the State, hesitant by nature under the pretext of fair play, the industry, the realtors each worried about taking risks. We must mention however the church of Sainte-Bernadette in Nevers by Claude Parent and Virilio (1964) and the house of Iran in the Cité Universitaire also by Claude Parent (1968), the Children's Library in Clamart by the team composed of Renaudin, Riboulet, Thurnauer and J.L. Verret (1965), the Palais de la Foire in Grenoble by Jean Prouvé (1968). Le Ricolais was welcomed by the United States and continues his research into three-dimensional architecture. This small list is without doubt incomplete, but how do you compete with thousands and thousands of «Phenix» houses, which have been the embodiment of restraint, sanity, good taste and all those basic virtues prised by the French middleclass since 1962.

Architecture generally set the tone in creation. After this the latter took different routes: large specialist firms, shops, exhibitions, Salons, press and advertisement. Knoll and Herman Miller took over an unexplored territory, in Paris, catering for the special need of banks, hotels and airports. Design offices multiplied. J. Viénot founded «Technès» in 1954 and Roger Tallon has been running it since 1960. Marc Held created his own «Archiform» in 1965. Raymond Loewy set up a Paris agency managed by M. Enot. A design office was set up at Citroën. Maïmé Arnodin and Denise Fayolle, after their success at Prisunic where they had imposed a corporate image, created the MAFIA agency in 1968.

confié à la direction de Roger Tallon (1960). Marc Held crée Archiform (1965). Raymond Loewy installe une agence parisienne dirigée par M. Enot. Citroën possède un bureau de design intégré. Après leur succès à Prisunic dont elles ont imposé l'image de marque, Maïmé Arnodin et Denise Fayolle créent l'agence MAFIA (1968).
La liste des designers empruntée à Jocelyn de Noblet dans son ouvrage *Design* (Stock-Chêne, 1974) donne tout de suite l'importance relative du milieu français. En effet, parmi une sélection de 350 designers dans le monde, graphistes, bureaux d'études, l'auteur recense une trentaine de Français que je cite à mon tour en vrac, sans souci de chronologie car leur travail occupe toute la décennie et souvent la prolonge.
Roger Tallon : directeur de Technès et professeur à l'ENSAD (1964-1972) est l'auteur du téléviseur Téléavia (1964), de l'escalier hélicoïdal (1965), de la chaise « TS » (1965), du siège en aluminium et mousse plastique (Édition Lacloche, 1966), du métro de Mexico (1969).
Annie Tribel : études des problèmes d'équipement intérieur et de mobilier pour des programmes socioculturels. Théâtre de la Ville (1968) : restaurant, bars, guichets, loges.
Jungman, Aubert, Stinco (groupe Utopie) : « Structures gonflables » (1968).
Sanejouand : peintre, organisateur d'espaces (1967).
Quasar : prototype de voiture urbaine et sièges gonflables (1967).
Jean Widmer : graphiste, directeur artistique du *Jardin des Modes* (1959-1970).
Groupe Ludic : fondé en 1967 par Xavier de la Salle, Simon Koszel et David Roditi : recherches et créations de jeux.
Raymond Guidot : collaborateur de Roger Tallon chez Technès (1961-1970), fraiseuse « VE 400 » (1968).
Marc Held : mobilier en plastique moulé pour des maisons conçues par Candilis (1969), programme de bureaux avec système de double coque moulée et joints plastiques (1969).
Hollenstein : Graphic Design, communication visuelle et audiovisuelle (depuis 1957).
Peter Knapp : photographe et graphiste, travaille à *Elle* (1958-1966).
Jacques Lavaux : directeur artistique des Galeries Lafayette (1960-1968).
Jean-Philippe Lenclos : coloriste, directeur artistique

The list of French designers according to Jocelyn de Noblet, in her book «Design» (Stock-Chêne, 1974), underlines the comparative importance of the French circle. Indeed, among a selection of 350 designers, graphic artists, research departments in the world, the author records about thirty French designers, whom I will list at random, without reference to chronology as their work covers the whole decade and often extends into the next one.
Roger Tallon: head of Technès and professor at ENSAD (1964-72), designer of the Téléavia TV set (1964), of the spiral staircase (1965), of the TS chair (1965), of the aluminium and plastic foam seat (Edition Lacloche 1966) and of the Mexican subway (1969).
Annie Tribel: explores problems of interior equipment and furniture for socio-cultural programmes. Théâtre de la Ville (1968): restaurant, booking offices and dressing-rooms.
Jungman, Aubert, Stinco (Groupe Utopie): «Structures gonflables» (Inflatable structures) (1968).
Sanejouand: painter, organizer of spaces (1967).
Quasar: prototype of a city car and inflatable seats (1967).
Jean Widmer: graphic designer, artistic director of the «Jardin des Modes» (1959-70).
Groupe Ludic: founded in 1967 by Xavier de la Salle, Simon Koszel and David Roditi: research and creation of games.
Raymond Guidot, colleague of Roger Tallon at Technès (1961-70): the milling-machine VE 400 (1968).
Marc Held: moulded plastic furniture for several houses designed by Candilis (1969), programme of desks with a moulded double shell and plastic joints (1969).
Hollenstein, «Graphic Design»: visual and audio-visual communication (from 1957).
Peter Knapp: photographer and graphic designer, worked for «Elle» (1958-66).
Jacques Lavaux: artistic director of the Galeries Lafayette (1960-68).
Jean-Philippe Lenclos: colour specialist and artistic director of Peintures Gauthier (1965).
Patrix: conception of factories, published «l'Esthétique industrielle» in the «Que sais-je?» series (1968), also «Vers une esthétique industrielle»

des Peintures Gauthier (1965).
Patrix : concepteur d'usines, publie *L'Esthétique industrielle* dans la collection « Que sais-je » (1961), *Vers une esthétique industrielle* (Hachette, 1967).
Pierre Paulin : siège chauffeuse en forme de vague (1967), mobilier de l'Elysée avec éléments de piétement en aluminium moulé, combinable (1967-1968).
L'Atelier A, animé par François Arnal, est ouvert à la fantaisie créatrice de Arman, Lourdès Castro, Malaval, M. Brusse, Jacquet, Jean Messagier, César, B. Véret, Sanejouand.
Olivier Mourgue : série « Djinn », siège à structure métallique habillée de mousse (Édition Airborne).
Lucien Lepoix : cabine basculante pour Berliet (1968), balayeuse « Hako Werke » (1967).
Bernard Dufour : bateaux de plaisance en polyester moulé, le « Sylphe » (1965), l'« Arpège » (1967), « Safari » (1969).

Les nécessités technologiques, les impératifs de la concurrence font que, nécessairement, toutes ces œuvres appartiennent pour la plupart à l'histoire, aux collectionneurs, aux musées. L'étendue des domaines qu'elles attaquent prouve le dynamisme de la recherche. Les quelques manifestations organisées par le musée des Arts décoratifs étaient, à cet égard, une information pour les spécialistes et une leçon pour le public. Le succès dépassant les possibilités matérielles du musée, animé par Y. Amic, nous a incité à transférer l'activité du Centre de Création dans les futurs locaux du Centre G. Pompidou, et pour mieux démontrer l'interdépendance qui doit exister entre toutes les formes de la création contemporaine.
1960. C'était une époque de gestation. Elle eut le mérite de débarbouiller l'Art décoratif et de le rendre plus conforme à son usage. Ce faisant, le design, trop théorique, a sans doute perdu de sa superbe intransigeance, et en s'humanisant, il est devenu plus perméable au public. Le design pur et dur s'oriente maintenant avec profit vers la bureautique. On n'en parlait pas encore mais il a fallu probablement cette épreuve pour que le CCI trouve enfin son rythme de croisière. Le temps dira quelles conséquenses imprévisibles pour la création industrielle ont trouvé leur origine en cette période trouble, et j'en vois le meilleur témoin au parc de La Villette.

François MATHEY

(Hachette, 1967).
Pierre Paulin: low armless chair in the shape of a wave (1967), furniture for the Élysée Palace with aluminium moulded base, combinable (1967-68).
L'Atelier A, led by François Arnal, promoted creative fantasies by Arman, Lourdès Castro, Malaval, M. Brusse, Jacquet, Jean Messagier, César, B. Véret, Sanejouand.
Olivier Mourgue: «Djinn» series, metal-structured chair covered in foam (Edition Airbone).
Lucien Lepoix: tilting truck cab for Berlier (1968), sweeper Hako Werke (1967).
Bernard Dufour: polyester moulded boats—the «Sylphe» (1965), «Arpège» (1967), «Safari» (1969).

For technological and competitive reasons, most of these works have become «historical» and belong now to private collections or museums. Their far reaching influence proves the liveliness of research. The few exhibitions organized by the Musée des Arts Décoratifs, animated by Y. Amic, were in this respect a source of information for the specialist and a lesson for the public. The success having exceeded the limitations of the museum, we resolved to transfer the activity of the Centre de Création to the future premises of the Centre Georges Pompidou in order to better demonstrate the interdependance which should exist between all forms of contemporary creative work.
1960. A period of gestation, which had the merit of cleaning up the image of decorative art and to render it more consonant with its purposes. In the process, design, formerly too theoretical, has without doubt lost some of its uncompromising loftiness and by becoming humanised it has opened itself to the public. Hardcore design is now fruitfully directed toward the office automation. We had not yet then started to talk about it, but it probably needed this trial for the CCI to set its cap. Time will tell what unforeseeable consequences in industrial creation found their origins in this troubled period and I see the best possible witness of this at the Parc de La Villette.

MAI 68

DEBUT
D'UNE LUTTE
PROLONGEE

LA CHIENLIT
C'EST LUI!

SS

LA VOIX
DE SON
MAITRE

LA POLICE

TRAVAILLEURS

A L'ORTF

RTF
C'EST LA POLICE
CHEZ VOUS

FRANÇAIS
IMMIGRES
UNIS

SOUTIEN
AUX USINES
OCCUPEES
POUR LA VICTOIRE
DU PEUPLE

Affiches Mai 1968.
Document CCI.

1970

Lancement de la première fusée
française Ariane sur la base de
Kourou, décembre 1979.
Document AFP.

LES ANNÉES 70

Gilles de BURE

Petite chronique d'une décennie

A brief chronicle of a decade

De quoi sortions-nous ? Mai 68 était encore tout frais et même si les vapeurs lacrymogènes s'étaient dissipées, restaient les paroles fortes et profondes de quelques auteurs qui, de 65 à 69, avaient déclenché un tir groupé incroyablement impressionnant : Debord, Dubuffet, Vaneigem, Baudrillard, Lacan, Lévi-Strauss, Foucault...[1] et celles, libérées, des milliers de participants aux grands rassemblements musicaux de Woodstock, Wight et Amougies.
En 1969, de Gaulle quittait la scène et Pompidou prenait la relève. Côté progrès technique (on ne disait pas encore, à tout bout de champ, « technologique »), c'était l'embellie. Le 2 mars, le Concorde effectuait son premier vol d'essai ; le 16 juillet à 14 h 32, Neil Armstrong foulait le sol de la lune. On inaugurait le RER et le Président annonçait sa volonté de doter Paris d'un grand centre de culture au Plateau Beaubourg. Pierre Cabanne et Pierre Restany nous gratifiaient de leur monumental *L'Avant-garde au 20e siècle*. Et tandis que le musée d'Art moderne nous offrait la grande exposition du « Bauhaus », Walter Gropius et Ludwig Mies Van Der Rohe rendaient leur âme à Dieu.
Le 1er octobre, la revue *CREE* publiait son premier numéro et le 15 octobre, le CCI (Centre de Création Industrielle) ouvrait ses portes dans le giron du musée des Arts décoratifs. Une décennie s'achevait sur la reconnaissance médiatique du design... Celle des années 70 pouvait commencer.

Trafic

Élu le 16 juin 1969, Georges Pompidou quittera la présidence de la République le 3 avril 1974, par la force des choses... Cinq ans de pouvoir qui correspondent à la montée en puissance et à l'apogée de la société « d'affluence » en France. Pompidou est productiviste, il a foi en l'avenir et particulièrement en l'avenir mécanique. La réalité économique de l'époque lui donne raison. Il déclare : « Ce n'est pas à l'automobile de se plier à Paris, c'est à Paris de se plier à l'automobile (...) ». A partir du 1er janvier 1970, les voitures seront obligatoirement équipées de ceintures de sécurité ; la voie sur berge commence à émerger ; le 1er juillet 1971, l'abattage des Halles de Baltard (où Ronconi nous avait donné un an plus tôt son magnifique *Orlando furioso*, le texte majeur de l'Arioste) démarre ; le 25 avril 1973, le périphérique est terminé. Bien inspirés, Godard nous donne *Week-*

THE SEVENTIES

What were we leaving behind us? Even though the tear gas had blown away, the spirit of the May '68 events still remained fresh just as did the profound and indelible words of authors such as Debord, Dubuffet, Vaneigem, Baudrillard, Lacan, Lévi-Strauss, Foucault...[1] who between '65 and '69 combined as an impressively resounding volley. But also still echoing were the slogans of the thousands upon thousands of liberated people who flocked to the Woodstock, Isle of Wight and Amougies music festivals.
In 1969, Pompidou took over from de Gaulle. From a technical view-point (the term « technology » had still to find its way into the daily jargon) it was all happening. Concorde successfully made its first test-flight on 2nd March while Neil Armstrong was preparing for man's first moon walk at 2.32 pm on 16th July. And at about the same time as the Paris suburban rail link (R.E.R.) was opened to the public, the French President announced his wish for the City of Paris to have a major cultural centre on the Beaubourg site. Pierre Cabanne and Pierre Restany published their monumental work, « L'Avant-garde au XXe siècle » and while the Musée d'Art Moderne offered us a major exhibition on the Bauhaus, Walter Gropius and Ludwig Mies van der Rohe passed away.
The first issue of « Créé » came out on the 1st October, two weeks before the Centre de Création Industrielle (C.C.I.) opened its doors in the precincts of the Musée des Arts Décoratifs.
The decade closed after having seen to it that design had been recognized by most of the media. The 70s could now begin.

Traffic

Elected President on 16th June 1969, Georges Pompidou dies on 3rd April 1974 while still in office. His five years in power correspond to the dramatic rise of the French affluent society to its peak level. As a productivist, Pompidou believes in the future and, to be more specific, in a mechanised future. Economic facts of the time prove him right. To him, « it is not for the automobile to have to adapt to Paris, but the reverse ». From 1st June 1970, the wearing of seat-belts becomes law; the riverside throughway begins to trace its path; the Halles de Baltard (where Ronconi had, only one year pre-

end en 1969 et Tati nous régale de *Trafic* en 1970... !
La voie des airs le dispute aux voies terrestres et en mars 1970, le Boeing 747 est mis en service alors que l'Airbus effectuera son premier vol le 1er octobre 1972. L'ère des gros porteurs est arrivée ; elle coïncide avec le développement des vacances de masse type Club Méditerranée et avec celui des Villes nouvelles pour lesquelles on organisera, en 1971, un grand concours international de mobilier urbain : l'esprit de système y trouvera un terrain d'expérience privilégié, l'unité de service en sera l'étalon, et à ce petit jeu du meilleur service au meilleur coût, du plus malin, du mieux disant publicitaire et du beaucoup mieux maintenu et entretenu, les designers, en rangs serrés, seront battus, fauchés, par un génie de la rationalisation triomphante, Jean-Claude Decaux. Elle coïncide également avec la vague des détournements d'avion et la vogue des hypermarchés : consommation de masse dans le domaine du terrorisme comme dans celui de l'épicerie. Au fond, les mêmes causes politico-économiques provoquent les mêmes effets, quel que soit le secteur d'activité. Ainsi, Carrefour, créé en 1963, est introduit en bourse en 1970. Ainsi encore, comme si les détournements ne suffisaient pas, le 5 septembre 1972, le terrorisme organise son grand feu des artificiers dans le cadre des Jeux olympiques de Munich.
1970, dès le 14 mars, annonce la couleur. Les lendemains qui chantent sont advenus, chantons donc leur avènement : c'est l'Exposition universelle d'Osaka, ode à la technologie triomphante, que 50 millions de visiteurs admireront, et où s'illustreront, côté français, les architectes Sloane et Lecouteur, les designers Olivier Mourgue, Pierre Paulin et Roger Tallon, et le coloriste Jean-Philippe Lenclos. Pendant ce temps, à Paris, les « professionnels de la profession » iront prendre des leçons de rigueur et de virtuosité — qu'elles soient italiennes ou américaines — au musée des Arts décoratifs qui exposera successivement « Olivetti » et les « Push Pin Studios » (1970), « Knoll » (1972), et « 45 ans de Domus » (1973).
Pendant ce temps toujours, c'est la conquête de l'Amérique par les Italiens avec « Italy : the new domestic landscape » au Museum of Modern Art de New York (1972) et celle de la France par les Britanniques avec l'ouverture du premier Habitat dans

viously, put on a splendid adaptation of « Orlando Furioso », Arioste's major work) is in the hands of the demolition teams. In inspired moods, Godard and Tati respectively treat us to « Week-end » (1969) and « Trafic » (1970).
Competition from the air to dominate over surface means of transportation is keen and, in March 1970, the Boeing 747 goes into operation while Airbus is making its own maiden flight on 1st October 1972. Time is rip for the Jumbos, coinciding perfectly with Club Méditerranée-type groupe pakage holidays but also with the spirit of the new towns for which an international street furniture competition is organised in 1971. This provides an opportunity for modular systems to be tried and tested by designers, particularly for their amenity value, competing to provide the best service and the best value for money, the most ingenuous, most easily serviced, most eloquent product in terms of advertising space. At this game, the designers have little chance against a master of rationalism: Jean-Claude Decaux. Also coinciding is the spate of airline hijackings and the spread of hypermarkets, demonstrating a healthy appetite for both food and terrorism. After all, if the political and economic causes are common to all, then one can logically conclude that the effect will be the same whatever the activity. Accordingly, Carrefour, a major chain of hypermarkets started in 1963, is quoted on the stock exchange from 1970. And, as though hijackings were not enough, terrorism strikes in full force on 5th September 1972 during the Munich Olympics.
As early as 14th March 1970, the mood is set and there's not to be any looking back. 50 million people will be able to admire the Expo '70 in Osaka, a celebration of technology, in which French architects Sloane and Lecouteur, designers Olivier Mourgue, Pierre Paulin and Roger Tallon, colourist Jean-Philippe Lenclos can be appreciated.
Meanwhile, back in Paris the « real professionals », anxious to complete their training by adding rigour and virtuosity, seek out the Italians and Americans whose work is successively exhibited at the Musée des Arts Décoratifs: « Olivetti » and the « Push Pin Studios » (1970), « Knoll » (1972), and « 45 ans de Domus » (1973). At the same time the Italians are themselves setting out to conquer America with an

l'hexagone (1973). Et rien n'y fait, ni l'exposition du « Design français » au CCI (1971), ni la mise en place du Conseil supérieur de la création esthétique industrielle (1971) sous la houlette du ministère de l'Industrie ; ni la création d'un tout nouveau ministère de l'Environnement (7 janvier 1971) ; ni la prestation de Agam et Paulin dans les appartements privés de l'Élysée (1972)... La France, en matière de design industriel, de design environnemental ne décolle pas. Pire, entre 1972 et 1980, la moitié des sociétés d'études et des bureaux de design fermeront leurs portes. Jusqu'au Centre Beaubourg (qui deviendra le Centre national d'art et de culture Georges Pompidou) dont le concours d'architecture est remporté par l'Italien Renzo Piano associé à l'Anglais Richard Rogers.
On célèbre Matisse au Grand Palais, Picasso en Avignon et Support-Surface à l'ARC (1970) ; on fête le 10e anniversaire du Nouveau Réalisme à Milan et François Arnal, en ouvrant l'Atelier A, prend le pari que les artistes peuvent aussi bien créer les objets usuels que les détourner ou les remettre en question (1970) ; Morellet marque d'un superbe mur peint, rue Aubry-le-Boucher, l'emplacement du futur Centre Pompidou (1971) ; pendant que s'inaugure le musée des Arts et Traditions populaires au Bois de Boulogne, à Kassel, la Documenta s'ouvre à l'hyperréalisme et à l'art conceptuel, et aux Champs-Élysées, on ferme temporairement la grande exposition pompidolienne « 72 × 72 » dans une atmosphère très post-soixante-huitarde (1972). Barnett Newman fait bande à part au Grand Palais et Renault, avec son nouveau département Art et Industrie, s'initie au mécénat (1973)... De retour en France, Pierre Boulez crée l'IRCAM (Institut de Recherche et de Coordination Acoustique Musique) où il démontrera mieux que quiconque ce qu'est la technique au service de la création (1972) ; pour contrebalancer, on nomme Rolf Liebermann à la tête de l'Opéra de Paris (1973).
Il règne en ce début de décennie une sorte de tension, une manière d'espoir, un semblant d'appétit. Successivement, François Mauriac, Jimi Hendrix, Charles de Gaulle (1970), Coco Chanel (1971), Salvador Allende et Pablo Picasso (1973) nous quittent. Mais c'est dans la logique des choses, même si les morts de Hendrix (overdose) et de Allende (assassinat) sont annonciatrices d'autres choses.
Après tout, Hubert Damisch nous donne *Théorie du nuage* et Jean Clair *Art en France : une nouvelle*

exhibition entitled «Italy: the New Domestic Landscape» at the Museum of Modern Art in New York (1972), while the British set out to conquer France with the launching of their first Habitat shop (1973).
Neither these nor other events such as the «Design français» exhibition at the CCI (1971), the appointment of a Conseil supérieur de la création esthétique industrielle (1971) under the auspices of the Ministry of Industry, the creation of a new Ministry for the Environment (7th January 1971), not even Agam and Paulin's redecoration of the private apartments at the Élysée Palace are enough to give industrial and environmental design the necessary impetus to get off the ground. To make things worse, between 1972 and 1980, half of the existing design offices cease to operate. And just for good measure, the architecture competition to build the Centre Beaubourg (later to be renamed the CNAC Georges Pompidou) is won by an Italian associated with an Englishman (Renzo Piano and Richard Rogers).
Matisse is celebrated at the Grand Palais, Picasso in Avignon, and the ARC shows «Support-Surface» in 1970. Milan celebrates the 10th anniversary of New Realism. François Arnal opens Atelier A, challenging artists to demonstrate that they can as easily design useful objects as play around with them (artistically speaking) or question their very existence (1970). Morellet paints a remarkable mural in the rue Aubry Le Boucher to highlight the site of the future Centre Pompidou (1971); and while in the Bois de Boulogne the Musée des Arts et Traditions Populaires is opened to the public, hyper-realism and conceptual art find their way into Documenta in Kassel and «72×72», a major «Pompidou era» show, is temporarily closed on the Champs-Élysées in an atmosphere very reminiscent of the spirit of '68 (1972). In 1973, Barnett Newman plays it alone at the Grand Palais, Renault launches itself into patronage by creating a department of «art and industry». Pierre Boulez, now back in France, creates IRCAM (Institut de Recherche et de Coordination Acoustique Musique) and demonstrates better than anyone how technical know-how can be put to the service of creativity (1972). In sharp contrast, Rolf Liebermann is appointed Director of the Opéra de Paris the following year.

génération, tandis que Catherine Millet fait paraître le premier numéro de *Art Press* (tous en 1972). François Mitterrand réussit son OPA sur le Parti socialiste à Épinay (1971), la Chine est admise à l'ONU (1971), Nixon rencontre Mao (1972), tout s'engage bien et ce ne sont pas l'affaire du Watergate, la montée du mouvement anti-nucléaire ou la crise de Lip (1973) qui vont remettre en question les choix fondamentaux de la société française. D'ailleurs, qu'est-ce que le design pourrait bien attendre — positivement ou négativement — de tels événements ? Comme si le design, « discipline de création », pouvait être affecté par le politique ou l'économique...

Les choix sont d'ordre philosophique tout au plus. Bertolucci avec *Le Conformiste* et Rafelson avec *Five Easy Pieces* (1970) formalisent parfaitement les deux extrêmes de ces choix de comportement. Et la sortie de *Orange mécanique* de Kubrick (1971), qui correspond aux premiers succès de David Bowie, Alice Cooper et autres Roxy Music, paraît être divagations d'ilien. Voire... D'autant qu'en 1973, Bertrand Blier avec *Les Valseuses* et Jean Eustache avec *La Maman et la putain* (qui remporte, dans un mini-scandale, le Prix spécial du jury du Festival de Cannes) nous en annoncent de belles. Autant que Jean-Marie Benoist avec *Marx est mort* (1970), Deleuze et Guattari avec *L'Anti-Œdipe* (1972), Jean Baudrillard avec *Le Miroir de la production* (1973), Alexandre Soljenitsyne avec *L'Archipel du goulag* (1973) en attendant André Glucksmann avec *Les Maîtres penseurs* (1977). En décembre 1973, l'OPEP décide unilatéralement et à l'unanimité de doubler le prix du baril de pétrole. C'est le premier choc pétrolier. Mais nous ne l'apprendrons que beaucoup plus tard.

A la française

Le premier tiers de la décennie s'achève donc sur un choc générateur de crise et de repli. La mutation est proche mais les thérapies politique, économique, industrielle et culturelle sont loin d'être au point. En attendant, ne nous affolons pas. Faisons comme si... La France est émerveillée de ses lauriers. De Gaulle a su faire rêver les Français et Pompidou les enrichir. Les rêves sont devenus réalité et le monde n'a plus de frontières. La France lui offre ses Renault 5 (1972), ses abribus (1970), ses resto-route Jacques Borel (1970), ses drugstores Publicis (1970) et ses FNAC (1970).

A tense atmosphere prevails in the early part of the decade with elements of hope and an appetite for something...

François Mauriac, Jimi Hendrix, Charles de Gaulle (1970), Coco Chanel (1971), Salvador Allende and Pablo Picasso (1973) pass away one by one. It's in the nature of things, just as Hendrix's premature death due to an overdose and Allende's assassination seem to be a forewarning of things to come. After all, Hubert Damisch's «Théorie du nuage» and Jean Clair's «Art en France: une nouvelle génération» are there to be read just as Catherine Millet brings out the first issue of «Art Press» in 1972. François Mitterrand succeeds in imposing his views at the Socialist Party meeting at Épinay (1971), China joins the U.N. in the same year, Nixon meets Chairman Mao (1972) and things can be said to be on the move. Not even Watergate, the anti-nuclear movement, the Lip crisis (1973) can now modify the fundamental choices taken by French society. And, in any case, what could design expect to derive, whether in positive or negative terms, from such events? It's surely not as though «a creative discipline» like design could possibly be disturbed by political or economic considerations...

The choices are really more of a philosophical nature. Bertolucci's «Conformist» and Rafelson's «Five Easy Pieces» (1970) perfectly illustrate on screen the two extremes in attitude. The timing of Kubrick's «Clockwork Orange» (1971) to coincide with early hits by David Bowie, Alice Cooper and Roxy Music seem like a diversion. And yet, in 1973 Bertrand Blier's film «Les Valseuses» and Jean Eustache's «La Maman et la putain» (which, in a minor uproar, was awarded the Jury's special prize at the Cannes Film Festival) were only to be an inklind of things to come. Likewise, in literary circles, Jean-Marie Benoist's «Marx est mort» (1970), Deleuze and Guattari's «Anti-Œdipe» (1972), Jean Baudrillard's «Le Miroir de la production» (1973), Alexandre Solzhenitsyn's «Gulag Archipelago» (1973) anticipating André Glucksmann's «Les Maîtres penseurs» (1977)... In December 1973, OPEC unanimously and unilaterally decides to double the price tag on a barrel of petrol. This was to be the first oil crisis. There would be more to come as we were to learn later.

NEW YORK INSTITUTE
OF TECHNOLOGY LIBRARY

Mais les Français sauront se rembourser.
En 1973, les Français s'habillent à Londres (tweed et cashmere) ou à Denver (Denim et Stetson), se chaussent à Rome, boivent écossais, fument en Suisse (Davidoff), reçoivent russe ou iranien (caviar et saumon), photographient en japonais, se déguisent en Lapons, en Gitans ou en Boliviens, ont des souvenirs africains ou indochinois, rêvent de châteaux en Espagne et tirent des plans sur la comète.
Ils nourrissent une tendresse particulière à l'égard de la Pologne et de l'Irlande, deux îlots catholiques perdus dans un océan protestant et un maelström luthéro-orthodoxe, affectionnent avec constance les petites Anglaises et les grandes Suédoises, et projettent d'émigrer un jour ou l'autre au Canada, en Australie ou en Nouvelle-Zélande.
Ils voyagent pour affaires en Chine (déjà), en Allemagne, en Hongrie et en Argentine, passent leurs vacances en Grèce, au Sénégal, à Bali ou aux Bahamas. Chez eux, dominent et se téléscopent le pin anglais, le bambou chinois, le design italien, l'électroménager allemand et la technologie japonaise. Rien de moins chauvines que de telles habitudes.
Le Français, avant d'être Français est Breton ou Corse, Occitan ou Flamand, Auvergnat ou Normand, Basque ou Catalan, Alsacien ou Gascon... Rien de moins nationalistes que de telles attitudes. Malgré tout, il existe un art de vivre à la française, fait de mesure et de démesure, d'éclectisme et d'ambiguïté, d'arrogance et de subtilité. Est-il pour autant le miroir de la production française ? A cela, les Français répondent avec beaucoup d'habileté et de persuasion que les choses ne comptent pas. Seuls comptent l'intention et le résultat.
Ce serait donc dans la manière, et dans la manière seule que s'exprimerait le caractère national.
Manière de dire, manière de faire, manière de voir... manière, manières, maniérisme font ici bon ménage.
Ainsi, la maison française peut-elle, selon la mythologie en vigueur, se résumer à quatre fonctions essentielles. Du moins à quatre pièces principales : la cuisine, la salle à manger, le salon et la chambre à coucher. Au fourneau, à table et au lit... le salon ne valant que pour la conversation. Et les Français, on le sait, sont passés maîtres dans ce sport qui consiste à ne rien dire, mais à le dire si bien. Ils ne séparent jamais la fonction de celui ou celle qui la crée.

The French way

The end of the first third of the decade was marked by a shock-induced state of crisis and introvertedness. And although change was not far away, effective political, economic, industrial and cultural therapies had yet to be found. Patiently and without panicking, life would go on, regardless...
France prefers to marvel at its own achievements, de Gaulle having paved the way by giving the French something to dream about and Pompidou by enriching them. Dreams having become reality, frontiers seemed to disappear. France offers the world its Renault 5 (1972), bus shelters (1970), Jacques Borel motorway restaurants (1970), Publicis drugstores (1970) and FNAC (1970). But the French also know how to reward themselves.
You could say that in 1973 they bought their clothes either in London (tweeds and cashmere) or Denver (denims and stetsons), bought their shoes in Rome, drank Scotch whisky, smoked Swiss cigars (Davidoff), entertained with Russian or Persian foods (caviar and salmon), photographed the Japanese way, disguised themselves in ethnic styles borrowed from the Laps, Gypsies, or Bolivians, cherished artefacts and souvenirs brought back from Africa or Indochina, dreamt impossible dreams and knew no bounds in their projects.
They show a particular affection for Poland and Ireland. Two islands of Catholicism each one isolated, whether in an ocean of Protestantism, or a Lutheran and Orthodox whirlpool; they never cease to be attracted by the charms of young English girls or lanky Swedes, and dream of one day emigrating to Canada, Australia or New Zealand.
Business takes them to Germany, Hungary, Argentina and already to China; they spend their holidays in Greece, Senegal, Bali or the Bahamas. At home they combine English pine furniture, Chinese bamboo and Italian designs with German appliances and Japanese technology. There is not a hint of chauvinism in their habits. Before being French they consider themselves to be Breton or Corsican, Provençal or Flemish, Norman or from the Auvergne, Basque or Catalan, Alsatian or Gascon...
There is not the merest trace of nationalism in their attitudes even. And yet, there does exist a certain French life-style, sometimes measured, sometimes

Ainsi est-il, en France, sinon de bon aloi, du moins de bonne guerre, de penser que la manière (toujours la manière...) qu'a la maîtresse de maison d'en utiliser les ressources est le garant d'une vie parfaite. Madame sera donc, au gré de l'heure, « bobonne » à la cuisine, « femme du monde » à la salle à manger et au salon, « courtisane » à la chambre à coucher.

Malheur à celle par qui le scandale arrive, malheur à la maison frappée de « détournement de fonctions » : « femme du monde » à la cuisine, « courtisane » au salon, « bobonne » au lit... et voilà le drame qui s'avance. Rome n'est plus dans Rome, et l'art de vivre à la française n'est plus, tout court.

Manger, parler, dormir, ne relèvent pas de la civilisation française. Il convient ici, de les remplacer par se tenir à table, se tenir au lit, soutenir la conversation. Rien de moins prosaïque. Il ne s'agit pas là de performance, mais de style. Au fond, peut-être la France cultive-t-elle tout simplement le goût du partage : les idées au salon, les mets à table, le reste au lit ?

Il est toujours plus facile de définir les choses par la négative (ce que Roland Barthes appelait « la critique Ni-Ni »). Il en va ainsi de Dieu, de l'humour ou du design que l'on explique toujours par rapport à ce qu'ils ne sont pas, à ce qu'ils ne sauraient être.

Disons donc tout de suite que le style français n'a rien de commun avec l'art de vivre à la suédoise ou la manière d'être italienne. Et c'est bien dommage, car la définition eût été plus simple à faire, la démonstration autrement plus évidente. Imaginons la Suède. Huit longs mois d'hiver pour le moins. Une couche de neige épaisse et drue devant la porte chaque matin. Des conditions climatiques telles que l'on doit quotidiennement tracer, à la pelle, son chemin de la porte de la maison jusqu'à la rue. Un climat rude donc, et qui ne prédispose pas aux sorties nocturnes, à la vie dehors, à l'urbanité. Et dont résultent des intérieurs chaleureux et chauds où le bois domine, où le confort, les textiles épais et les « cosy corners » sont rois. Rien que de très normal dans un pays nordique, mais qu'accentue singulièrement un puritanisme sévère propre aux tenants d'un luthérianisme rigoureux.

Rêvons l'Italie maintenant. A l'inverse de la Suède, l'Italie est un pays de soleil et les Italiens un peuple du geste. L'Italien vit et crée dehors. Dès lors, la forme aura plus d'importance que le confort. La main et l'œil caressent avec sensualité ce que le dos ou l'arrière-

excessive, eclectic and ambiguous, arrogant yet subtle. But would it be fair to describe it as a reflection of French production? The French will reply with dexterity and persuasiveness that objects themselves do not matter, but that what does really matter are the intentions and the result. If one is looking for national traits it is only in the ways and means that they can be found.

That is to say the means of expression, the ways of doing, the ways of seeing, etc.

Ways, means, manner and mannerism here all seem to go well hand in hand.

According to the prevailing values of the time, the French home can be said to comprise four principal functions, or anyway four principal rooms: the kitchen, dining-room, sitting-room and bedroom. By the stove, at the table or in bed... the sitting-room being set aside exclusively for the purpose of conversation. And we all know and recognise the mastery of the French in this sport where the principal rule is to say as little as possible with the maximum of flourish. The French, it should be noted, do not disassociate a function from its instigator.

This is why, in France, whether out of good taste or simply for good measure, the means are given full honours, and peace and harmony in the home is said to rest on the housewife's ability to exploit them to the full. Madame can therefore be one moment cook and daily in the kitchen, sophistication itself in the dining-room and sitting-room, and courtesan in the bedroom.

Wretched is she who brings about a scandal. Disgraced is the household which has allowed the roles to be exchanged, letting the society woman into the kitchen, the courtesan into the sitting-room or, crime of all the crimes, the cook into the bedroom. The plot is all set. Rome is no longer confined to Rome, and that style of life which was so typically French suddenly no longer exists.

The French never claimed paternity rights to eating, talking and sleeping; they only maintain that there is a certain way to conduct oneself in each, whether at the table, in bed or in conversation. You cannot be more down-to-earth than that. Records are not sought here, just style. After all, might it not perhaps just be a way of expressing a preference or a taste for segregation in which ideas are kept to the

train n'ont que peu de chance de goûter. « Tout est affaire de décor (...) », la courbe, la couleur, la matière, l'harmonie formelle, l'inscription dans l'espace détrônent ici le simple fonctionnalisme, comme si la fonction première était de dilection. Le corps en Italie est mieux préparé à la fête et à l'action qu'au repos, contrairement aux idées reçues. Bref, les formes italiennes, de Palladio à Pesce, de Brunelleschi à Sottsass, des Medici aux Olivetti, existent plus pour la vie elle-même que pour le mode de vie.
Rien d'étonnant donc à ce que Olivier Boissière, paraphrasant la célèbre interrogation de Peter Lawrence : « Pourquoi les marchandises de Dieu vont-elles toujours aux Blancs et jamais aux Papous ? », écrive à propos du design français des années 70-80 : « Pourquoi les mobiliers de Dieu viennent-ils toujours de Milan et jamais de Paris ? »[2].

Mais la France n'est ni la Suède ni l'Italie. Même si la Suède a toujours des rois français et si Cocteau disait : « Les Français sont des Italiens de mauvaise humeur ». La France est un fouillis de paradoxes. Elle exporte l'image de la culture, l'essence de la civilisation, le rêve de la liberté, comme une série de dons incomparables qu'elle ferait au reste du monde. Vertus exemplaires !
Mais cette vertu, cette exemplarité, elle est loin de les appliquer chez elle. En France — et les années 70 n'y font pas exception — la population participe peu ou pas du tout à la culture élaborée par la civilisation française. Absence de goût, manque de connaissances, laideur des lieux d'existence sont frappants dans un pays qui se pique du contraire. Oh ! bien sûr, les exemples sont légion de réalisations admirables, de châteaux magnifiques, de quartiers émouvants, de monuments incomparables. Mais, lorsque l'on sort de ces lieux d'exception, on tombe non dans le simple, mais dans le hideux, non d'une architecture recherchée dans une architecture sobrement fonctionnelle, mais de l'architecture dans l'absence d'architecture, le laisser-aller total.
De même, quiconque, en France, s'occupe de design, sait fort bien que le goût dans ce domaine — fût-il le mauvais goût — ne concerne que quelques milliers de Français. Le goût français est fait de ponctuations sans suite. Car il s'agit bien, ici, de goût ; même si la règle prétend le contraire. Car le goût est une résultante. Celle d'une curiosité personnelle, d'une

sitting-room, « haute cuisine » for the dining table and everything else for the bedroom?
It's also easier to define things in negative terms (what Roland Barthes called « neither-nor » criticism). God, humour and design fall into that category; they are more readily explained in terms of what they are not or according to what they should never be.
It's clear that the French approach has little in common with either the Swedish life-style or the Italian way. And regrettably so, since a definition would have been easier, and the demonstration a lot more convincing.
Let's take Sweden, with its interminable winters stretching out eight months or more, and let's imagine a deep and heavy snow-drift blocking your front door every morning, forcing you to shovel your way out to the street every day. Such tough conditions, not exactly favourable to evenings out on-the-town, have contributed to the development of the warm and cosy interiors typified by pine and heavy rugs. All very understandably normal in a Scandinavian country and all the more so in the puritanical context of very orthodox lutheranism.
And so to Italy now. Quite the opposite of Sweden, it's a land of sun and its people a nation of gesticulators. Italians live and create outdoors. Hence, the priority given to form rather than comfort. Shapes and forms, which human backs and seats may never feel, are nonetheless sensually caressed by both hand and eye. It's all to do with « décor »... in which colour, texture and curves, harmony of shape, occupation of space all combine to dispossess straightforward functionalism as the principal criterion. It's as though the main function is to please. Contrary to popular belief, the Italian physique is better adapted to festiveness, celebration and action, than to more sedentary pursuits. Plainly, from Palladio to Pesce, Brunelleschi to Sottsass, the Medicis to Olivetti, Italian forms speak more of life itself than of actual life-style.
The rewording by Olivier Boissière of Peter Lawrence's famous question « Why does God's merchandise always end up in the hands of the white man and never in those of the Papuas? » with respect to French design in the 70s to read: « Why does God's furniture always come from Milan and never from Paris? » is of little surprise therefore[2].

expérience singulière, d'une adaptation unique. Churchill aimait à dire : « Un chameau, vous savez ce que c'est un chameau ? C'est un cheval dessiné par un comité ! ». Comités interministériels et comités scientifiques, conseils d'administration et conseils municipaux ont fait plus de mal à la création française que les sept péchés capitaux.
Composer, transiger, balancer, jouer du compromis, réduire au plus petit dénominateur commun, telle est ici la règle du jeu. Le design français des années 70 pêche moins du fait d'une crise de la création que d'une crise de la commande et de la décision. Où sont donc passées les dimensions de désir, de plaisir et d'émotion ? Qu'est-il advenu du « charme à la française » ?
En 1974, on ferme le marché aux bestiaux de la porte de Pantin et les abattoirs de La Villette dans la douleur et les affrontements ; on inaugure le nouvel aéroport de Roissy-en-France dans l'allégresse et pour la plus grande gloire de l'architecte Paul Andreu, de l'architecte d'intérieur Joseph-André Motte et du graphiste-signaléticien Adrian Frutiger. Après Picasso, Chagall, Matisse et Léger, c'est au tour de Miró d'investir le Grand Palais. La FIAC organise sa première édition à la Bastille et Jean-Pierre Raynaud ouvre sa maison-bunker-carrelage au public. Eddy Merckx remporte son cinquième Tour de France, les jeux urbains publics (Artur, Sculptures-Jeux, Granit, etc.) se multiplient, et Louis Malle et Patrick Modiano, avec leur sulfureux *Lacombe Lucien*, remuent des souvenirs qui dérangent.
Le 19 décembre, le Parlement vote la loi sur l'IVG, après un émouvant combat mené par Simone Veil, ministre de la Santé (et que l'on surnommera dorénavant « la Mère Veil »), et, treize jours plus tard, l'ONU déclarera 1975 « Année de la Femme ».

Remises en question

Plus de pétrole et pas encore vraiment d'idées. Et cette terrible canicule d'août 1975 (dix départements sinistrés) qui n'en finit pas de finir, ne favorise pas la réflexion. Les secousses se succèdent petites ou grandes, mais secouantes : Saïgon capitule le 30 avril, mais les Américains et les Soviétiques se rencontrent dans l'espace le 17 juillet. Au fond, c'est bien sur ces terrains-là — la guerre et la conquête du cosmos — que l'innovation technologique et peut-être même le design avancent à grands pas assurés. On expose les

That's all very well. But France is neither Sweden nor Italy. Even if Sweden still has French kings and Cocteau did once describe the French as «ill-tempered Italians», France is a tangle of paradoxes. She exports the very essence of Culture and Civilisation, the principle of freedom like a series of uncomparable gifts which only she can make to the rest of the world. Such exemplary virtues!
But, she is far from applying these same virtues at home. In France, as the 70s will confirm, the population barely participates in the culture borne by French civilisation. Lacking in taste and references, the ugliness of their living environments is all the more striking for a nation pretending quite the opposite.
There are, of course, countless examples of fine architectural achievements: splendid chateaux, unique monuments, and districts each with its own particular atmosphere, to contradict the theory. But outside or beyond these exceptional sites lies a complete free-for-all where hideousness is prefered to simplicity and principles are sought in non-architecture rather than in soberly functional architecture.
And likewise, anyone involved in the design field in France will know that taste in this area, even bad taste, only concerns a few thousand French people. Taste is made up of a series of punctuations without any follow-up, and taste is indeed what we must consider, even if the rules dictate otherwise. Taste is a consequence. A consequence of personal curiosity, individual experience, singular adaptation. Churchill used to say «Do you know what a camel is? It's a horse drawn by a committee!» And those interministerial committees, scientific sub-committees, boards of governors, municipal councils have done more to harm French creativity than all seven cardinal sins put together!
Planning, dealing, balancing-out, making compromises, reducing to the lowest common denominator is the name of the game. The state of French design throughout the 70s is less due to a lack of creativity than to a state of crisis among decision and policy-makers. Whatever happened to notions of pleasure, desire and emotion? What had become of French charm?
In 1974, the cattle market at the Porte de Pantin and the neighbouring slaughterhouse at La Villette are

« Sièges poèmes » à la Maison de la culture de Créteil, l'ambassade des États-Unis tente de censurer la gentille exposition consacrée aux « Architectures marginales aux USA » et Roger Tallon met la dernière main au train « Corail » après avoir dessiné les métros de Montréal et Mexico et avant, douze ans plus tard, de s'intéresser au TGV-Atlantique.
L'orange et le marron déferlent sur la France, un chausseur célèbre lance une ligne de souliers « style design » et un fabricant de meubles affiche : « Merde au design » ! Gordon Matta-Clarck fait des trous dans les immeubles du Plateau Beaubourg avant leur destruction, et on assassine Pasolini à Ostie. *Barry Lindon* de Kubrick et *Nashville* de Altman annoncent le temps du doute, et une bande de joyeux garnements, Coluche au Café de la Gare, Sylvie Joly au Café d'Edgar, les frères Jolivet aux Blancs Manteaux... s'en donnent à cœur joie et confèrent un statut au café-théâtre.
Le doute s'installe insidieusement, et 1976 accentue la tendance. Le Grand Prix du Festival de Cannes décerné à *Taxi Driver* (29 mai) et la mort du président Mao (9 septembre) y concourrent. Et le doute fait renaître le rituel expiatoire qui reste néanmoins cantonné sur les planches. Coup sur coup, André Engel monte le *Baal* de Brecht à Strasbourg, Boulez et Chéreau orchestrent la *Tétralogie* de Wagner à Bayreuth et Bob Wilson et Phil Glass donnent leur *Einstein on the Beach* à la Gaîté Lyrique de Paris. Le 4 juillet, les États-Unis fêtent leur bicentenaire dans l'euphorie tandis qu'ouvre à Long Island City un espace d'exposition alternatif « PS 1 », et que Christo termine en Californie, le 10 septembre, sa *Running Fence*, barrière monumentale en toile de nylon blanc et longue de quarante kilomètres.
En France, Alain Carré affûte les plumes de Waterman et la profession se prend de passion pour l'ergonomie alors qu'à Montréal la légérissime et bellissime Nadia Comaneci remporte trois médailles d'or en taillant les croupières aux leçons de maintien et aux lois de l'équilibre.
La montée des écologistes (qu'on appellera vite les Verts) coïncide avec trois expositions prémonitoires « Les machines célibataires », « Les énergies libres » et « Les Shakers ». Il était temps d'ailleurs, car le 17 décembre, c'est le deuxième choc pétrolier. Non plus doublement cette fois-ci, mais quand même, augmentation de 15 % du prix du baril (à l'exception

closed down, causing considerable distress and confrontation; the new airport at Roissy-en-France is opened joyfully and to the glorification of its architect Paul Andreu, its interior designer Joseph-André Motte, and visual communications man Adrian Frutiger. It's also Miro's turn at the Grand Palais after Picasso, Chagall, Matisse and Léger. The FIAC holds its first event at the Bastille and Jean-Pierre Raynaud completes his ceramic bunker-house. Eddy Merckx cycles home to his 5th Tour de France title, public outdoor urban playground installations are on the increase (Artur, Sculptures-Jeux, Granit...) and Louis Malle and Patrick Modiano bring back unwelcome memories with their corrosive «Lacombe Lucien».
On 19th December, Parliament ratifies a law on abortion after a moving debate spearheaded by Simone Veil, the then Minister of Health (henceforth nicknamed «la mère Veil»), and just thirteen days later the U.N. declares 1975 «International Womans's Year».

A time reassessment

There's no more petrol and little to come by in the way of ideas. The August 1975 heat-wave which has devastated ten Departments and never seems to let up does not help matters. Whether major or minor, tremors are plentiful. Saigon surrenders on 30th April, yet Soviets and Americans link up in space on 17th July. It's certainly in these two areas, war and space, that technological innovation, and design even, make their most self-assured steps. The Maison de la Culture de Créteil exhibits a collection of «sièges-poèmes», the U.S. Embassy tries to censure a harmless exhibition on marginal architecture in the U.S., and Roger Tallon applies the finishing touches to the Corail train after having designed subways for Montreal and Mexico City and while anticipating the design, twelve years later, of the TGV Atlantique.
Brown and orange swamp the country, a famous shoemaker launches a line which he christens «style design», while a furniture manufacturer unashamedly displays the slogan «To hell with design!» Gordon Matta-Clarck punctures holes in the buildings around the Beaubourg site before the bulldozers move in. Pasolini is assasinated at Ostie. Kubrick's «Barry Lyndon» and Altman's «Nash-

de l'Arabie Saoudite et des Émirats qui s'en tiennent à 5 %). Il est vraiment temps d'avoir des idées. Mais comme toujours en France, la première idée qui vient, c'est d'arrêter d'entretenir des « danseuses ». Et les danseuses de l'industrie sont, comme chacun sait, les designers. Les temps n'étaient pas faciles pour le design français ; ils deviennent carrément durs.
C'est dans cette atmosphère que le président Giscard d'Estaing inaugure, le 2 février 1977, le Centre national d'art et de culture Georges Pompidou. « Après le derrick[3], voici la raffinerie » s'écrient les Parisiens. La référence pétrolière, angoissée ou dérisoire, devient une obsession. Côté design, les dérivés (toutes matières plastiques confondues) viennent à manquer. Tout est trop cher. On va se souvenir du bois et lui redonner son rôle de valeur refuge alors que déjà, à l'horizon, venus d'outre-Atlantique les lofts et le look High Tech pointent le coin de l'oreille, une façon stylée de récupérer les banalités et les rebuts du paysage industriel. Un rendu pour un prêté, le Concorde effectue son premier vol commercial vers l'Amérique du Nord : à High Tech, High Tech et demi... ! Logique, dans ces conditions, que Pontus Hulten inaugure sa grande série d'expositions croisant deux villes avec « Paris-New York » (que suivront « Paris-Berlin » en 1978, « Paris-Moscou » en 1979 et « Paris-Paris » en 1981). Le 25 mars, Paris se dote enfin d'un maire en la personne de Jacques Chirac et Jean-Claude Decaux assure sa maîtrise de l'espace urbain, en termes de mobilier, cela va sans dire.
Motherwell s'expose à l'ARC et Fred Forest vend son « mètre carré artistique » aux enchères sous les ors de l'hôtel Crillon. La télématique devient le gadget futuriste à la mode, mais la télévision reste la fée du logis : le 14 juillet, une panne d'électricité de 24 heures prive les New-Yorkais de leurs séries et « commercials » préférés. Résultat, un « baby boom » épatant neuf mois plus tard ! Et tandis que Carolyn Carlson danse à Paris son fascinant *This, that, the other,* la plus grande voix du monde, celle de Callas, la Diva des divas, s'éteint le 16 septembre. Le 19e siècle fut celui de la bourgeoisie d'argent, conquérante et entreprenante. En prenant la décision de le « muséifier », le président de la République (20 octobre) affirme son adhésion à un certain goût, mais pas forcément au dynamisme de l'époque. Et, au moment où Anouar El Sadate bouleverse le monde par sa visite à la Knesset, le couronnement de l'empereur Bokassa

ville» forewarn of a time of self-doubting while a pretty odd bunch let themselves go to their hearts' content and in so doing bring recognition to the theatre workshop. They include Coluche at the Café de la Gare, Sylvie Joly at the Café d'Edgar, les Frères Jolivet at the Blancs Manteaux...
Doubt creeps in cunningly and 1976 does little to dissipate it, in fact quite the reverse. The choice of «Taxi Girl» for the Grand Prix at the Cannes Film Festival on 29th May and Mao Tse-tung's death on 9th September all add to the mood. Doubt is responsible for the revival of expiatory rites, although restricted to the theatre. In rapid succession, Brecht's «Baal» is put on by André Engel in Strasbourg, Boulez and Chéreau arrange Wagner's «Tetralogy» at Bayreuth and finally Bob Wilson and Phil Glass present «Einstein on the Beach» at the Gaité Lyrique in Paris. The U.S. celebrate their bicentenary euphorically on 4th July, and «PS 1», an alternative exhibition space, is opened in Long Island City. On 10 thSeptember 10th, Christo completes his «Running Fence», a 40 km monumental fence made of white nylon fabric.
Back in France, Alain Carré sharpens Waterman's nibs as the design profession develops an appetite for ergonomics and an exquisitely light and beautiful Nadia Comaneci takes away three gold medals at the Montreal Olympics in a display which defies the laws of physics and in which she snubs basic lessons in deportment.
The rise of the ecology movement (later to be coined the «Green Party») coincides with three premonitory exhibitions, «Les Machines Célibataires», «Les Énergies Libres» and the «Shakers». Timely events, you could say, since a second oil crisis was about to befall us on 17th December and, although the prices were not doubled this time, they were nonetheless subjected to a 15 % increase on the price of a barrel (except for the Saudis and Emirates who limited their increase to 5 %).
Ideas are long overdue. And, as is often the case in France, the first idea that comes to mind, when a saving has to be made, is to get rid of the «mistresses». And as everybody knows, industry's «kept woman» is none other than the design. Life was already tough for French design; it is now becoming even tougher.
It is in this general climate that President Giscard

est l'occasion pour le monde de découvrir le design ornemental français dans ses ors et dans ses pompes (chaussures à clous ou bottes de saut ?) !
Airbus conquiert enfin l'Amérique : en juin 1978, la compagnie Eastern Airlines en achète, ferme, 23 exemplaires. Mais, malgré ce succès flamboyant de l'industrie, de la technologie et, au fond, du design français, il pèse sur l'hexagone comme une chape étrange, vague à l'âme, désenchantement, inquiétude... une fin de siècle avant l'heure. Si Wim Wenders nous émerveille de *Alice dans les villes* et de *Au fil du temps,* il ne nous réjouit pas pour autant. D'ailleurs, outre-Rhin, le 19 janvier, la 16 200 000e « Coccinelle » qui vient de sortir des chaînes est la « der des der ». Et le milieu se désole de la disparition d'un de ses modèles, d'une de ses idoles (quoique Américain...), Charles Eames, dont la carrière fut exemplaire, multiple, éclectique, ouverte, curieuse...
On réédite à tour de bras les grands anciens, de Le Corbusier à Tatlin, de Eileen Gray à Gerrit Rietvelt, de Gaudi à Fortuny, de Mallet-Stevens à Herbst, en passant par Oud, Hoffmann et Mackintosh. Les morts sont à l'honneur... A moins que ce ne soit la mort toute nue puisque, l'un derrière l'autre, Jean Baudrillard, Michel Tubiana, Léon Schwartzenberg et Pierre Viansson-Ponté, Philippe Ariès, Roger Caillois...[4] lui consacrent leurs ouvrages ? On voit même surgir architectes et designers avec des projets de cimetières, de tombes et de cercueils. La mort a toujours été un commerce, la voici élevée au rang de valeur.
Quoiqu'il en soit, Jean-Paul II est élu pape et dans la foulée (si l'on ose dire), en 1979, l'ayatollah Khomeini opère un retour triomphal à Téhéran, l'Oscar du meilleur film échoit à Michael Cimino pour *The Deer Hunter (Voyage au bout de l'enfer)* et Bernard-Henri Lévy publie *Le Testament de Dieu.*
Heureusement, côté musique et danse, tout éclate et Paris s'enflamme, Boulez et Chéreau montent la *Lulu* d'Alban Berg à l'Opéra (24 février), Merce Cunningham danse *Events* au Centre Pompidou (17 octobre), Luca Ronconi fait jouer *Opéra* de Berio (27 octobre) et Stockhausen présente son *Arlequin* (20 novembre).
Jean-Claude Maugirard crée le VIA (Comité pour la Valorisation de l'Innovation dans l'Ameublement) dans le cadre de l'UNIFA (Union Nationale des Industries Françaises de l'Ameublement) tandis qu'à Milan, réunissant autour de lui ses amis et copains, Andrea Branzi, Michele De Lucchi, Alessandro Men-

d'Estaing officially opens the Centre National d'Art et de Culture Georges Pompidou on 2nd February 1977, the Parisians reacting with a sense of « déjà vu », « We've got a derrick[3], so why not also have an oil refinery ». The reference to petroleum, whether in anguish or derision, has become an obsession. On the design side, oil-derivatives, including all polymers, are in short supply. Everything is too expensive. Timber is suddenly remembered and recalled as a hedge against inflation while on the horizon, lofts and « High Tech » loom from across the Atlantic proposing themselves as an elegant manner of reclaiming common-or-garden industrial materials and wastes found in the industrial landscape. In exchange, Concorde makes its first commercial flight to North America. It's like saying: « You wanted "High Tech", well now you've really got it! »
It seems appropriate in these circumstances for Pontus Hulten to open the first in a series of major exhibitions marrying two cities. With « Paris - New York » later to be followed by « Paris - Berlin » in 1978, « Paris - Moscow » in 1979 and « Paris - Paris » in 1981. On 25th March, the City of Paris appoints its own Mayor. Jacques Chirac is elected and Jean-Claude Decaux takes charge of the urban furniture programme.
Motherwell has a show at the ARC and Fred Forest auctions off his « square metres of art » under the chandeliers at the Hotel Crillon. Futurist telematic gadgetry is all the rage but television remains the principal attraction.
On 14th July, a 24 hour power failure robs New Yorkers of their favourite soap operas and commercials, the result being that nine months later a « baby boom » is recorded! And while Carolyn Carlson dances her fascinating « This, that, the other » in Paris, the world's most famous voice fades out for ever as Maria Callas, the diva of divas, dies on 16th December.
The nineteenth century belonged to the all-conquering, enterprising, money-lords. In deciding on 20th October to dedicate a museum to this period in history, the President shows where his own taste lies without committing himself to the going trend. At the same time as Anwar el-Sadat surprises the world by visiting the Kneset, Emperor Bokassa 1's coronation provides an opportunity for

dini, Paola Navone, Daniela Puppa, Franco Raggi et Ettore Sottsass Jr. (entre autres), Alessandro Guerriero fonde le groupe Alchymia... « Pourquoi les mobiliers de Dieu viennent-ils toujours de Milan et jamais de Paris ? » aurait pu écrire, déjà, Olivier Boissière[5].

États des lieux

Les années 70 s'étirent entre le départ de Charles de Gaulle (28 avril 1969) et l'arrivée de François Mitterrand (10 mai 1981). Deux hommes porteurs d'un véritable projet. La grandeur de la France pour le premier, l'aspiration à la culture ou l'humanisme de la France pour le second. Dans les deux cas, un maître mot, l'exemplarité. Entre les deux, une période tampon orientée vers le profit et la consommation, et gravement secouée par un choc économique à répétition et d'une ampleur insoupçonnée. Rien d'étonnant donc, à constater qu'on y a beaucoup plus pensé au « niveau de vie » qu'au « style de vie ».
L'ouverture du musée Vasarely à Gordes (5 juin 1970), la première du « Grand Échiquier » de Jacques Chancel (12 janvier 1972), le dessin de la nouvelle pièce de 10 francs par le peintre Georges Mathieu (1974), l'attribution du prix Goncourt à Patrick Grainville pour *Les Flamboyants* (15 novembre 1976) et l'ouverture du Forum des Halles (6 septembre 1979), entre autres, en sont l'exact reflet.
A la fin de la décennie, naît un peu partout en Occident ce qu'on appellera à Berlin « Hunger nach Bildern », une « soif d'images » : d'images qui feraient à nouveau du sens ; d'images autres que celles exaltant uniquement le statut symbole et la valeur d'échange.
Assez curieusement, et en parallèle à cette soif d'images signifiantes, ce qui reste essentiellement du design français des années 70, c'est un chapelet hétéroclite d'images significatives et même, parfois, extrêmement brillantes.
Avec les illustrateurs de presse d'abord, dont ce fut la grande période : Alessandrini, Arlet, Castelli, Corentin, Lagarrigue, Le Saux, Le Tan, Parnell, Pascalini...
Avec les affichistes ensuite et toujours : Cieslewicz, André François, Le Quernec, Quarez (celle pour les grévistes du *Parisien Libéré* fut sans doute la plus belle et la plus forte de toutes !), Savignac, Topor...
Avec les graphistes, directeurs artistiques et autres

the world to discover and appreciate French decorative design from the gilding to the shoes (« were they studded boots or track shoes? » some are still asking).
Airbus finally conquers the American market in June 1978 when Eastern Airlines decides to purchase 23 of them outright. Yet, in spite of this resounding success for French industry, technology, and to a large extent French design, a strange, disquieting, disenchanted mood reigns over the nation, which is akin to a premature end-of-century feeling.
Even if we do marvel at Wim Wenders' « Alice in the cities » and « Lauf der Zeit », there is no particular cause to rejoice. Beyond the Rhine, the 16,200,000 th « beetle » to come off the production line on January 19th is the very last one. The design world is saddened by the loss of one of its models and idols (albeit American) in Charles Eames whose exemplary career was multi-faceted and eclectic, broad and curious.
Reeditions of past masters come ten to a dozen, from Le Corbusier to Tatlin, Eileen Gray to Gerrit Rietvelt, Gaudi to Fortuny, Mallet-Stevens to Herbst, not forgetting Oud, Hoffmann and Mackintosh. Honour to the deceased, but also to « death » itself it seems. In quick succession, Jean Baudrillard, Michel Tubiana, Léon Schwartzenberg and Pierre Viansson-Ponté, Philippe Ariès, Roger Caillois...[4] dedicate their literary works to it. Some architects and designers are even popping up with project proposals for cemeteries, tombstones and coffins. Always considered a commercial venture, « death » is now considered a value.
Whichever way, Jean-Paul II is elected and in the same stride, Ayatollah Khomeini orchestrates his triumphant return to Teheran. In 1979, the « Deer Hunter » earns Michael Cimino an Academy Award of the Best Film and Bernard-Henri Lévy publishes « Le Testament de Dieu ».
Fortunately, it's all happening in the dance and music sectors and Paris is alight. Boulez and Chéreau put on Alban Berg's « Lulu » at the Paris Opéra on 24th February, Merce Cunningham dances in « Events » at the Centre Georges Pompidou on 17th October, Luca Ronconi produces Berio's « Opera » on 27th October and Stockhausen presents « Arlequin » on 20th November. Jean-

créateurs typographes enfin : Bayle, Bilic, Coriat, Frutiger (Roissy...), Grapus (CGT, PC...), Kieffer, Maggiori, Widmer (Centre Georges Pompidou...).
Sans oublier les bureaux de style, qu'ils soient indépendants comme MAFIA (Maïmé Arnodin et Denise Fayolle), Rébus (Janine Roszé), ou encore intégrés comme ceux de Prisunic, du Printemps et des Galeries Lafayette, qui eux aussi et bien mieux que tant d'autres ont su donner de la France une image à sa mesure.
La décennie qui va suivre battra en brèche le crédo que les « professionnels de la profession », depuis plus de quinze ans, tentent d'imposer et qui voudrait que le designer soit le trait d'union entre art et industrie, entre création et production, le porte-parole du public et la valeur ajoutée de l'entreprise tout à la fois. Position intenable, à mi-chemin entre l'arbre et l'écorce et à laquelle même Nadia Comaneci ne survivrait pas. Car les ingénieurs, dès lors, vont revendiquer leur capacité d'invention formelle ; quant aux créateurs (c'est ainsi que les années 80 les dénommeront), ils camperont, dorénavant, aux marches de l'art. Entre le monde de la création et celui de l'invention, entre le monde de l'art et celui de la technologie, les espaces intermédiaires, les failles, les interstices, sont devenus encore plus congrus qu'auparavant, et ce qui s'y produit, le plus souvent incongru.
Mais 90 dira bien assez tôt ce qu'auront été les années 80. Pour ce qui concerne les années 70 en France, le meilleur état des lieux a sans doute été dressé par Renaud Camus dans son *Journal d'un voyage en France*[6], et par Bernard Frank avec *Solde*[7].

Gilles de BURE

Claude Maugirard launches VIA (comité pour la Valorisation de l'Innovation dans l'Ameublement) under the auspices of UNIFA (Union Nationale des Industries Françaises de l'Ameublement) while in Milan Alessandro Guerriero gathers around him friends like Andrea Branzi, Michele De Lucchi, Alessandro Mendini, Paola Navone, Daniela Puppa, Franco Raggi and Ettore Sottsass Jr. (to name but a few) and launches «Alchimia». Olivier Boissière[5] *might already have asked «How is it that God's furniture always comes from Milan and never from Paris?»*

Spot check

The 70s stretch out between Charles de Gaulle's departure on 28th April 1968 and François Mitterrand's election on 10th May 1981. Both men have a real project, the greatness of France for the first, and an aspiration to culture and humanism for the latter: in both cases, they themselves aim to set the example. The interim period between the two which is profit and consumer orientated, is seriously shaken by repeated economic shocks of a tremendous force. It's not surprising, therefore, to learn that there has been more emphasis placed on «purchasing power» than on «life-style».
The opening of the Musée Vasarely at Gordes on 5th June 1970, the first television screening of Jacques Chancel's «Grand Échiquier» on 12th January 1972, painter Georges Matthieu's redesign of the ten-franc coin (1974), the attribution of the Prix Goncourt to Patrick Grainville for «Les Flamboyants» (15th November 1976) and the official opening of the Forum des Halles (6th September 1979) are, among other events, a perfect reflection of the spirit of the times.
By the end of the decade there erupts simultaneously throughout almost the entire Western world what is later to become known in Berlin as «Hunger nach Bildern» meaning «an appetite for images», images which once again would be meaningful, exalting things other than status-symbol or mere practical value.
Curiously, all that remains of French design through the 70s, alongside this healthy appetite for meaningful images, is an assortment of significant images, some of which are quite brilliant even.
The press illustrators to begin with, whose great

period this was—Alessandrini, Arlet, Castelli, Corentin, Lagarrigue, Le Saux, Le Tan, Parnell, Pascalini, etc.
Then come the poster designers—Cieslewicz, André François, Le Quernec, Quarez (whose poster for the strikers of the «Parisien Libéré» stands out among all the others for its strength and beauty), Savignac, Topor...
Along with the graphic designers, should also be remembered some art directors and creative typographers such as Bayle, Bilic, Coriat, Frutiger (Roissy, etc.), Grapus (CGT, PC), Kieffer, Maggiori, Widmer (Centre Pompidou, etc.)
Not forgetting the design houses themselves whether they be independent such as MAFIA (Maïmé Arnodin and Denise Fayolle), Rébus (Janine Roszé) or in-house such as at Prisunic, Printemps and the Galeries Lafayette, since it is they who more than most have managed to provide France with a fitting image of itself.
The following decade will herald the appearance of major cracks in the «real professionals» credo which for the past fifteen years they have attempted to impose, convinced that the designer should bridge the gap between art and industry, creativity and production, and simultaneously act as spokesperson for the consumer while offering an added value for industry. A position midway between a tree and its bark, so untenable that not even Nadia Comaneci could hold it. Henceforth, engineers will claim their right to aesthetic expression and inventiveness in aesthetics while the «createurs» (as they will come to be known in the 80s) will be pitching their tents in the front gardens of the arts. Between these worlds, the world of creativity and that of invention, the world of art and that of technology, lies a middle ground in which the faults and gaps are more congruous than ever yet its produce is more often than not incongruous.
1990 will soon enough tell us what happened in the 80s. As far as the 70s in France are concerned though, there is no better assessment than the one drawn up by Renaud Camus in his «Journal d'un voyage en France»[6], and by Bernard Frank in «Solde»[7].

NOTES

1. *La Société du spectacle, Asphyxiante Culture, Traité de savoir-vivre à l'usage des jeunes générations, Le Système des objets, Écrits, Le Cru et le cuit, Les Mots et les choses.*

2. *In:* catalogue *Nouvelles Tendances,* Paris, Éditions du Centre Pompidou, 1987.

3. La tour Eiffel.

4. *L'Espace symbolique et la mort, Le Refus du réel, Changer la mort, L'Homme devant la mort, Le Fleuve Alphée.*

5. *Op. cit.,* note 2.

6. Publié en mai 1981 aux Éditions Hachette, POL.

7. Publié en octobre 1980 aux Éditions Flammarion.

NOTES

1. La Société du spectacle, Asphyxiante Culture, Traité de savoir-vivre à l'usage des jeunes générations, Le Système des objets, Écrits, Le Cru et le cuit, Les Mots et les choses.

2. In: *catalogue* Nouvelles Tendances, *Paris, Éditions du Centre Pompidou, 1987.*

3. *The Eiffel Tower.*

4. L'Espace symbolique et la mort, Le Refus du réel, Changer la mort, L'Homme devant la mort, Le Fleuve Alphée.

5. Op. cit., *note 2.*

6. *Published in May 1981, Hachette, POL.*

7. *Published in October 1980, Flammarion.*

Le Concorde, 1976.
Document Air France.

FRANCE

Pyramide du Louvre, 1988.
Architecte : Ieoh Ming Pei.
Documentation Grand Louvre / Astier.

LOCATION

LES ANNÉES 80

Sophie
TASMA ANARGYROS

THE EIGHTIES

Dans la chronologie historique, choisir une décennie revient souvent à constater simultanément un achèvement des temps qui précèdent dans leur ultime manifestation et les prémices d'un temps à venir dans ses balbutiements. Mais ici, nulle distance, nulle antériorité ne permettent une lecture a posteriori. Aussi, le regard ne peut-il procéder que par constats, interrogations, lignes de force, parallèles, antagonismes. Et d'autant plus pour les années 80 qu'elles marquent, dans la soudaine explosion des formes qui les caractérisent et la prolifération des discours qu'elles suscitent, non pas tant un « renouveau » du design qu'un état de crise, signe d'une rupture plus radicale entre deux temps. Le design, et ce n'est sans doute pas indifférent, semble en être un des territoires les plus symptomatiques s'il est entendu, globalement, comme monde des formes du « réel ».

Le design : un art du réel

Rupture ou transition ?

Le terme même de design, qu'on le veuille ou non, échappe sans cesse à la définition. Dans les langues étrangères, il est semblable à un auxiliaire qui ne vaut que par son contexte (fashion design, graphic design, furniture design, etc.). En français, aucun autre terme ne vient le qualifier et son ambiguïté n'en est que plus significative. Lorsqu'il s'agit d'architecture, un champ d'action précis est aussitôt circonscrit, lorsqu'il s'agit de mode vestimentaire de la même manière. L'un comme l'autre semblent régis par une relation unilatérale entre le mot et son évocation tandis que le design renvoie à l'infinité des objets — un train ou une petite cuillère, un ordinateur ou un lavabo, une photocopieuse ou un taille crayon — et déborde sur d'autres domaines : la mode, le graphisme, le mobilier, l'équipement, la signalétique, l'architecture intérieure... Il s'applique à tout et ne désigne rien, il est un rouage, un moment du processus et non pas une finalité.

Dans son sens le plus strict, il apparaît avec l'industrie : donner une forme à l'objet, contrainte et définie par une logique de production.

Artisanal ou manufacturé, l'objet est lié au geste et à sa technique de fabrication, avec sa part d'aléatoire ; industriel, il orchestre par nécessité un mécanisme de plus en plus complexe, « machinal », dans tous les sens du terme.

In a historical chronology, one is obliged, in selecting a particular decade, simultaneously to acknowledge times gone by and to identify the premises of times to come in their earliest stages. But here, no distance, no anteriority will allow an after the event interpretation. One can only locate the facts, interrogate, search out forces, parallels, antagonisms. This is all the more the case as the 80s have been a milestone epoch. With the sudden explosion of shapes and the proliferation of discourses they have encouraged, the 80s have brought about not so much a «renewal» of design as a state of crisis, the sign of a more radical rupture between the two eras. Design—probably not fortuitously—seems to be one of the more symptomatic areas of this rupture, especially if one sees it, from a global point of view, as a world in itself with its different shapes of «reality».

Design: an art of reality

Breaking-point or transition?

The very term «design», whether one likes it or not, inevitably escapes definition. In foreign languages, it is used as an auxiliary, the meaning of which depends on its context (fashion design, graphic design, furniture design, etc.). In French, no other term can qualify it, an its ambiguity is all the more significant. When speaking of architecture, a precise field is immediately defined; the same thing goes for fashion. Both seem to be ruled by a unilateral relation between the word and its evocation, while design refers to an infinite array of objects—a train or a tea spoon, a computer or a sink, a xerox machine or a pencil sharpener—and overlaps into other fields: fashion, graphics, furniture, equipment, signage, interior design... It applies to everything and indicates nothing. It is a cog, a moment in the procedure, and not a finality.

In its strictest sense, it appears with the general idea of industry: to give an object a shape, imposed and defined by a logic of production.

Crafted or mass manufactured, the object is linked to the gesture and to industrial techniques, along with its share of uncertainties. In an industrial context, it orchestrates, by necessity, a mechanism that becomes more and more intricate, «automatic», as it were, in every sense of the term.

L'avènement de l'industrie est aussi celui de la théorie fonctionnaliste, la révélation d'une pure unité de l'objet, de son essence et de son apparence. La forme est « inéluctable », rigoureuse et fidèle expression de la fonction. Mais aujourd'hui, ce qui fut l'illusion temporaire et généreuse d'une « objectivité » de la forme au service d'un idéal démocratique de la consommation, au-delà même de sa relativité, est mise en échec par la désolidarisation de la cause et de l'effet.

Avec les nouvelles technologies, l'informatique et les microprocesseurs, apparaît une génération d'objets dont le fonctionnement devient illisible, abstrait, mental. Une dichotomie s'instaure entre la nature du mécanisme interne et sa formulation spatiale ; miniature, invisible, à la frontière de la matérialité, et, au regard du non-spécialiste qu'est le consommateur, à la limite de la magie (art de produire, par des procédés occultes, des phénomènes inexplicables ou qui semblent tels), la causalité de l'objet se soustrait à l'entendement. Ne demeure que l'effet, dont le mode d'accès se codifie, médiatisé par un langage (agence CLM, publicité pour Macintosh : « Cessez d'apprendre des langages inhumains »).

Ainsi, le design comme « formulation » passe-t-il de la représentation du geste dans l'ère artisanale à celle de la fonction dans l'ère industrielle, et à la représentation de la pensée dans l'ère informatique.

Immatérielle, éthérée, impalpable, à quelle logique de représentation peut donner lieu l'intelligence des objets ?

Cette question se pose pour le design après le fonctionnalisme qu'elle rend caduc, pour l'architecture après le rationalisme, pour la peinture après l'abstraction et l'art conceptuel ; elle affecte, semble-t-il, tous les territoires de la représentation.

Le mélange des genres

Entre les deux extrêmes : le produit purement technologique (aéronautique, armement) et l'œuvre d'art, le design entre pour une part plus ou moins grande dans l'esthétique des objets ; part réduite à la surface, l'enveloppe pour des produits d'industrie lourde, et part plus importante pour des produits qui ne nécessitent pas une technologie très sophistiquée comme tous les objets concernant l'habitat (meubles, arts de la table, etc.). C'est dans cette brèche, sans doute à cause de la liberté formelle que la fabrication de

The advent of the industrial age is also that of functional theory, the revelation of an object's pure unity, of its essence and its appearance. Shape is inescapable. It is a rigourous and faithful expression of function. But today, what had remained for a long time temporary and generous illusion of an «objectivity» of shape, catering to a democratic ideal of consumerism, beyond its relativity, has been wiped out by the breach between cause and effect.

With the new technologies, computers and microprocessors, a new generation of objects has emerged. Their operating modes are unreadable, abstract, mental. A dichotomy has arisen between the nature of the inside mechanism and its spatial classification; miniature, invisible, at the frontier of materiality, and, in the non-specialist eyes of the consumer, on the edge of magic (an art of producing with subnatural means, unexplainable phenomenons or so it seems), the causality of the object defies understanding. Only its effect remains. Its mode of access is codified, mediated by a language (e.g. the CLM agency, in its Macintosh ad: «Stop learning inhuman languages»).

Thus, design as an «expression» goes from the representation of gesture in the era of craftsmanship to that of function in the industrial era, and from there to the representation of thought in the computer age.

Immaterial, ethereal, impalpable. To which logic of representation can the intelligence of objects lead?

This question is raised in design when functionalism has worn itself out, in architecture after rationalism, in painting after abstraction and conceptual art. It appears to affect all areas of representation.

The mixture of types

Between the two extremes—the purely technological product (aeronautics, armament) and a work of art—design takes on a more or less important part in the aesthetics of objects. A reduced part on the surface, as a mere envelope for the products of heavy industry, and a more important part for those products that do not require a very sophisticated technology, such as all the objects in a living environment (furniture, table settings, etc.). It's in

mobilier autorise, et de sa fonction symbolique de représentation (d'un pouvoir, d'un savoir, d'une appartenance) que se manifeste de la façon la plus ostensible cette interrogation sur le devenir formel des objets. Et ces objets de la vie quotidienne sont liés, paradoxalement, aux fonctions primaires et privées, à l'instant même où les nouvelles techniques de communication investissent l'espace domestique.

Modèle et série

Aujourd'hui, dans le domaine de l'habitat et de l'équipement, deux types de productions se côtoient, une production de très grande série, standardisée à l'extrême et identique aux quatre coins du monde : électroménager, hi-fi, télévision, ordinateurs, appareils photo, rien ne les distingue, si ce n'est le nom de leur marque, sans autre discours que la béatitude discrète de leur haute technologie. En contrepoint, le mobilier, jusqu'alors soumis pour sa majorité au débat « copie de style/contemporain » devient soudain le territoire privilégié d'une exploration formelle débridée.

Les années 80 voient apparaître, cristallisée et médiatisée par la première exposition de Memphis à Milan, une remise en cause radicale des principes fonctionnalistes qui perduraient dans les années 70 avant la crise du pétrole, avec le développement des matières plastiques et le principe commercialement optimiste d'une production de masse.

Face à l'hypertechnicité des objets quotidiens qui envahissent le marché mondial, le mobilier qui était passé de la petite série artisanale à la grande série (transition traduite historiquement avec la chaise Thonet au début du siècle, formellement avec les recherches des grands architectes du mouvement moderne dans les années 30, et techniquement avec les matières plastiques, mousses et dérivés dans les années 60) retourne paradoxalement à la petite série ou même à la pièce unique.

D'un côté les rééditions des modèles du mouvement moderne dont l'esthétique met un demi-siècle pour parvenir au grand jour, « copies de style » et « antiquités du futur » à leur façon, alors même qu'elles étaient conçues pour la grande série font l'objet d'une sacralisation « culturelle ». Produites en petites séries de luxe, on ne sait si leur attrait provient d'une image de la modernité qu'elles expriment à retardement, ou

that opening, probably thanks to the formal freedom that the manufacturing of furniture allows, and to its symbolic function of representation (a sense of power, of knowlege, of belonging), that is expressed in the most obvious way in the questioning about the formal development of daily objects, paradoxically linked to the primary and private functions, while the new techniques of communication are investing into domestic space.

Model and series

Today, in the field of living and equipment, two types of production coexist. On the one hand, we have wide scale production, standardized to the extreme and identical all over the world: household appliances, hi-fi, televisions, computers, cameras. Nothing differenciates these objects except their brand name. They speak out essentially through the discreet contentment of their sophisticated technology. On the other hand, the furniture, for the most part separated into two categories — « replicas of antiques/contemporary » — has suddenly become the privileged territory of unleashed formal exploration.

With the sudden interest and publicity given to the first Memphis exhibit in Milan, the 80s have witnessed radical challenging of the functionalist principle which prevailed in the 70's before the oil crisis, the development of plastics and the commercially optimistic concept of mass production.

Faced with hyper-technicality of daily objects invading the world's markets, the furniture that passed from small handmade series to mass production (a transition illustrated historically by the Thonet chair at the beginning of the century, formally by the research leading architects of the modernist movement made in the thirties and technically by plastic, foam rubber and their derivatives in the sixties) is paradoxically reverting back to smaller series and even to unique pieces.

On the one hand the reeditions of models from the modern movement which took half a century to find their audience—« replicas of antiques » and « antiques of the future » in their own way, when they were really conceived for larger series—are the object of a cultural deification.

Manufactured in limited de luxe series, these

du « savoir » qu'elles symbolisent. (Il est de bon ton de posséder une table de Le Corbusier, une chaise de Mallet-Stevens, un lampadaire de Fortuny, encore faut-il le savoir, ou mieux, dans la consommation cannibale et accélérée de la mode et des images, savoir que ce n'est peut-être déjà plus de si bon ton pour l'avoir trop été...). Peu importe, la chaise Mallet-Stevens est devenue un microphénomène de société, et l'apparente « insignifiance » des jeux de miroir cesse dès que commence la logique de l'économie et du profit auxquels n'ont jamais échappé ni les industries de la mode, du mobilier, ni, à une autre échelle, le marché de l'art.

Télescopages

Parallèlement, une extraordinaire diversité stylistique éclôt, qui puise à toutes les sources, toutes les références, inspirée, en désordre, de la Sécession viennoise, du Bauhaus, du classicisme, de l'exotisme, du japonisme, du futurisme italien, du constructivisme russe, néo-barbare, néo-romain, néo-électronique, destroy, californien, mystique, néo-50, néo-60, néo-40, emprunts au cinéma, à la peinture, à la sculpture, à la bande dessinée, à la mode, à l'architecture, dans une accumulation vertigineuse où la pensée, la créativité, l'invention, la gaieté, l'ironie, la subversion, la transgression des modèles, le renversement des valeurs, la réflexion théorique et la recherche artistique ont aussi leur place. Les magasins de « design » (culte du noir et blanc-verre-chromé ou coloré-rigolo-gadget) côtoient les galeries-musées. Dans les premiers se joue une légitime récupération mercantile, dans les seconds l'apparition d'objets hybrides : ni œuvre d'art — ils ont pour nom, table, chaise, lampe et relèvent d'une fonction dans un monde en trois dimensions, ni « produits » — sans logique de reproduction, ils sont parfois des pièces uniques, parfois des pièces uniques multipliées.
Ainsi, parallèlement à la dématérialisation progressive des objets et des outils, dans cette zone de vacance formelle que crée la rupture d'une représentation possible de l'intelligence, le mobilier et les objets domestiques semblent être devenus le champ d'élection d'une répertoriation de signes, de symboles, de discours, d'une « quête iconographique », réappropriation d'un sens et d'une histoire qui se dérobent.

objects may appeal in their delayed image of modernity, or in the knowledge they symbolize. (It may indeed be trendy to own a Le Corbusier table, a Mallet-Stevens chair, or a Fortuny lamp, but one should know in the cannibalistic and accelerated consumerism of fashion and images, that it is not in the best taste to be overly trendy...).
No matter, the Mallet-Stevens chair has become a micro-phenomenon of society. And the apparent « insignificance » of the mirror games stops as soon as the logic of economics and profit—which have always influenced the fashion industries and at another level altogether, the art market—takes over.

Telescoping

At the same time, an extraordinary stylistic diversity blossomed, inspired and disorderly, drawing from the Vienna Secession, the Bauhaus, the Japonism, Classicism, Exoticism, Italian Futurism, Russian Constructivism, neo-barbaric, neo-Roman, neo-electronic, destroy, Californian, mystic, neo-50, neo-60, neo-40, borrowing from the movies, painting, sculpture, comic strips, fashion, architecture. All of it evolved in a spiraling accumulation in which thought, creativity, invention, happiness, irony, subversion, the transgression of models, the reversal of values, the theoretical reflection and artistic research also have a place. The « design » shops (cult of the black and white-glass-chrome or colored-funny-gadget) cling to the museums and galleries. In the former, one finds a legitimate mercantile recuperation; in the latter, the appearance of hybrid objects. Neither is a work of art (one refers to them as table, chair, lamp and they exist in a three-dimensional world) nor a product (without a logic of reproduction, they are sometimes unique pieces, sometimes multiples of unique pieces).
Thus in parallel with the progressive dematerialisation of objects and tools, in this empty formal zone created by the rupture of the possible representation of intelligence, household furniture and objects seem to have become the privileged territory of an index of signs, of symbols, or discourses, of an « iconographical quest », reappropriation of a meaning and a history that seem to be slipping away.

La France dans quelle géographie ?

Ces petits laboratoires de recherche n'ont en France d'autre existence que marginale et de finalité qu'élitiste, tandis que l'Italie, après l'architecture radicale et l'action des groupes Archizoom et Superstudio à la fin des années 60, puis Alchymia et Memphis, a su intégrer les recherches de ses architectes et designers. Les industries italiennes (Olivetti, Cassina, RB Rossanna pour n'en citer que quelques-unes), souvent dirigées par des industriels eux-mêmes architectes, travaillent non seulement avec les architectes d'avant-garde (Ettore Sottsass, Andrea Branzi, Michele de Lucchi, Richard Sapper, Gaetano Pesce...) et avec des designers et architectes du monde entier (Kuramata, Peter Shire, Hans Hollein, Philippe Starck...) mais financent toutes les expériences de recherche dans un mouvement ouvert de circulation des idées, de la production en série à l'expérimentation, tandis qu'enseignement et revues sont dirigés par ceux qui produisent et ceux qui cherchent.
En France, hormis quelques cas isolés, les effets conjugués des corporatismes, des prudences et d'une certaine inculture — qu'elle concerne l'architecture, le design ou les nouveaux enjeux de la communication — entraînent un « état d'absence » des industriels français. Le cas de Philippe Starck sur ce point est exemplaire : après avoir essuyé les refus des industriels français du meuble (excepté les Trois Suisses qui n'en sont pas), ses collections sont éditées en Espagne, en Italie, au Japon, aux États-Unis, puis importées sur le marché français où elles se vendent d'ailleurs fort bien.
L'État a tenté de remédier à cette « absence » avec diverses opérations et au moyen de plusieurs politiques (création du Centre de création industrielle (1969), concours du Mobilier de bureau (1982), de Luminaires (1984), expositions comme le « Bureau de l'an 2000 » (1984), « Art et industrie » (1985), création du VIA (1979), de l'APCI, création d'écoles supérieures (ENSCI), grands projets d'architecture, ouverture de la Cité des sciences et de l'industrie...).
Mais pourquoi le design, cette mise en image d'un objet, ou d'un concept, prend-il une telle importance ?

Le design : un art du spectacle

Identité des personnages

Autour du design se joue la question de l'identité. Identité des objets, identité des marques qui produisent ces objets et identité (identification) du consommateur (est-on plutôt tenté de dire qu' « utilisateur ») qui s'entoure ou se revêt de signes extérieurs comme autant d'attributs distinctifs. Une problématique que connaît bien la publicité et toute la cohorte des disciplines spécialisées : statistiques, études de marché, audits, marketing, etc. Mais autour de la logique même de la consommation, dont le développement des techniques de communication est à la fois le moyen, la médiation et la métaphore, se joue une double et irréversible surenchère. Multiplication des produits, multiplication de l'information : deux réseaux se superposent, l'un dans le champ du réel, l'autre dans le champ de l'image. C'est ainsi qu'à l'heure où tout le monde s'assoit sur les mêmes sièges d'avion, écoute le même « compact disc », met en marche la même machine à laver la vaisselle, s'éclaire

In what geography does France fit?

These small French research laboratories enjoy only a marginal existence and an elitist purpose, whereas in Italy the prevailing radical architecture and the activity of groups such as Archizoom and Superstudio at the end of the 60s, and of Alchimia and Memphis after them, have created an integration of research between architects and designers. The Italian industries (Olivetti, Cassina, RB Rossanna to mention but a few), are often headed by manufacturers who are themselves architects. Not only do they work with the avant-garde architects (Ettore Sottsass, Andrea Branzi, Michele De Lucchi, Richard Sapper, Gaetano Pesce...) and with architects from all over the world (Kuramata, Peter Shire, Hans Hollein, Philippe Starck...), but they also subsidize research projects in a movement that is open to sharing ideas, from serial production to experimentation. Concurrently, the teaching and publication of design are the domain of those who produce and those who are doing the research.
In France, aside from a few isolated cases, the joint effects of corporatism, of cautiousness and a certain amount of ignorance—whether in the field of architecture, design or the new communication stakes—bring about a «state of absence» on the part of French industrialists. The case of Philippe Starck is illustrative: having been rejected by French furniture manufacturers (except for the 3 Suisses mail-order catalogue which is not specialized), his collections were produced in Spain, Italy, Japan and the United States, and only then imported onto the French market, where they are selling very well.
The Government has tried to find a solution to this «absence» by launching several operations with the help of different policies (the creation of a Center of Industrial Creation in 1969); the office furniture contest in 1982, light fixtures in 1984, exhibits such as the «Office of the year 2000» in 1984, «Art and Industry» in 1985, creation of VIA, of the APCI, creation of graduate schools such as ENSCI, large architectural projects, opening of the Cité des Sciences et de l'Industrie...).
But why is design, this rendering into an image of an object or a concept, taking on such importance?

Design: a performing art

Identity of the characters

A question of identity surrounds the topic of design: questions about the identity of objects, identity of brands that are producing these objects and the identity (identification) of the consumer (or should one say user), who surrounds himself or covers himself with exterior signs as distinctive attributes. This is a problem that pervades the advertising world and its related disciplines: statistics, market studies, audits, marketing. But all around consumer logic itself—for which the development of communication techniques is at the same time the means, the mediation and the metaphor—there is an irreversible double bidding. Multiplicity of products, multiplicity of information: the two networks overlap, one in the field of reality, the other in the field of image. Thus, while we all travel on the same airline seats, listen to the same compact disc, turn

avec la même lumière hallogène, filme ses vacances sur la même caméra vidéo, et observe sur le même écran de télévision la mort en direct d'un rebelle qui filme sa propre chute dans un coin perdu du maquis afghan, les marques qui commercialisent les objets en question (lave-vaisselle, vidéo, compact disc, télévision, lampe hallogène) ne se singularisent plus par la performance des objets — qui s'équivaut — mais par leur image. Le marché mondial propose bien des performances, de façon générique, mais les marques, prises dans le jeu de la concurrence, ne disposent plus que de l'image comme facteur d'identité.

Théâtralisation progressive

Parallèlement, et par l'éclosion des mêmes techniques de communication, satellites, réseaux informatiques, instantanéité de l'information, les schémas de rassemblement et de centralisation qui ont depuis toujours régi l'organisation du travail, de l'économie, de l'urbanisme et des relations humaines vont dans un mouvement inverse du collectif vers l'individuel. Constitution de groupes culturels et idéologiques en microcosmes isolés les uns des autres, auxquels les marques sont censées s'adresser au moyen du seul discours formel des objets, qui à leur tour vont vers une fragmentation en autant de petites séries différenciées autour d'un système technologique interne identique. De ce phénomène en gestation, le décor domestique dit d'avant-garde s'est fait le révélateur. C'est ainsi que paradoxalement, l'industrie va-t-elle sans doute se trouver en situation de devoir produire des « pièces uniques industrielles ». Peut-être toute l'agitation formelle et discursive, dont le mobilier des années 80 est la scène, préfigure-t-elle cette nécessaire reconversion des politiques de production : l'objet lui-même, délivré de ses automatismes formels, se charge de sens, de culture, de références. Il est objet et il devient discours sur l'objet. Il est à lui seul le produit, l'identité de la marque, celle de ses consommateurs et publicité de l'ensemble.
Dans ce contexte, le design est à la croisée de tous les chemins et dans le fil d'une même logique de « communication », les lieux de vente de ces objets deviennent eux aussi publicitaires. Dans un univers surchargé, saturé d'images, la surenchère publicitaire n'a d'autre alternative que l'effet de surprise, aussi bref soit-il, qui se résume à la vertu du « spectaculaire ». Les magasins deviennent le lieu d'une scénographie éphémère, mystérieuse, décor de théâtre d'une pièce qui s'écrit au jour le jour dans la célébration rituelle et ludique du commerce. Comme dans les clips publicitaires, où ce qui commence comme une fiction s'achève sur la proclamation primaire et incontournablement laudative du produit, les décors de théâtre mènent droit au tiroir-caisse.

C'est donc dans le champ (est-il illimité ?) de l'imaginaire que semble se jouer aujourd'hui la pratique du design, qui passe d'un art du réel à un art de la fiction, tel que pouvait l'entendre Bioy Casares (disciple de Borges) avec « l'invention de Morel », une île déserte où des événements passés se projettent éternellement en trois dimensions, dans un monde devenu pur artifice.

Sophie TASMA ANARGYROS

on the same dishwasher, use the same halogen lamp, film our holidays with the same video camera, watch as the same television conveys the death of an Afghan rebel, filming his own demise in a lost corner of the mountains, the brands that market these objects (dish-washer, video, compact disc, television or halogen lamp) do not distiguish themselves in their output—which is the same—but in their image. The market at large offers many achievements, in a broader sense, but the brands, implicated in a competitive game, are left with their image as their only identifying factor.

Gradual theatricalizing

At the same time, and with the blossoming of similar communication techniques, satellites, computer networks, instantaneous information, the practices of assembling and centralising that have always ruled work organisation, the economy, town planning and human relations move in the opposite direction from the collective to the individual. Setting-up of cultural and ideological groups in microcosms isolated from each other, which the brands must cater to, using only the formal language of objects, and which in turn seem to be going towards a splintering in many different small series around an identical inner technological system. The household environment that is considered avant-garde has revealed this budding phenomenon. This is why, paradoxically, the industry will soon find itself obliged to produce « unique industrial pieces ». The entire discursive and formal bustle that surrounds the furniture of the 80s may well foreshadow this necessary reconversion of the production policies: the object itself, freed from its formal automatisms, becomes more meaningful, takes on a sense of culture, includes references. It is an object and it becomes a discussion of the object. It represents at once the product itself, the identity of the brand, the identity of the consumers and a general advertising platform.
In this context, design stands at the crossroads. If one follows the same logic of « communication », one notices that the shops where these articles are sold have also become advertising. In an overloaded universe, saturated with images, the overabundant advertising can only take us by surprise, even briefly, as though it were an ongoing show. Shops are becoming a place of ephemeral and mysterious stage set, a theater decor for a play that is written day by day in the ritual and playful celebration of commerce. As is illustrated in the ads themselves, what begins as fiction finishes with a simplistic proclamation and undeniable praise of a product. The theater decors lead directly to the cash register.
It is thus in the (limitless?) realm of the imaginary that the practice of contemporary design seems to exist. It goes from being an art of reality to an art of fiction, as Bioy Casares (follower of Borges) might have understood it in his « invention of Morel », a desert island where events that have occurred are projected eternally in three dimensions, in a world that has become entirely artificial.

Satellite Telecom 2.
Document Matra.

ART ET DESIGN, RATAGES ET CHASSÉS-CROISÉS

Catherine MILLET

ART AND DESIGN, FAILURES AND SWAPS

L'art moderne est le résultat d'une fracture et le générateur d'une utopie. L'utopie sert, en quelque sorte, à réparer la fracture. Fracture, ce moment où des formes surgissent, échappant à la compréhension de la plus grande partie du public. Utopie, la volonté qui anime les auteurs de ces formes à rétablir toutefois un dialogue avec leurs semblables, en proposant, par exemple, d'embellir leur environnement. Dans un article, maintenant ancien, paru dans la revue *Traverses* n° 2, Marc Le Bot remarquait que beaucoup des avant-gardes du début du siècle, rêvant d'un « art total », avaient tenté de réaliser ce rêve dans une réconciliation de l'art et de la quotidienneté. J'avoue qu'il m'est arrivé de proposer une interprétation « psychologique » de cette tentative ; s'opposer au goût de la majorité de ses contemporains n'est guère confortable et il est compréhensible que les artistes aient voulu aplanir cette opposition (se déculpabiliser de leur individualisme), en offrant d'adapter leurs inventions à la vie de tous les jours. N'est-ce pas ceux qui sont allés le plus loin dans l'abstraction, qui ont aussi proposé les solutions les plus élaborées d'aménagement de l'environnement domestique, urbain, voire social : Mondrian, Malevitch, Klein ?

Mais nous ne sommes plus dans l'ère du modernisme, nous sommes dans celle du postmodernisme. Mon opinion est que la différence n'est pas stylistique mais sociologique. La fracture entre l'art et la société commence à être replâtrée. Serait-ce que les utopies auraient enfin trouvé à fixer leurs éclisses dans la réalité quotidienne ? Nous savons bien, pourtant, par expérience, qu'une utopie qui passe dans le réel, rate, forcément. Alors, rendre compte des échanges qui ont réussi à s'établir entre le domaine de l'art et celui du design (celui-ci pris au sens large d'une structuration de l'environnement quotidien), n'est-ce pas aussi, — et tant pis pour les philosophies optimistes — devoir envisager quelques ratages ?

L'artiste à la place du styliste ?

Ce qu'on appelle la « société de consommation » met les artistes au pied de l'avalanche des objets. A la différence des objets dadaïstes, les objets pop ou nouveaux réalistes sont localisés et datés et c'est bien leur identité qui donne son sens à l'œuvre, même lorsqu'ils sont soumis à un traitement qui les déforme ou les détruit. *Le Déjeuner en fourrure* de Meret

Modern art is the result of a fracture and the generator of an utopia. Utopia is used, in a way, to make up for the fracture. Fracture—the moment when shapes emerge and, for the most part, escape the comprehension of the public. Utopia becomes the will on the artists' behalf to re-establish a dialogue with their contemporaries by offering, for example, to improve and embellish the environment. In his article in the second issue of the periodical « Traverses » (now rather dated), Marc Le Bot commented that many avant-gardes of the beginning of the century, dreaming of a « total art form », had tried to achieve this by reconciling art with everyday life: I admit that I was tempted likewise, to suggest a psychologic interpretation for this attempt; to contradict contemporary majority taste is hardly easy, and it is understandable that artists tried to smooth out this opposition (to feel less guilty of their individualism) by proposing to adapt their creations to everyday life. Typically, it was those who had dared the most in abstraction, who offered the most elaborate solutions—improving the environment in the home, city and social contexts: Mondrian, Malevich and Klein.

But we have shifted from the modernist to the post-modernist era. It is my opinion that the difference is not stylistic but sogiologic. The fracture between art and society is beginning to be healed. Utopia wears splints for the cause of everyday life. We know from experience that an utopia becoming a reality will fail. Let us depict however the successful exchanges which have been established between the domains of art and design (in its widest sense, of a structuring of the daily environment). Shouldn't we also expect several failures (and let us not heed optimistic philosophies)?

The artist in the stylist's role?

What one refers to as the « Consumer Society » tends to submerge the artists by an avalanche of objects. Differing from dadaistic objects, the objects of Pop Art and New Realism are localised and dated, and it is their identity which gives a meaning to the works, even when they are submitted to a treatment which deforms or destroys them. Meret Oppenheim's « Le déjeuner en fourrure » is a riddle which leaves our spirit in suspense, while

Oppenheim est un rébus qui laisse notre esprit en suspens, tandis qu'un interrupteur démesurément agrandi d'Oldenburg nous colle vraiment le nez sur un objet à la fois banal et tout puissant du monde moderne, qu'une compression de César nous confronte au destin exact de l'un des principaux fétiches de ce monde.
Cette attention portée aux objets ne produit pas que des gestes qui les détournent de leur fonction pour mieux renforcer leur valeur emblématique. Elle suscite aussi l'envie de les maîtriser dès leur conception, de répondre au défi de la créativité industrielle. Là, différentes générations d'artistes, appartenant à différents courants esthétiques, sont concernées.
Si elles ont le mérite de témoigner d'une prise de conscience, les premières tentatives sont toutefois un peu confuses. S'agit-il de s'approprier l'objet usuel pour lui conférer une « qualité artistique » ou bien de perturber le quotidien avec quelque élément humoristique ou incongru ? La fameuse exposition « Antagonismes 2, l'objet », organisée en 1962 par François Mathey, au musée des Arts décoratifs, est un incroyable bric-à-brac (que le catalogue, significativement, appelle « inventaire ») de projets d'architecture (Agam — en collaboration avec Parent —, Kowalski, Matta, Klein — en collaboration avec Parent et Tallon —), de prototypes d'objets dont on imagine mal la fabrication en grande série (baignoire en marbre et en bronze de Benrath, lit en bois sculpté de Mathieu), ou de « choses » encore plus énigmatiques, intermédiaires entre l'œuvre d'art et le bricolage, comme l'épouvantail à moineaux de Chaissac ou la *Dreammachine* de Gysin ! En fait, ceux dont les réalisations répondent le mieux à l'espoir, exprimé dans la préface du catalogue, de voir ces objets multipliés « à des milliers et des milliers d'exemplaires » sont Bertoia, finalement plus connu pour sa collaboration à Knoll que pour son œuvre de sculpteur, et Charlotte Perriand, c'est-à-dire des praticiens qu'on appellerait aujourd'hui des designers.
Quatre ans plus tard, François Mathey à nouveau, avec le critique d'art Michel Ragon, présente à la galerie Lacloche l'exposition « L'objet 2 ». Le même mélange s'y retrouve. Des artistes très attachés au travail de la matière la soumettent, à cette occasion, à une fonction. Guitet expose un secrétaire en bois plastifié, Penalba une coupe en métal argenté. Ces objets ont un aspect rustique, celui qu'on attribue

Oldenburg's oversized switch has our noses pressed against this object which is at once trite and powerful. A César compression confronts us with an exact destiny of one of the main fetishes of this world.
This sort of attention brought upon objects detracts from their function, in order to better underline their emblematic value. It incites us also to master them from their conception, to meet the challenge of industrial creativity. Different generations of artists from different aesthetic schools are involved here.
If the first attempts have the merit of revealing some consciousness, they are nevertheless confused. Does it mean that you take a familiar object and confer upon it an artistic quality, or perturb daily life with a humorous or incongruous element? The famous exhibition «Antagonismes 2, l'objet», organized by François Mathey in 1962 at the Musée des arts décoratifs, was an incredible bric-a-brac (even the catalogue is significantly called the inventory) from architectural studies (Agam in collaboration with Parent, Kowalski, Matta, Klein in collaboration with Parent and Tallon) to prototypes of objects whose mass production we can hardly imagine (a bath in marble and bronze by Benrath, a bed in carved wood by Mathieu), or even more enigmatic things, between art and do-it-yourself, such as the scarecrow by Chaissac or the «dream machine» by Gysin! Indeed the creators who say the most to us — and according to the catalogue preface envisage these multiple objects «in millions and millions of examples» — are Bertoia, better known finally for his work with Knoll than his sculpture, and Charlotte Perriand, that is to say practitioners who are known today as designers.
Four years later, François Mathey once again together with the art critic Michel Ragon, presented the exhibition «L'Objet 2» at the Lacloche Gallery. The same mixture again. Artists involved in working with a substance, submitting it to functional use this time. Guitet exhibited a desk in plastic-coated wood, Penalba a cup in silvered metal. These objects reflected a simplicity which one spontaneously (and completely wrongly) associated with craftsman's work. (Guitet made inroads into industry by designing screen walls for Bouygues.)
Some designers exhibited too at «Objet 2»: Patrix,

spontanément, à tort d'ailleurs, au travail artisanal. (Mais Guitet fera des incursions dans l'industrie, dessinant des claustras pour Bouygues.)
A « L'objet 2 », participent aussi des designers, Patrix avec un bureau, Tallon avec un « lit métamorphique », ainsi que des artistes de la nouvelle génération, Arman dont le fauteuil spirale utilise une structure d'acier avec une remarquable économie formelle, Rancillac dont la bergère éléphant exploite avec beaucoup d'humour la malléabilité du polyester.
Ce qui n'est pas encore très clair dans les intentions de ces expositions, c'est s'il s'agit d'encourager les artistes à rivaliser avec les stylistes (la préface d'« Antagonismes 2 » évoque l'hostilité du créateur à l'égard des « ingénieurs stylistes », tandis que pour « L'objet 2 », Ragon dit que : « Le " styliste " repense un objet, mais [que] l'artiste le métamorphose »), ou si, soupçonnant les « stylistes » de « piller » les artistes [Ragon], on invite ces derniers à se passer des « intermédiaires ».

Toucher le public

Assez vite, dans les années qui suivent, parce qu'aux alentours de 68 les artistes se croient sommés de redéfinir leur rôle dans la société, les options vont se préciser. Elles n'iront pas d'ailleurs obligatoirement dans le sens de renforcer, comme l'attendaient peut-être les organisateurs de « L'objet 2 », les qualités spécifiques de la démarche artistique. Curieusement, alors que l'idéologie de l'époque s'inspire en partie du comportement libertaire des modernes, beaucoup auront tendance à choisir au contraire la voie de l'artiste organique, à se laisser attirer par la fonction plus ou moins anonyme de l'ingénieur - metteur en forme du quotidien.
L'idée que l'artiste aurait pour mission de corriger esthétiquement un environnement visuel pollué s'efface un peu. Le projet esthétique est en fait second. Ce qui prime, c'est de redonner aux gens les moyens de mieux appréhender le monde moderne, de faire en sorte qu'ils ne le subissent plus passivement. L'artiste se veut un éveilleur des consciences et des sensibilités. Il faut, dans tous les sens du terme, toucher le public : en allant à sa rencontre dans la rue, en faisant pénétrer dans les intérieurs des « multiples » que leur prix rend accessibles à tous, en faisant voir et toucher des objets, usuels ou non, aux couleurs et aux matières inédites. Même Vasarely, ex-élève de l'Académie

with a desk, Tallon with a «metamorphic bed». There were artists of the young generation: Arman, whose spiral armchair used steel with remarkable spareness, Rancillac, whose wing chair-elephant exploited the malleability of polyester with much humour.
It was not yet clear, about the intentions of these exhibitions, whether they encouraged artists to rival with stylists (the preface of «Antagonismes 2» evoked the hostility of the creator toward the «stylist engineers», whereas in «Objet 2», Ragon said «the stylist rethinks an object when the artist metamorphoses it»), or, suspecting stylists of pillaging artists (Ragon), they encouraged the latter to forego the middleman.

Touching the public

Fairly rapidly, in the following years, options became more precise, largely because around 1968 artists felt bound to redefine their role in society. They did not necessarily reinforce, as the organizers of «Objet 2» might have expected, the specific qualities of an artistic approach. Curiously, although the ideology of the era took inspiration from the liberal behaviour of the modernists, many chose in consequence the path of the organic artist, feeling attracted by the more or less anonymous function of the engineer, giving shape to everyday things.
The idea that the artist's mission should be to correct a visually polluted environment aesthetically was less in evidence. Aestheticism took second place. What was of prime importance was to give people again the means to apprehend the modern world, and to overcome passive acceptance. The artist wanted to become the awakener of conscience and sensitivity. The public had to be touched in every sense of the term: by going out into the street to meet it, by introducing these multi-produced objects into the home through reasonable prices which made them accessible to all, by allowing to see and touch these objects, familiar or not, in unprecedented colours and materials. Even Vasarely, a former student of the Academy of Mühely in Budapest, who desired to be the continuator of Bauhaus and its rationalist spirit in France, and whose works have become more and more integrated into architecture, even he, the pedago-

Mühely de Budapest, qui se veut le continuateur en France du Bauhaus et de son esprit rationaliste, dont les œuvres sont de plus en plus des intégrations dans l'architecture, même Vasarely- le pédagogue, donc, mise sur un contact direct, presque instinctif, avec le spectateur. Dans *Plasti-cité, l'œuvre plastique dans votre vie quotidienne,* il écrit : « Puisqu'il n'est pas permis à tout le monde d'étudier profondément l'art contemporain, à la place de sa " compréhension " nous préconisons sa " présence " .»

« Après 68, on ne pouvait pas se remettre à peindre comme si de rien n'était », raconte François Arnal. En 1969, il pose pour un temps les pinceaux. Il fonde l'Atelier A qui édite des objets, principalement du mobilier et des luminaires, conçus par les artistes. L'objectif principal est de « toucher un nouveau public ». Sorti de l'atelier-tour d'ivoire, l'artiste se situe de plain-pied avec ses contemporains.

Je ne connais pas de meilleure expression de cette intimité que les artistes cherchent à établir entre eux et le public que cette prolifération de formes organiques et enveloppantes, à laquelle on assiste alors (et à laquelle contribuent aussi largement des designers comme Paulin ou Tallon), comme s'il fallait absolument humaniser les produits industriels, du moins dégager les vertus hospitalières de la nouvelle nature artificielle : habitacles-nanas de Niki de Saint-Phalle, fauteuil « La Mamma » de Pesce, et projet d'architecture gonflable en forme de Vénus de Bernard Quentin ; du même, les structures moléculaires et les fauteuils gonflables en forme de croissant, de César, un sofa dessiné par la mousse de polyuréthane expansé généreuse ; de Tallon, et de Tallon en collaboration avec César, de Ruth Francken, des sièges en forme de corps humains, et même, d'Adzak, en forme de fesses. Des Lalanne, bien sûr, les moutons douillets, et de Rancillac le fauteuil éléphant aux grandes oreilles protectrices...

En dépit de ce déploiement de séduction, les artistes metteurs en forme du quotidien n'atteignirent pas leur objectif. D'abord, tous ne s'impliquèrent pas de la même façon dans cette activité nouvelle. De l'Atelier A sortirent des objets qui étaient le résultat d'une véritable exploration formelle et technique, de la découverte des matériaux nouveaux (siège en aluminium et caoutchouc d'Arman, en bois et altuglas, présenté en kit, de Mark Brusse, rocking-chair de Sanejouand, série « fil » et piètements serre-joints

gue, believed in a direct and almost instinctive contact with the spectator. He wrote in «Plasticité, l'œuvre plastique dans votre vie quotidienne»: «As not everyone in the world can study contemporary art in depth, in place of its comprehension we advocate its presence.»

François Arnal recounts that «after 1968, we could not start to paint again as if nothing had happened». In 1969 he stopped painting and founded Atelier A, which mostly specialized in wood furniture and lights conceived by artists. The main objective was to «touch a new public». The artist descended from his ivory tower, and found himself on equal footing with his contemporaries.

I do not know of a better expression of the artists attempts to create an intimacy between themselves and the public than the present proliferation of enveloping and organic shapes (to which designers such as Paulin and Tallon contributed greatly). As if you had to absolutely humanise the industrial product, or at least disclose the hospitable virtues of this new artificial matter: «habitacles-nanas» by Niki de Saint Phalle, the armchair «La Mamma» by Pesce, and the inflatable architectural Venus by Bernard Quentin or his mollecular structures, the inflatable armchairs in crescent form, a sofa designed in polyurethane foam, expansive and generous by Césanne, who in collaboration with Tallon produced seats in human form as did Ruth Francken, and even a human bottom by Adzack. Cuddly sheep by Lalanne of course, and the elephant armchair with great protective ears by Rancillac.

In spite of this deploying of seduction, these artists of the day to day did not achieve their objective. Firstly, not all were involved in the same way in this new activity. Atelier A produced objects which were the result of a real formal and technical exploration of new materials (an aluminium and rubber seat by Arman, a wood and altuglass one in kit by Mark Brusse, a rocking chair by Sanejouand, a series of «wire» and base clamps by Arnal), but also a set of tables, for which artists supplied only a drawing to be reproduced on the table tops. In any case, a consideration of what the artists of this epoch produced in the area of design shows that they achieved very little outside the realm of the domestic object. We can just mention the elastic

d'Arnal), mais aussi des séries de tables pour lesquelles les artistes s'étaient contentés de fournir un dessin à reproduire sur le plateau. De toutes façons, si l'on considère l'ensemble de ce que les artistes réalisèrent à l'époque dans le domaine du design, on se rend compte qu'il y eut extrêmement peu d'incursions en dehors des objets domestiques. On peut tout juste citer le système de coffrages élastique conçu par Kowalski (répertorié dans l'exposition organisée en mars 68 par Utopie, « Structures gonflables », et où figuraient aussi les meubles et les projets d'architecture de Quentin), ou le logo de la Régie Renault dessiné par Vasarely. Encore la formation de ces deux artistes les destinait-elle particulièrement à ce genre d'activité.

Surtout, et là c'est à nouveau Arnal qui se souvient de son expérience, les artistes échouèrent dans leur entreprise de sensibilisation d'un public plus large. Tables, étagères, lits et fauteuils, lampes et cendriers étaient un peu le cheval de Troie sur lequel ils comptaient pour introduire l'art contemporain dans des milieux qui y étaient jusqu'alors fermés. L'Atelier A était animé d'une volonté pédagogique. Par exemple, les objets étaient vendus accompagnés d'une fiche d'information sur leur créateur. Mais ceux qui acquéraient ces objets appartenaient déjà, pour la plupart, au groupe restreint des amateurs convaincus de l'art contemporain. En dépit d'une activité très intense (au total cent cinquante et un objets dus à des artistes aussi différents les uns des autres que, outre ceux que j'ai déjà cités, Adzak, César, Lourdes Castro, Klasen, Annette Messager, Jacquet, Malaval, Pradalié, Télémaque, Venet...), l'Atelier A ne réussit pas à survivre financièrement et ferma en 1975. Pour les mêmes raisons, l'espoir, que beaucoup, notamment les artistes cinétiques, avaient investi dans le multiple, retomba.

Liberté d'artiste et contraintes du marché

1988. Force est de constater que là où l'action volontariste de quelques pionniers tourna court, le laminage des résistances sociales qu'opère le temps, la perméabilité des catégories qu'engendrent les médias, finissent par gagner. On fait la queue pour visiter les expositions du Centre Georges Pompidou. Dans le quartier alentour, les galeries de design pullulent. Des images circulent beaucoup plus facile-

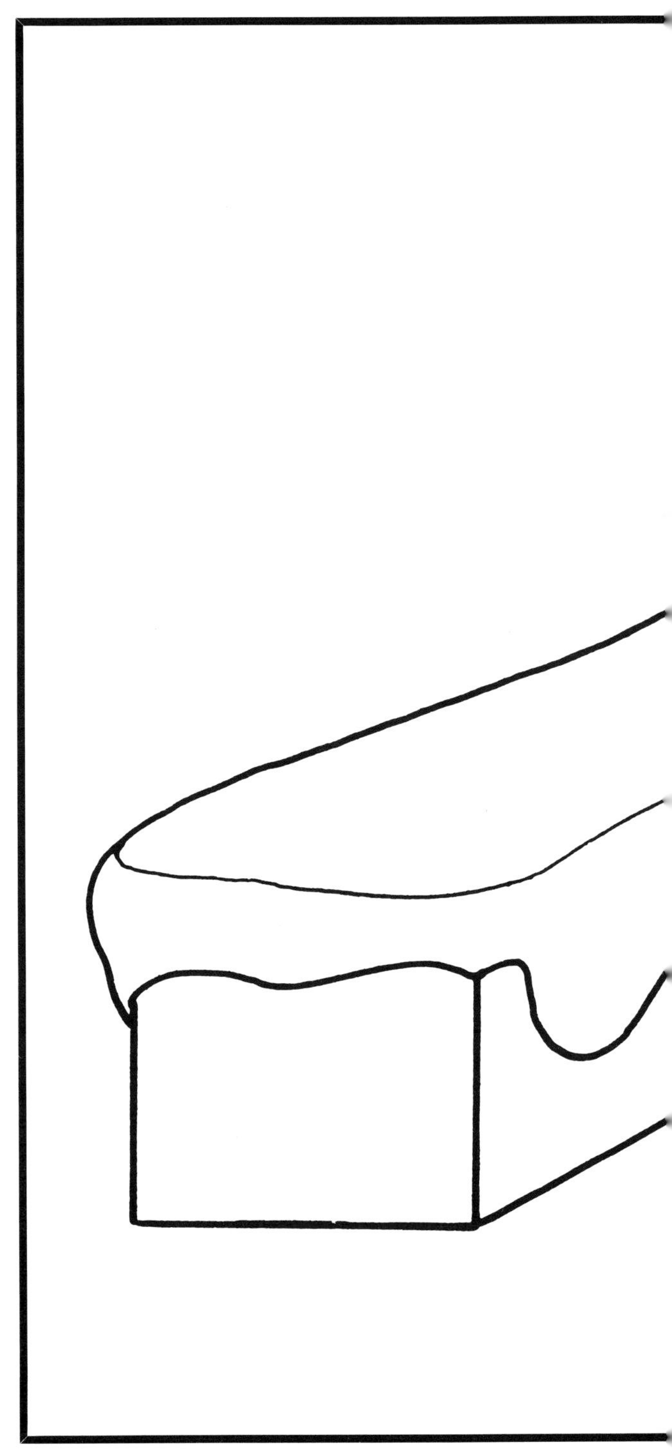

César, *Méridienne.* Dessin extrait du catalogue du Mobilier national.
DR.

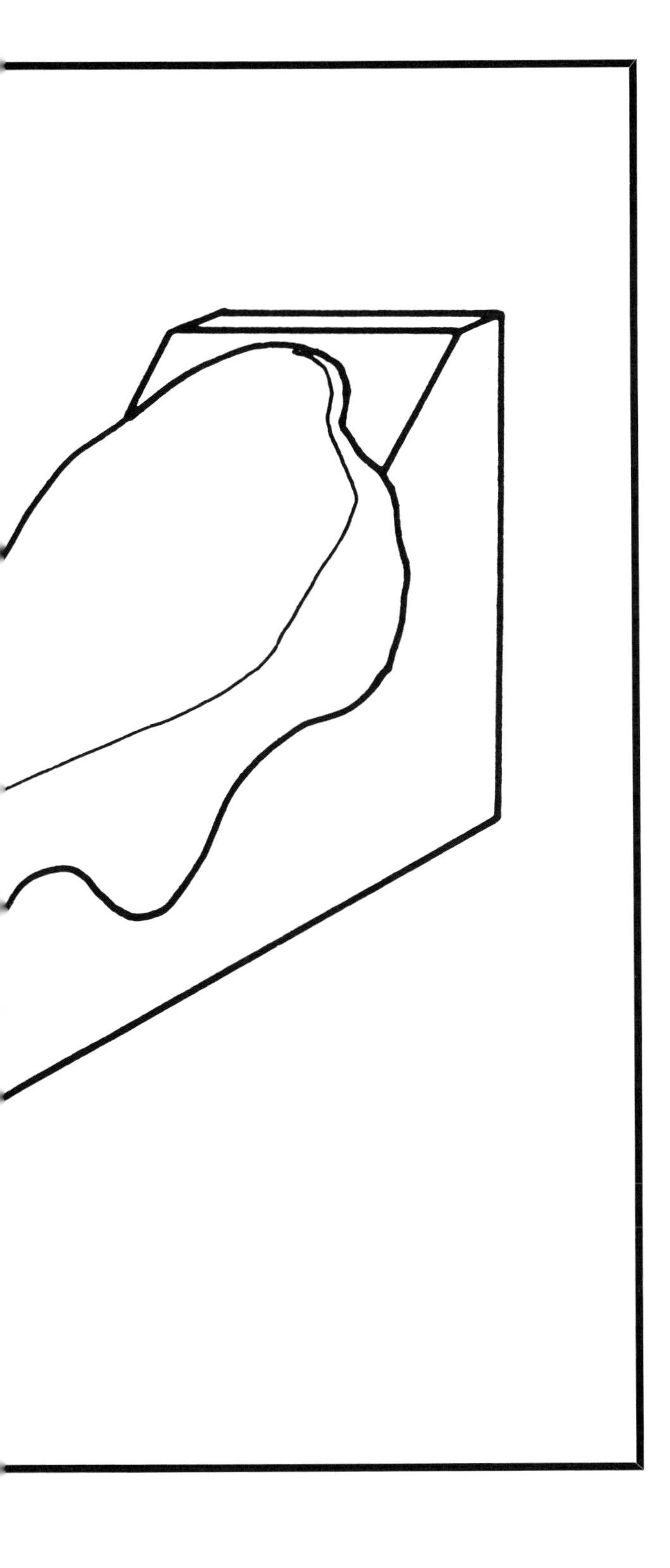

casings by Kowalski (included in the exhibition organized by Utopia in March 1968 and called «Structures Gonflables», which also featured furniture and architectural designs by Quentin) or the emblem of the Renault Company designed by Vasarely. After all, the training of these two artists destined them to this sort of work.

Artists failed especially (and again Arnal remembers his experiences) to make their aims known to a larger public. Tables, shelves, beds and armchairs, lamps, ashtrays, were the Trojan Horses with which they attempted to introduce their contemporary art into circles that until then had remained closed. Atelier A was imbued with pedagogic spirit. For example, objects were sold with an information leaflet about the creator. But those who bought were already converted. Inspite of an intensive campaign (all in all 150 objects by artists as different as, apart from those I have already mentioned, Adzak, César, Lourdes Castro, Klasen, Annette Messager, Jacquet, Malaval, Pradalié, Télémaque, Venet...), Atelier A did not succeed financially and closed down in 1975. For the same reasons, the hope that many, notably the kinetic artists, had set on the «multiple» fell to pieces.

Freedom of the artist and constraints of the market

1988. One has to admit that where the voluntary action on the part of a few pioneers was short-lived, the smoothing out of social resistance that time brings about, the permeability of categories that the media create, do prevail in the end. You queue to see exhibitions at the Georges Pompidou Centre. Design galleries multiplied in the surrounding quarter. Images circulate more easily between the worlds of art and applied art. Free-figuration artists were inspired, first of all, by the strip cartoon and graphics. They lead artistic careers. But they do not bother to circulate their work in the more mediatised channels of fashion and industry. Combas, Boisrond, Di Rosa, Blais (besides Ben, Garouste, Gilles Mahé, Blanchard, Barcelo, Le Groumellec, etc.) designed on the dress fabrics of Castelbajac. Boisrond created patterns for Boussac fabrics and the Di Rosa brothers created toys for Starlux.

Exchanges take place today also between the different categories of visual art in a fundamental

ment entre le domaine de l'art et celui des arts appliqués. Les artistes de la figuration libre se sont d'abord inspirés de la BD et du graphisme. Ils mènent des carrières de peintres. Mais ils ne dédaignent pas de renvoyer leurs images dans les circuits plus médiatiques de la mode et de l'industrie. Combas, Boisrond, Di Rosa, Blais (comme d'ailleurs Ben, Garouste, Gilles Mahé, Blanchard, Barcelo, Le Groumellec, etc.) ont dessiné sur des robes de Castelbajac. Boisrond imagine des motifs pour les tissus Boussac, les frères Di Rosa des jouets pour Starlux. Les échanges entre les différentes catégories de la création plastique s'opèrent aussi, aujourd'hui, et d'une façon fondamentale, dans les systèmes de références. J'avais été frappée de lire, dans un texte de Raymond Guidot publié dans le numéro d'*Art Press* consacré au design, que « les arts plastiques, dans leurs avant-gardes de la première moitié du siècle, semblent avoir plus d'influence que les arts appliqués, dans leurs innovations de la même époque, sur les expériences qui s'adressent aujourd'hui à la production d'environnement " utilitaire ". Par exemple, la table triangulaire d'Élisabeth Garouste et Mattia Bonetti est plus proche d'une toile de Kandinsky des années 25-30 comme *Accent en rose*, que d'une table Art déco ». En effet, parallèlement, on enregistrait, dans le domaine de la peinture, de la sculpture, des installations, un afflux de références au design et à la décoration !

On est même autorisé à se demander si l'intérêt des artistes pour le design n'est pas directement passé de l'ordre de l'utopie à celui d'un registre de signes obsolètes considérés en eux-mêmes. Dans un texte sur le peintre américain David Salle, j'avais eu l'occasion de souligner que l'artiste faisait figurer dans le descriptif technique de certains de ses tableaux, où sont intégrés des objets réels, l'expression « chaise de Eames », comme il aurait dit « encre de Chine » ou « papier Japon ». Ainsi la chaise de Eames a été à ce point digérée par notre culture qu'elle peut n'être, pour un artiste, qu'un terme générique désignant une certaine catégorie de matériel.

L'usage que fait Patrick Saytour de chaises de cuisine en formica ou de porte-manteaux « 50 » est plus pervers. Saytour s'intéresse au kitsch en général. Certains objets usuels, fabriqués industriellement, témoignent selon lui de la dégénérescence des

fashion within the reference system. I was surprised to read in a text by Raymond Guidot, published in the issue of «Art Press» devoted to design, that «visual arts in their avant-gardes during the first half of this century, seemed to bear more influence in their innovatory work than the applied arts of the same epoch on the experiments which concern our environment today. For example the triangular table of Elisabeth Garouste and Mattia Bonetti is closer to a picture of Kandinsky of 1925-30 like "Accent en Rose", than an Art Déco table.» Indeed, in the domains of painting, sculpture and installations, we saw a certain influx of references to design and decoration.

You are even allowed to ask if the artists' interest in design has not directly gone from utopia to an order of obsolete signs. In an article about David Salle, the American painter, I noticed that the artist included in the technical description of some of his paintings, in which certain real objects appear, the expression «Eames' Chair», like he would have said «Indian ink» or «Japanese vellum». Thus «Eames' Chair» has been, at this point, accepted by our culture, as only it can be by the artist, as a terminology designating a certain category of material.

The use that Patrick Saytour makes of formica kitchen chairs or of the '50 rack is more perverse; kitsch interests him generally. According to him, certain familiar objects, produced industrially, signal a sort of degeneration of the great principles of modernism. According to a text by Ines Champey about this artist, « to recycle amounts to feeding the morbid hunger of art... with one's cultural excrement».

There exists, indeed, a trend of sculpture and installation which deliberately upholds an ambiguous aesthetics, between art and design, based on two critical statements. The first one is that art, in systemising the principle of the ready-made (that is to say the mere appropriation of the familiar object), gives up the standard of beauty, which was specific to it and hallmaks the plastic effects of the object which serves as its raw material. The second one is that works by contemporary artists, better recognised thanks to the media and museums, and valuables, in an increasingly large market, have become «merchandise», just the same as any other

grands principes formels du modernisme. Les recycler correspond, selon un texte d'Ines Champey consacré à l'artiste, « à nourrir la boulimie de l'art (...) avec ses propres excréments culturels ».
Il existe enfin un courant de sculpture et d'installations qui entretient délibérément une ambiguïté esthétique entre art et design à partir d'un double constat critique. Le premier de ces constats est que l'art, en systématisant le principe du ready-made (c'est-à-dire de l'appropriation pure et simple de l'objet usuel), renonce aux critères du Beau qui lui étaient propres et signe les effets plastiques des objets qui lui servent de matière première. Le second constat est que les réalisations des artistes contemporains, mieux diffusées grâce au développement des institutions muséographiques et à l'attention que leur portent les médias, et objets de spéculation d'un marché de plus en plus large, sont devenues, au même titre que n'importe quel objet usuel, des marchandises. Il y a de quoi gloser, par exemple, sur l'icône warholienne, issue de l'imagerie commerciale et retournant au statut d'objet de consommation.
Jeff Koons, représentant de cette école new-yorkaise qu'on appelle « simulationniste », érige des monuments faits de plusieurs étages de vitrines où sont disposés, sur des lits de tubes fluorescents, d'énormes aspirateurs. Il obtient un puissant effet de hiératisme par la simple combinaison d'éléments typiques de l'exposition commerciale. Parmi les Français, citons Ange Leccia qui présente des téléviseurs posés à côté de leurs caisses d'emballage. Les arrangements de Présence Panchounette ont une portée beaucoup plus ironique. Soit que le groupe repère dans la banalité quotidienne ce qui se trouve à la lisière du mauvais goût populaire et de l'audace avant-gardiste (depuis le papier peint « op art » jusqu'à l'étalage de vitrine qu'on assimile vaguement et quasi inconsciemment à une installation de tel ou tel artiste connu), soit qu'il provoque une situation de contamination où une peinture de Soulages s'harmonise un peu trop bien avec un canapé Knoll, une peinture de Blanchard avec un meuble de Vincent Bécheau (exposition « Coquet, lumineux, meublé », réalisée avec des œuvres de la collection du Frac Midi-Pyrénées, en 1986).
Dans un curieux chassé-croisé, au moment où les œuvres d'art s'emparaient de ce que le langage commun nomme « une esthétique design », c'est-

familiar object. You could ramble on the Warholian Icon, born of a commercial image and which became a consumer affair.
Jeff Koons, representative of the New York school referred to as «Simulationist», erects monuments with several floors of shop windows, where vacuum cleaners are displayed on fluorescent lights. He obtained a powerfully hieratic effect by combining typical commercial elements of commercial display. Among the French, let us mention Ange Leccia, who presents televisions on their sides in cardboard boxes. Présence Panchounette have a more ironic significance. Either the group recognises in the triteness of everyday life that which is on the border-line of bad taste and avant-garde audacity (from «Op Art» wallpapers to window displays where we discern, almost obliviously, the work of a known artist), or they provoke a situation of contamination, where a painting by Soulages harmonises too well with a Knoll sofa, or a painting by Blanchard with a piece of furniture by Vincent Bécheau (exhibition «Coquet, lumineux, meublé», featuring objects from the Frac Midi-Pyrénées collection in 1986).
In a curious swap, at the time when works of art were endowed what is commonly referred as a «design» quality, to imply immediate comprehension, clarity, a newness which points to modernism, the new design gave place to the raw, the unachieved and a semantic ambiguity. It is interesting to remember at the time when design thus reacts against a long established asceticism, that Germano Celant had already explained, in the early 70s, «Arte Povera» as a way out of Italian society, much too well organized by its industry and a design then booming. The ill-tapered stone and the twisted metal wire had begun to be exhibited in design galleries, even as they had already been replaced by lighted boxes and rollered containers in art galleries.
The fact that new furniture designs, by virtue of the choice of material and manufacturing demands, should have been sold by the galleries, underlines the shift of functions.
Indeed, the new designers asserted an artist's liberty (as they no longer referred to the history of art—remember—but to that of applied art), and the counterpart of this is a limited distribution. This

à-dire une esthétique immédiatement déchiffrable, nette, faisant de l'effet de « neuf » un repère de modernité, le nouveau design accordait sa place au brut, à l'inachevé et à l'ambiguïté sémantique. Il était intéressant de se souvenir, au moment où le design réagissait ainsi contre l'ascétisme qui l'avait longtemps régi, que Germano Celant déjà, au début des années 70, avait expliqué l'Arte Povera comme une échappatoire à la société italienne d'alors, trop policée par son industrie et son design en pleine expansion. Le bloc de pierre mal dégrossi et le fil de fer tortillé ont commencé à prendre place dans les galeries de design quand ils avaient déjà été remplacés dans les galeries d'art par les caissons lumineux et les containers sur roulettes.
Le fait que le nouveau design de mobilier, par le choix de ses matériaux et les impératifs de sa fabrication, soit commercialisé par des galeries, est un autre signe du glissement des fonctions. En fait, les nouveaux designers revendiquent une liberté qui est celle de l'artiste (comme ils se réfèrent plus, rappelons-le, à l'histoire de l'art qu'à celle des arts appliqués), et la contrepartie de cette liberté est une diffusion limitée. Cela dit, peut-être n'est-ce là que l'acceptation réaliste d'une condition sur laquelle avaient buté les artistes de la décennie précédente. Ceux-ci s'étaient lancés dans le design avec, en tête, le rêve d'envahir tous les foyers des Français moyens. Or, un objet très fortement caractérisé par la personnalité de son créateur ne peut s'imposer qu'auprès d'un nombre restreint d'amateurs. La différence aujourd'hui serait que, les relais médiatiques étant plus nombreux, ils assurent au nouveau design une diffusion de son image (à défaut d'une diffusion de ses produits) plus importante que celle dont avaient bénéficié les expériences antérieures. Les nouveaux designers acceptent donc de limiter la valeur de marchandise de leurs productions, quand les nouveaux artistes, eux, jouent avec le feu de l'exhibition de cette valeur-là.
Ainsi, ce que l'art a raté dans son aventure au pays du design, il réussit à le penser dans sa relation à la jungle du marché, et ce que le design rate en renonçant à l'économie des moyens et à la fabrication standardisée, lui permet de réussir là où l'art a raté.

said, it was perhaps the acceptance of a state of affairs which the artists of the previous decade came up against. These same launched upon a design with the dream of being able to invade every French middleclass home. But an object impregnated with a creator's strong personality can only appeal to a few devotees. The difference today is that the media, reaching a larger public, provide the new design a large-scale circulation of its image (if not its products). New designers thus accept to limit the market value of their product, while the new artists play with fire in displaying that value.
Thus, where art has failed in its adventure into the world of design, it succeeds in reassessing its relation with the marketing jungle, and where design fails, by giving up economic measures and stardardised manufacturing, it can succeed in that which art has failed to achieve.

Arman, fauteuil aluminium et caoutchouc — Atelier A.
Document François Arnal.

Arman, « Les horloges de la gare
Saint-Lazare », 1985.
Document Photothèque SNCF.

LE DESIGN ET L'ÉTAT EN FRANCE : POINTS DE REPÈRE

Design, création industrielle, esthétique industrielle... au-delà des mots, il s'agit d'un fait de marché indiscutable.
L'Italie compte 8000 designers, la Grande-Bretagne 6000, la RFA 3000. Aux États-Unis comme au Japon, leur nombre se situe aux environs de 10000. Quelle est la situation en France ? 4000 designers, dont 200 à 300 designers de produits. En effet, si un grand nombre d'entreprises françaises disposent d'une cellule de création intégrée (Renault, Thomson, SNCF, RATP, Matra, Alsthom, Arthur Martin...), le design proprement dit ne concerne que 3 % de la production industrielle.

L'État structure de soutien : les organismes publics

L'évolution du design se joue à trois : les Pouvoirs publics, la profession et l'industrie. Or en France, il semble bien que deux des partenaires comptent beaucoup sur le troisième : mis à part le VIA (Comité pour la Valorisation et Innovation dans l'Ameublement), financé par l'UNIFA (Union Nationale des Industries Françaises de l'Ameublement), c'est des ministères, des organismes et des entreprises publiques qui en dépendent, que l'on attend les consultations, les concours, les commandes, l'organisation de manifestations et, d'une manière générale, toute action de soutien et de promotion de la création industrielle. Ce soutien s'est matérialisé pendant les vingt dernières années par l'activité d'organismes spécialisés.
Le premier fut le CCI (Centre de Création Industrielle) créé en 1969 et lié à l'UCAD (Union Centrale des Arts Décoratifs). Cette création fut suivie en 1970 par celle du CSCEI (Conseil Supérieur de la Création en Esthétique Industrielle) qui fonctionnera jusqu'en 1975. En 1975, l'UGAP (Union des Groupements d'Achats Publics) s'intéresse au design. En 1983, création de l'APCI (Agence pour la Promotion de la Création Industrielle).

L'État commanditaire : chantiers et grands travaux

Au cours de l'histoire, l'exemple du goût et de la création est toujours « venu d'en haut ». Depuis les châteaux de la Loire jusqu'à l'appartement de Napo-

DESIGN AND THE STATE IN FRANCE: MILESTONES

Applied arts, industrial creation, industrial design... beyond those words, what is at stake is an undeniable market phenomenon.
Italy has 8,000 designers, Great Britain 6,000, Germany 3,000. In the U.S., as in Japan, the number reaches 10,000. What is the situation in France? 4,000 designers, of which 200 to 300 are product designers. It is a fact that while many French companies have in-house creative departments (Renault, Thomson, SNCF, RATP, Matra, Alsthom, Arthur Martin...), actual design only concerns 3 % of industrial production.

The state as supporting body: public organizations

The evolution of design is threefold: administrative, professional and industrial. It seems that in France, two of these partners rely enormously on the third: aside for VIA (Valorisation et Innovation dans l'Ameublement), financed by the UNIFA (Union Nationale des Industries Françaises de l'Ameublement), it is the ministries, the organizations and public utilities they control, who provide the consultations, the competitions, the commissions, the initiative of events and—on a more general level—any action of support or promotion of industrial design. This support has come for the past twenty years from the activity of specialized organizations.
The first one was the CCI (Centre de Création Industrielle), created in 1969 and linked to the UCAD (Union Centrale des Arts Décoratifs). This was followed in 1970 by the CSEI (Conseil Supérieur de la Création Esthétique Industrielle), that existed until 1975, when the UGAP (Union des Groupements d'Achats Publics) became interested in design. The APCI (Agence pour la Promotion de la Création Industrielle) was created in 1983.

The state as purveyor of commissions: public works

In the course of history, the models for taste and creativity always came from the top. From the Loire castles to Napoleon's apartments, not to mention Versailles, public commissions have sustained

Margo ROUARD

Chargée de mission
pour la Création industrielle
Ministère de la Culture et
de la Communication/DAP

Chargée de mission
for Industrial Creation
Ministry of Culture and
Communication/DAP

léon en passant par Versailles, les commandes publiques ont longtemps soutenu les artistes. En 1891, sous Gambetta, le premier ministère de la Culture s'appelle « ministère des Arts et des Manufactures ».

Aujourd'hui, et sans doute encore pour longtemps, le plus gros commanditaire de la profession reste l'État, sous l'impulsion de quelques personnalités marquantes, ou à l'occasion de grandes manifestations. En 1964, à la demande du président Georges Pompidou, André Malraux ouvre un atelier de recherche et de création au Mobilier national pour la commande d'État. Quelques années après, en 1967, Olivier Mourgue se voit commander des meubles pour le pavillon d'Honneur de la France à l'Exposition universelle de Montréal. En 1970, a lieu l'Exposition universelle d'Osaka : le pavillon français est aménagé avec le concours de Pierre Paulin et Roger Tallon.
Les années 70 voient également se concrétiser des commandes concernant les appartements de l'Élysée (Agam et Pierre Paulin), l'Exposition Europalia à Bruxelles (Pierre Paulin, Roger Tallon, César), le mobilier du Centre Pompidou, l'ambassade de France à Moscou (Alain Richard)...

En 1983, la conception du mobilier de l'Élysée est confiée à cinq designers (Marc Held, Ronald Cecil Sportes, Philippe Starck, Annie Tribel et Jean-Michel Wilmotte). En 1984, l'aménagement de l'ambassade de France à Washington est confié à Jean-Michel Wilmotte. Le nouveau hall d'accueil du ministère de la Culture et de la Communication a été aménagé par Canal (1987).
Cette décennie est aussi marquée par le déploiement de grands chantiers auxquels le design est particulièrement associé :

Le musée d'Orsay : Gae Aulenti en réalise l'aménagement intérieur avec une conception particulièrement développée de l'interface design/architecture.
La Villette : la Cité des Sciences et de l'Industrie (CSI) confie à Nemo la création d'un siège et d'une table et commande divers objets muséologiques (Endt + Fulton Partners, Savinel et Rozé, Philippe Sautour...). En 1985, une compétition est ouverte entre quatre équipes pour la création du mobilier urbain du Parc :

artists for a long time. In 1891, under Gambetta, the first Ministry of Culture was called « the Ministry of Arts and Manufactories ».
Today and probably for a long time to come, the biggest purveyor or commissions remains the state, with the impulse of a few prominent personalities and on the occasion of big events. In 1964, at the request of President Georges Pompidou, André Malraux opened a workshop for research and creation at Mobilier national for the state commissions. A few years later, in 1967, Olivier Mourgue was requested to design furniture for the French Pavilion at the World Fair of Montreal. In 1970, the French Pavilion at the World Fair of Osaka was set up with the help of Pierre Paulin and Roger Tallon.
During the 70s, there were also a number of commissions concerning the apartments of the Élysée (Agam and Pierre Paulin), the Europalia exhibit in Bruxelles (Pierre Paulin, Roger Tallon, César), the furniture for the Centre Pompidou, the French Embassy in Moscow (Alain Richard)...
In 1983, the design of the Élysée Palace furniture was entrusted to five designers (Marc Held, Ronald Cecil Sportes, Philippe Starck, Annie Tribel and Jean-Michel Wilmotte). In 1984, the furnishing of the French Embassy in Washington was handled by Jean-Michel Wilmotte. The hall and offices of the Ministry of Culture and Communication were redesigned by Canal.
This decade was also marked by the spreading of large building sites associated with design:

***The Orsay Museum:** Gae Aulenti did the interior design with a highly developped notion of the design/architecture interface.*
***La Villette:** the Cité des Sciences et de l'Industrie entrusted Nemo with the creation of a seat and a table as well as various museum objects (Endt + Fulton Partners, Savinel and Rozé, Philippe Sautour...). In 1985, four team competed for the street furniture of the parc: the winner was Philippe Starck. The implementation of the Cité de la Musique was entrusted to Christian de Portzamparc.*
***Le Grand Louvre:** Jean-Michel Wilmotte decorated the entrance, the boutiques and the temporary exhibits galleries (1986).*

le lauréat est Philippe Starck. L'aménagement de la Cité de la musique est confié à Christian de Portzamparc.
Le Grand Louvre : Jean-Michel Wilmotte aménage l'accueil, les boutiques et les expositions temporaires (1986).
Le ministère des Finances à Bercy : à l'issue d'un concours en 1984, les appartements du ministre et des directeurs sont confiés à Isabelle Hebey et Andrée Putman. Les bureaux sont aménagés avec les créations lauréates du concours pour le mobilier de bureau lancé en 1982.
A ces commandes publiques, il faut ajouter les commandes de mobilier pour l'Institut du monde arabe (Daniel Maurandy/Philippe Starck pour la bibliothèque, équipe Jean Nouvel/Architecture Studio pour le musée) et pour le Centre national des lettres (Canal).

L'État client : le design graphique

En matière de conception graphique, l'État passe également commande pour des créations de signalétique, d'identité visuelle et de communication. En 1969, c'est la ligne graphique du Centre de Création Industrielle (Jean Widmer). En 1975, Jean Widmer réalise également la papeterie et la signalétique du Centre National d'Art et de Culture Georges Pompidou (CNACGP).
Les commandes d'État concernent une gamme très large de projets. A titre d'exemples :
La signalétique : ADSA/Pierre Paulin pour le musée d'Orsay en 1986.
La papeterie : Grapus pour La Villette en 1981. Visuel Design/Jean Widmer pour le musée d'Orsay en 1988.
L'identité visuelle : Peter Kneebone pour le ministère de la Recherche, Roger Tallon pour le ministère de la Défense et Grapus pour le Centre national des arts plastiques.
Campagne générale pour les PTT : Agence Équateur en 1988.
Des manifestations culturelles donnent lieu à des commandes d'affiches chaque année, c'est le cas de la fête de la Danse, la fête de la Musique et la Journée de la Poésie (Roman Cieslewicz, Sempé, Ungerer, Michel Beauvais, Michel Quarez).

The Ministry of Finance in Bercy: *following a competition in 1984, the apartments of the Minister and the directors were undertaken by Isabelle Hebey and Andrée Putman. The offices are decorated by the winners of the office furniture competition launched in 1982.*
To these public commissions, one must add those for the furniture of the Arab World Institute (Daniel Maurandy/Philippe Starck for the library, Jean Nouvel/Architecture Studio for the museum) and for the Centre National des Lettres (Canal).

The state as client: graphic design

In the field of graphic design, the state generally puts in commissions concerning signage, visual identity and communication. In 1969, the graphic system for the Centre de Création Industrielle was created by Jean Widmer. In 1974, Widmer designed stationery and signposts for the Centre National d'Art et de Culture Georges Pompidou. The state commissions concern a wide array of projects, such as:
Signage: *ADSA/Pierre Paulin for the Orsay Museum in 1986.*
Stationery: *Grapus for La Villette in 1981. Visuel Design/Jean Widmer for the Orsay Museum in 1988.*
Visual identity: *Peter Kneebone for the Ministry of Research, Roger Tallon for the Ministry of Defence and Grapus for the Centre National des Arts Plastiques.*
A general campaign for the PTT *(French postal services): Equateur agency in 1988.*
Each year, a number of cultural events involve commissions for posters commemorating Dance, Music and Poetry festivals (Cieslewicz, Sempé, Ungerer, Michel Beauvais, Michel Quarez).

The state as instigator: the competitions

Considering the passion they kindle in the profession, design competitions are in some way the reference point of the 80s, mentioned and discussed in international publications and events. In addition to the ideas competitions, a new dynamics

Sacha Ketoff, lampe de bureau « WO ». Lauréat du concours Lampe de bureau, APCI/ministère de la Culture.
Document APCI.

L'État animateur : les concours

Les concours de design, avec les passions qu'ils agitent dans la profession, sont un peu la référence des années 80, cités et commentés dans les revues et les manifestations internationales. Au-delà des concours d'idées, une dynamique nouvelle s'est mise en place : la commande publique marie l'industrie aux créateurs, le choix se fait sur prototype et non plus seulement sur papier. Trois concours de ce type ont été organisés par l'APCI et le ministère de la Culture : en 1982, « Mobilier de bureau » (bureau, siège, rangement), en 1984, « Luminaire de bureau » et en 1985, « Arts de la table à destination des collectivités ».

Ces concours ont eu des retombées importantes ; ils montrent bien le caractère exemplaire de l'union de trois partenaires : acheteurs (en l'occurrence les organismes et entreprises publiques), créateurs et industriels. Il s'agit là d'une démarche concrète et opérationnelle pour promouvoir le design : les produits lauréats sont actuellement diffusés sur le marché.

Ces concours ont permis en outre de dynamiser le processus de la production industrielle, en impliquant plus directement les acheteurs dans le déroulement des opérations et en diminuant les délais de fabrication.

D'autres concours ont été lancés, toujours sur des thèmes directement liés à la vie quotidienne : en 1975, le concours « Mobilier scolaire » (CCI), lauréat Daniel Pigeon (non édité) ; en 1985, a été lancé pour « Le second œuvre du bâtiment », le concours Impex/ministère de l'Urbanisme et du Logement. Ce concours associe industriels et designers notamment pour la création de robinets, céramiques, textiles, sanitaires, quincaillerie, sols et papiers peints ; la même année, « Objets sans problèmes » était un concours d'idées sur les objets quotidiens destinés aux personnes âgées, organisé par le CCI / CNACGP (financement du secrétariat d'État chargé des personnes âgées).

L'Oscar du jouet scientifique a été créé en 1983 par la Cité des sciences et de l'industrie de La Villette et le ministère de la Recherche.

En 1983, le CCI attribuait neuf allocations de recherche à des designers.

has emerged. The public commission weds the industry to the designers and the choice is based on a prototype instead of a piece of paper. Three competitions of the kind were organized by the APCI and the Ministry of Culture: in 1982, office furniture (desk, seating and storage), in 1984 office light fixtures and in 1985 tableware intended for large groups.

These competitions have had important repercussions. They are a fine showcase for the exemplary union between the three partners involved: buyers (in this case public organizations and utilities), designers and manufacturers. This is a concrete and workable approach for the promotion of design: the winning products are currently available on the market. By involving the buyers more directly with the course of operations and by curtailing the manufacturing delays, these competitions have also given a strong drive to industrial production.

Other competitions have been organized, always on themes directly related to daily life: in 1975, the school furniture competition (CCI) won by Daniel Pigeon (never produced); in 1985, for the building finishings, the Impex/Ministry of Town Planning and Housing. This competition associates manufacturers with designers, particularly for the design of taps and fittings, ceramics, textiles, plumbing, hardware, floors and wall papers; the same year, «Objects without any problems» was an ideas competition for daily objects for older people, organized by the CCI/CNACGP (financed by the Departmental Ministry for the elderly).

The Oscar du jouet scientifique was created in 1983 by the Cité des Sciences et de l'Industrie of La Villette (CSI) and the Ministry of Research.

In 1983, the CCI allotted nine research grants to designers.

The state as promoter: the exhibits

Under the aegis of the Ministry of Culture, several exhibits took place during the last decades in France and abroad. They helped to widen the general audience of design from the professional world to that of the average consumer.

The entire list would be quite long, but the most

Peter Kneebone, carte de vœux pour le Centre de prospectives et d'évaluation/ministère de la Recherche.
Document P. Kneebone.

Grapus, logo du Centre national des arts plastiques, 1984.
Document APCI.

L'État promoteur : les expositions

Sous l'impulsion du ministère de la Culture, de nombreuses expositions ont eu lieu pendant les dernières décennies en France et à l'étranger. Elles ont contribué à sensibiliser au design un public plus large que celui des professionnels, celui des consommateurs eux-mêmes.

La liste complète serait très longue, mais à titre d'exemples on peut citer : « Antagonismes 2 : l'objet » (musée des Arts décoratifs, Paris, 1962), « Le design français » (Paris, 1971), « France is Colour » (Londres, 1972), « De l'objet à la ville » (1973), ainsi que les sélections de produits réalisées par le CCI/UCAD de 1969 à 1973 (l'outillage, à table, vêtement fonctionnel, jouer aux Halles, etc.).

Les expositions se sont multipliées au cours des années 80, notamment sous l'impulsion de l'APCI. Citons : « Mobilier national : 20 ans de création » (DAP/CNACGP, 1983), « L'empire du bureau » (DAP/UCAD, 1983), « Lumières, je pense à vous » (APCI/CCI, 1985), « L'image des mots » (APCI/CCI, 1985), « La mode en direct » (APCI/CCI, 1985), « L'affiche française » (APCI/Toppan Printing-Tokyo, 1985), « La France emballée » (le Packaging français, APCI/Toppan Printing-Tokyo, avril 1988), « Avant-Première : le mobilier français contemporain » (DAP/VIA/Victoria & Albert Museum, Londres, sept. 1988).

L'État et la formation au design

Différentes structures ont été mises en place pour assurer la formation au design. Avant même que le terme n'existe, l'ENSAD (École Nationale Supérieure des Arts Décoratifs, créée en 1766 et devenue institution rattachée aux Beaux-Arts en 1928) remplissait ce rôle pédagogique. En 1962, s'y ouvrait une section Design confiée à Roger Tallon.

En 1980, était créé un comité : le Comité national de l'enseignement de la conception de produits, et en 1983, l'ENSCI (École Nationale Supérieure de Création Industrielle).

Parallèlement à ces actions, le ministère de la Culture soutient sans relâche les sept écoles d'art et les différentes sections Environnement.

notable examples are: «Antagonismes 2: l'objet» (Musée des Arts Décoratifs, Paris, 1962), «Le design français» (Paris, 1971), «France is Colour» (London, 1972), «De l'objet à la ville» (1973), as well as selections of products produced by the CCI/UCAD from 1969 to 1973 (tools, tableware, functional apparel, playing in Les Halles, etc.).

The number of exhibits has increased during the 80s, particularly under the impulse of the APCI. «Mobilier national: 20 ans de création» (DAP/CNACGP 1983), «L'empire du bureau» (DAP/UCAD, 1983), «Lumières, je pense à vous» (APCI/CCI, 1985), «L'image des mots» (APCI/CCI 1985), French posters (APCI/Toppan Printing - Tokyo, 1985), French packaging (APCI/Toppan Printing - Tokyo, April 1988), «Avant-Première: Contemporary French Furniture» (DAP/VIA/Victoria & Albert Museum - London, September 1988).

The state and design education

Different structures have been set up in order to teach design. Before the world even existed in the French language, the ENSAD (École Nationale Supérieure des Arts Décoratifs) which was created in 1766, and was associated to the Beaux-Arts in 1928, fulfilled this educational role. In 1962, a design section was opened and entrusted to Roger Tallon.

In 1980, the Comité National de l'Enseignement de la Conception de Produits and in 1983 the ENSCI (École Nationale Supérieure de Création Industrielle) were created.

Concurrently with these actions, the Ministry of Culture gives its ongoing support to the seven art schools and different environmental courses.

The state and design in France: cultural orientation

When it comes to design, the French state is indeed a client—an important client—but also the initiator of projects gathering all the different energies.

Contrary to Great Britain, where the Ministry of Industry backs the actions launched by the «Design Council», a specialized organization that encourages production and creation in the industrial field, in France no main organization has taken over the support of design.

État et design en France : l'orientation culturelle

Vis-à-vis du design, l'État français est donc client — un client important — mais aussi initiateur de projets, catalyseur d'énergies.

Contrairement à la Grande-Bretagne où le ministère de l'Industrie supporte les actions pilotées par un organisme spécialisé, le Design Council, en favorisant l'édition et la création dans les entreprises, en France, aucun organisme centralisateur ne prend en charge le soutien au design. Le support étatique est ainsi plus souple, il permet des interventions très diverses, par leur nature et leur importance. En fait, la tradition du design d'État est donnée par la volonté d'un ministère, celui de la Culture, tant pour les actions d'incitation que pour la promotion et la formation.

Ce sont les multiples aspects de la recherche, de l'harmonie entre la création et l'industrie, entre les produits et leur communication, entre l'environnement et les objets quotidiens qui nous entourent que l'État, sous diverses formes, essaie d'aider, d'inciter et de promouvoir.

La tendance dominante semble être, en France, la création plus que la production. Actuellement, le design se voit donc attribuer une image plus culturelle qu'industrielle.

Margo ROUARD

Thus, the state support has more flexibility. It allows many sponsoring possibilities, varying in nature and importance. In fact, the tradition of state design comes directly from a Ministry, notably the Ministry of Culture, in both promotional initiatives and training. It is these many aspects of research, of harmony between creation and industry, between the products and their communication, between the environment and the daily objects that in various ways, the state tries to help, encourage and promote.

The tendency in France seems to be leaning strongly towards creation rather than production. At the present time, the image ascribed to design is definitely more cultural than industrial.

Pierre RESTANY

THE « OBJECTS PLUS »

Il était une fois un monde manichéen objectif : il y avait les objets quotidiens d'une part et les objets d'art de l'autre. Une distance immense les séparait : d'un côté le tout-fait-machine et de l'autre le tout-fait-main. D'un côté le produit, de l'autre l'œuvre, et par-dessus tout un immense tabou esthétique : seul l'objet tout-fait-main avait droit au jugement de valeur artistique. Telle était la situation au moment de l'apogée de la première révolution industrielle, à la veille de la Première Guerre mondiale, en 1913 lorsque Marcel Duchamp, à travers son premier ready-made, nous donne à voir la beauté dans le produit tout-fait-machine.

En quoi consiste ce premier ready-made, la *Roue de bicyclette ?* Une jante de vélo reposant sur un tabouret. Le propos est évident : le socle appartient au règne du tout-fait-main, la pièce du haut à celui de la machine, et le tout constitue une sculpture unitaire. Ce n'est pas par hasard si Duchamp a choisi pour sa démonstration la roue de bicyclette, l'objet le plus stéréotypé à l'époque, et le plus représentatif du caractère autonome de la ligne de production de masse : le produit de locomotion intrinsèquement le plus « moderne », à une époque où dans les domaines parallèles du train et de l'automobile, la philosophie du projet industriel est encore dominée par la référence aux modèles formels antérieurs, ceux du trafic hippomobile, calèches, carrioles, chars à bancs.

L'enjeu est en effet important. Il s'agit pour Duchamp de montrer en quoi le produit le plus sériel, dans la mesure où il a atteint le point maximum d'adhésion à la ligne du projet de masse, entre ipso facto en art et devient un objet unique et original : « un objet-plus ». Six ans avant Gropius et le Bauhaus, Marcel Duchamp apparaît comme le pionnier et l'inventeur de l'esthétique industrielle. Cette antériorité est capitale. C'est sur elle que se fonde l'entière aventure expressive de l'objet, le phénomène essentiel de notre 20e siècle. L'abolition du tabou esthétique du tout-fait-main brouille définitivement la frontière manichéenne entre l'art et la production. Avant même que naisse avec le Bauhaus le concept méthodologique globalisant de « design », son destin est signé : dans la fatalité de la déviance, l'autre face du design ira rejoindre l'autre face de l'art. On assiste en fait, depuis 1970, au développement d'une sculpture basée sur le principe de l'objectivation conceptuelle et à l'émergence

There was a time when the objective world was Manichean: there were the quotidian objects on the one hand and art objects on the other. An immense distance separated them: on one side there was the machinemade and on the other, the handmade. To one side the product, to the other, the work of art and overseeing over the whole, an immense aesthetic taboo: only the handmade object had the right to an artistic value judgement. Such was the situation at the height of the First Industrial Revolution, on the eve of the First World War, in 1913 when Marcel Duchamp, through his first readymade, showed us the beauty in the machinemade product.

What does the first readymade, The Bicycle Wheel, *consist of? The wheel and fork of a bike resting on a stool. The intention is evident; the pedestal belongs to the realm of the handmade, the upper piece to that of the machine, the whole constituting a single sculpture. It is not by chance that Duchamp chose the bicycle wheel for his demonstration, the most stereotyped object of that age and the most representative of the autonomous character of the mass production line: the most modern locomotion object and the most intrinsically so, at a time when the philosophy of the industrial project in the parallel production of trains and automobiles was still dominated by references to earlier formal models, those of horse-drawn vehicles: carriages, coaches, cabriolets, wagons.*

What was at stake was, in effect, quite important. Duchamp's goal was to show how the most serial of products, having achieved the maximum point of adherence to the mass production project, enters ipso facto into art, becoming an unique and original object: an « object plus ». Six years before Gropius and the Bauhaus, Marcel Duchamp appeared as the pioneer and inventor of industrial aesthetics. This precedence is capital. It is the very basis of the entire expressive adventure of the object, the essential phenomenon of our 20th century. The abolition of the aesthetic taboo of the handmade definitively blurred the Manichean borderline between art and production. Even before the methodologically all-encompassing concept of design was born with the Bauhaus, its destiny was written: the fate of deviation would be that the other side of design would unite with the other side of art.

simultanée d'un design qui revendique l'autonomie culturelle de son produit.
Il serait plus juste de dire que le design d'art se développe au moment où émerge un certain type de sculpture-objet conceptuelle, car les transgressions du rapport art/production ont obéi à des temps différents selon la philosophie du projet qui était à la base de telle ou telle démarche.
La rupture épistémologique accomplie par Duchamp en 1913 a tourné court en un premier temps. A travers l'optique dadaïste, les ready-made ont été considérés comme le point de non-retour de l'art moderne. Quant à Gropius, il a tiré la leçon du ready-made dans le sens de l'exaltation qualitative de la production sérielle. Le produit standard est doté d'une vocation universelle et définitive, celle de résoudre une fois pour toutes les besoins de base d'une société démocratique de structure égalitaire. Dès 1919, Gropius fait de la standardisation le cheval de bataille du Bauhaus : « La standardisation est un hommage conféré à la qualité ».

Il faudra attendre plus de quarante ans, et la seconde moitié des années 50, pour que soit repris le message transgressif de Duchamp, pour qu'apparaisse une seconde génération « d'objets-plus ». 1960, l'année charnière, correspond à l'apogée du boom économique de l'Occident industrialisé et aussi de la première phase de la société de consommation. Un double phénomène qui a un effet révélateur : le constat du déploiement planétaire de la technique et de son dispositif de productivité.
Lorsque je proclame alors le baptême de l'objet comme le fait capital du Nouveau Réalisme[1], il s'agit bien évidemment du baptême artistique du produit standard, et de l'avènement d'un art lié à la reconnaissance d'une nature moderne, industrielle et urbaine. A travers ses composantes structurelles (l'usine, la ville, l'univers médiatique), la modernité même de cette nature est l'émanation directe du réel tel qu'il est projeté par le dispositif technique de productivité, et « réalisé » comme productible, consommable et valorisable. L'entrée en art, dans une optique résolument appropriative et quantitative, de l'objet industriel de série l'arrache à l'emprise du dispositif de production. Et ce qui est déterminant en fin de compte, c'est la mise à la disposition du consommateur, aussi bien que du producteur, de ce

We have witnessed in fact, since 1970, the development of a sculpture based on the principle of conceptual objectification and the simultaneous emergence of a design which claims the cultural autonomy of its product.
It would be truer to say that the artistic design developed with the emergence of a certain kind of conceptual sculpture/object, because the transgressions of the art-production relation have complied with different times according to the philosophy of the project which was at the basis of this or that process.
The epistemological rupture accomplished by Duchamp in 1913 was stopped short at first. Seen through the Dadaist lens, readymades were considered as the point of no return of modern art. As for Gropius, he interpreted the lesson of the readymade as the qualitative exaltation of serial production. The standard product is endowed with a universal and definitive purpose, that being to resolve once and for all the basic needs of a democratic society with an egalitarian structure. As early as 1919 Gropius made standardization the hobby-horse of the Bauhaus: «Standardization is an homage to quality.»
We will have to wait more than forty years and the second half of the 50s, for Duchamp's transgressive message to be taken up again, for the appearance of a second generation of «objects plus». 1960, the turning point, corresponds to the height of the economic boom in the industrialized West and also the first phase of the consumerist society. A double phenomenon which has an enlightening effect: the acknowledgement of a planetary technical distribution and its system of productivity.
When I claimed the christening of the object as being the main concern of the Nouveau Réalisme[1]*, it obviously was a question of the artistic christening of the standard product and the arrival of an art tied to a recognition of nature as modern, industrial and urban. Through its structural parts (the factory, the city, the universe of the media), the very modernity of this nature is the direct by-product of the real as it is projected by the technical system of productivity, and «realised» as produceable, consumable and valuable. The introduction of the industrial, serial object as art, through a resolutely appropriative and quantitative perspective, frees it from the hold*

fragment du réel qui ne relève plus désormais du projet technique.
La communauté des références a momentanément rapproché les avant-gardes de part et d'autre de l'Atlantique, les nouveaux réalistes parisiens et les néo-dadas new-yorkais, bientôt suivis par les pop artists.
Rapprochement certes, mais à une différence près, qui est de taille. L'impact de la technologie de masse et de la société de consommation s'était exercé dans des contextes différents. La découverte de la nature moderne avait été ressentie en Amérique comme un signe de maturité de la civilisation industrielle, en Europe comme une rupture avec les archétypes traditionnels du goût et de la sensibilité. D'un côté la synthèse culturelle incarnée par la « combine-painting » de Rauschenberg (l'objet trouvé inséré dans le contexte pictural de l'expressionnisme abstrait), de l'autre une succession de gestes limites quantitatifs dans l'appropriation du réel (la monochromie et le vide chez Yves Klein, la compression chez César, l'accumulation chez Arman, l'énergie mécanique chez Tinguely, l'empaquetage chez Christo, le décollage chez les affichistes, etc.).
La motivation et la recherche d'un compromis esthétique sont délibérément assumées chez les Américains tandis que l'accent est porté chez les Européens sur l'immédiateté du geste appropriatif. Bien sûr, tout n'est pas aussi simple entre la continuité esthétique et la rupture du goût. Certains violons d'Arman évoquent dans leurs coupes ou leurs combustions les subtilités tonales des violons de Braque, et les boîtes de bière de Jasper Johns sont de frappantes anticipations conceptuelles de la démarche d'un Bertrand Lavier.

D'une manière générale, ces deux aspects de la nature moderne convergent sur un point précis : la valeur archétypale des ready-made. La diffusion de ce concept idéologique du donner à voir est le fait esthétique qui domine l'aventure de l'objet durant la seconde moitié du 20e siècle. Donner à voir « le plus » dans l'objet.
L'apothéose « consumiste » de l'objet était trop liée à l'extrémisme du geste appropriatif pour pouvoir durer longtemps. Très vite les gestes limites des nouveaux réalistes s'organisent en modèles de projets et en syntaxes linguistiques. Plus le langage

of the system of production. And what is determining in the final analysis, is that this fragment of reality is put at the disposal of the consumer as well as the producer and from this point on, is no longer dependent on the technical project.
The common of references momentarily reconciled the avant-garde on both sides of the Atlantic, the Parisian Nouveaux Réalistes *and the New York Neo-Dada, soon followed by the Pop Artists.*
A reconciliation indeed, but with a subtle, though important difference. The impact of mass technology and the consumer society was exerted in different contexts. The discovery of modern nature was interpreted in America as a sign of the maturity of industrial civilization, in Europe as a rupture with traditional archetypes of taste and sensibility. On one side, the cultural synthesis, embodied in the combine paintings of Rauschenberg (the objet trouvé *inserted into the pictural context of Abstract Expressionism), on the other side, a succession of quantitatively marginal gestures in the appropriation of the real (the monochrome and void of Yves Klein, Cesar's compression, Arman's accumulation, Tinguely's use of mechanical energy, Christo's wrapping, the* affichistes *and their lifting-of, etc.).*
The Americans' motivation and search was deliberately one of aesthetic compromise, while the Europeans emphasized the immediacy of the appropriative gesture. Of course, things are not so simple between aesthetic continuity and the rupture of taste. Some of Arman's violins, in the way they are cut or burnt, suggest the tonal subtleties of Braque's violins and the beer cans of Jasper Johns are striking conceptual anticipations of Bertrand Lavier's approach.
In a general way, the two aspects of modern nature converge at a specific point: the archetypal value of readymades. The spread of this ideological concept of exposition is the aesthetic event which dominates the adventure of the object throughout the second half of the 20th century. Exposing the «plus» in the object.
The consumerist apotheosis of the object was too tied to the extremism of the appropriative gesture to last. Very quickly, the marginal gestures of the Nouveaux Realistes *organized themselves into linguistic syntax and models for projects. The more quantitative language is «projected» in this way,*

quantitatif est ainsi « projeté », plus il s'avère impuissant à masquer la tentation nihiliste de la transgression art/production, brillamment symbolisée par le Vide de Klein et le Silence de Cage. Il n'y a rien en amont et tout en aval. Les critiques de la société de consommation, fixés sur son projet global, éprouvent les plus grandes réticences à l'égard de la richesse spirituelle, et donc élitiste, de ses messages les plus exemplaires. Dès 1966, Germano Celant reprend le filon nihiliste de la transgression : l'Arte Povera se présente comme « un art de guérilla contre le monde riche ». Ce sera le départ d'un long courant de dématérialisation de l'œuvre d'art qui trouvera sa conclusion, après le Minimal et le Land Art, dans le passage de l'objet au concept.
La faillitte mercantile de l'art conceptuel en 1975 a provoqué la résurgence d'une peinture expressionniste néo-figurative qui s'est rapidement affirmée sur le marché international. Cette apparente faillite d'une production intellectuelle de masse, qui n'a jamais atteint la masse, a correspondu au dernier soubresaut de la vision globalisante et majoritaire du dispositif de productivité. Pour élargir leur audience, la Bad Painting et la Transavanguardia se sont présentées comme les produits standard de l'ultime art pictural moderne.
En fait le véritable enjeu est ailleurs. A partir de 1968, le dispositif de productivité est en crise. Le modèle absolu est contesté : le circuit de production ne s'adresse plus à une majorité égalitaire et égalisatrice. Il est repris en charge par les multiples minorités opprimées qui relèvent la tête et qui affirment le droit au libre arbitre et à l'auto-décision du consommateur, le droit à la différence dans les comportements individuels. Les années 70 ont vu le triomphe de la crise, des fractures du goût, la culture en vase clos des ferments de diversité opposés aux courants dominants : nous sommes passés de la société industrielle à la société postindustrielle, du design de papa au radical design, de la chaise de Rietveld à celle de Gaetano Pesce[2].

La philosophie du projet post-industriel s'est fragmentée en une série de dispositifs orientés vers des marchés partiels et précis, de plus en plus personnalisés dans leurs codes sémiotiques, fortement différenciés les uns des autres. Au concept de majorité utile s'est substitué le concept de minorité

the more it proves itself powerless at masking the nihilistic temptation to transgressing art production, brilliantly symbolized by Klein's Void and Cage's Silence. Nothing lies ahead, all is behind. Critics of the consumerist society, focusing on society's general project, expressed great reticence towards the spiritual richness and consequent elitism of its most exemplary messages. In 1966, Germano Celant takes up the nihilistic line of transgression: Arte Povera *presents itself as «a guerrilla against the rich world». This would be the start of a long trend to dematerialize the work of art that would find its conclusion, after Minimal and Land Art, in the shift from object to concept.*
The mercantile bankrupcy of conceptual art in 1975 brought on the resurgence of an Expressionist, Neo-Figurative painting which rapidly affirmed itself strongly on the international market. This apparent bankrupcy of an intellectual mass production, which never reached the masses, corresponded to the last gasp of the all-encompassing and majority vision of the system of productivity. In order to widen their audience, Bad Painting and the Transavanguardia presented themselves as standard products of the ultimately modern pictorial art.
What was really at stake though, was something else. From 1968, the system of productivity was in a state of crisis. The absolute model was being questioned: the production network was no longer addressing an egalitarian majority. It was taken up by the many oppressed minorities who, lifting their heads, asserted the right to the free will and self rule of the consumer, the individual's right to behave differently. The 70s saw the triumph of crisis, the fracturing of tastes, the fermenting of diversity in opposition to the dominant trends: we went from an industrial society to a post-industrial society, from old-fashioned design to radical design, from the Rietveld chair to that of Gaetano Pesce[2].

The philosophy of the post-industrial project broke up into a series of systems oriented towards partial and distinct markets which were more and more personalized in their semiotic codes and strongly differentiated from one another. The concept of the useful majority was replaced by the concept of the specific minority. The standard product, good for

spécifique. Au produit standard, bon pour tous, s'est substitué le produit interactif, l'objet capable de motiver son propre utilisateur, de déclencher un certain type de réactions sensibles et de comportements spécifiques auprès d'un certain type de consommateurs.
C'est précisément l'un de ces dispositifs de productivité interactive qui est à l'origine, depuis les quinze dernières années, d'un renouveau de l'aventure de l'objet dans la sculpture contemporaine : un courant objectif conceptuel, qui s'affirme comme le point fort de l'art des années 80, celui des mécaniciens de l'objet[3], qui sont à l'origine de la troisième génération des « objets-plus ».
L'âge moyen des mécaniciens de l'objet oscille autour des 35 ans. Ils ont recours aux diverses méthodes d'assemblage, d'installation, de présentation ou de reconstruction qu'ont pratiquées et que pratiquent encore leurs aînés qui se sont situés dans les mouvances pop/art pauvre ou art minimal/art conceptuel.
On pense souvent à Beuys, à Marcel Broodthaers, à Kounellis, à Bruce Nauman ou à Joseph Kosuth devant les œuvres d'Albert Hien, Stefen Huber, Ange Leccia, Nathalie Talec, Gloria Friedman, J.-L. Vilmouth, Étienne Bossut, etc. Richard Baquié évoque à la fois Chamberlain et Chryssa, tandis que le côté « peintre » de Lavier le situe entre Jasper Johns et Yves Klein. Hubert Duprat va plus loin encore dans le bleu, dans l'engagement spirituel monochrome. Le traitement des carcasses de carrosseries rapproche Bill Woodrow du César des premières compressions plates ou de l'Arman des autos éclatées. L'esprit narratif des disséminations de Tony Cragg le plaçait un peu à part dans ce panorama. Les nouvelles formes coulées en bronze le rapprochent plus de l'esprit général de la nouvelle sculpture européenne.
La troisième génération des « objets-plus » n'est pas un privilège exclusif de l'Europe. La ligne de la sculpture objective contemporaine aux États-Unis est en général plus baroque et plus narrative (Terry Allen), mais il existe aussi un courant de machinisme absolu qui va de Jeff Koons ou de Haim Steinbach au Canadien Robin Collyer. Mais le phénomène est plus spécifiquement européen parce qu'il reflète directement la crise de la conscience européenne des années 70. Si ces artistes se sont naturellement branchés sur l'autre face de l'art de leur siècle, sur le

everyone, was replaced by the interactive product, the object capable of motivating its own user, of triggering a certain kind of sensitive reaction and specific behaviour, depending in a given type of consumer.
For the last fifteen years, it has been precisely one of these systems of interactive production which has been at the origin of a renewal in the adventure of the object in contemporary sculpture: an objective/conceptual trend which is asserting itself as the strong point of the art of the 80s, that of the object mechanics[3], who have initiated the third generation of « objects plus ».
The average age of these object mechanics oscillates around 35 years. They ressort to the various methods of assemblage, installation, presentation or reconstruction that were practiced and are still being practiced by their elders in the domains of Pop Art/Arte Povera or minimal/conceptual art.
We are often reminded of Beuys, of Marcel Broodthaers, of Kounellis, of Bruce Nauman, or of Joseph Kosuth when faced with the works of Albert Hien, Stefen Huber, Ange Leccia, Nathalie Talec, Gloria Friedman, J.L. Vilmouth, Étienne Bossut, etc. Richard Baquié is reminiscent at once of Chamberlain and Chryssa, while the « painterly » side of Lavier situates him between Jasper Johns and Yves Klein. Hubert Duprat goes even further into blue, into monochromatic spiritual engagement. The treatment of autobody carcasses connects Bill Woodrow to César's first flat compressions or to Arman's exploded cars. The narrative spirit in the scatterings of Tony Cragg places him somewhat apart from this panorama. His new shapes, cast in bronze, link him more to the general spirit of the new European sculpture.
The third generation of « objects plus » is not a monopoly of Europe. The line of contemporary, objective sculpture in the U.S.A. is generally more baroque and more narrative (Terry Allen), however there exists a trend of absolute mechanism that runs from Jeff Koons or Haim Steinbach, to the Canadian Robin Collyer. But the phenomenon is more European, as it directly reflects the crisis in the European consciousness of the 70s. If these artists have naturally connected themselves with the other side of the art of their century, on the main axis of the Duchamp/Klein deviation, it is because

grand axe de la déviance Duchamp/Klein, c'est qu'ils sont eux-mêmes les produits de la culture transgressive, tout comme le sont les architectes protagonistes du radical design italien[4].

Mécaniciens de l'objet et ingénieurs du décor postmoderne ont fait, les uns et les autres, au début de leur carrière entre 1968 et 1975, l'expérience de la fragilité et de la pauvreté du monde riche, à travers la triple crise qui a affecté tous les pays de l'Occident industrialisé : crise de la jeunesse étudiante et de la culture, crise de l'énergie et du pétrole, crise de l'argent et du dollar. Aujourd'hui, ils voient s'amorcer la reprise et se profiler le deuxième stade de la société de consommation. Le paramètre de la relativité généralisée, fruit de leur expérience vécue, affecte profondément leur sens de la nature moderne ou postmoderne. C'est sur la fondamentale ambiguïté de l'objet que se fonde leur langage.
Mais peut-on parler d'autonomie linguistique à leur sujet ? A l'instar des humoristes de Memphis groupés autour de Sottsass ou des concepteurs milanais du Studio Alchymia qui se livrent avec Mendini à la pratique du « redesign », au recyclage décoratif des produits standard de l'ameublement Art déco, les sculpteurs mécaniciens ne se présentent pas comme des inventeurs de formes ou des bâtisseurs de structures mais comme des tacticiens de la mise en scène. Ce sont des manipulateurs de la réalité[5]. Et cette réalité, ils nous la donnent à voir fragment par fragment, sans idée préconçue ni volonté globalisante. Ils pratiquent la surenchère à l'objectivité de l'objet et maintiennent la porte ouverte à l'immense virtualité des interprétations possibles.
Ces mécaniciens ont une drôle de façon de nous donner à voir les choses. Dans *Astron Taurus*, Reinhard Mucha nous présente trois ventilateurs de fabrication industrielle, dont la photographie nous montre qu'ils ont fonctionné comme les éléments d'une œuvre d'art. Grâce à la documentation, où ils servent d'objets témoins et d'indicateurs de proportions, Mucha réussit à introduire des objets de la vie quotidienne dans une exposition d'art, où ils restent en fait visibles en tant qu'objets non artistiques[6]. Voilà une façon élégante et efficace de nous faire comprendre qu'il n'y a rien derrière l'art moderne et de brouiller les frontières entre l'art et la production. En forçant un peu plus sur la dose d'ironie facile, le

they themselves are the product of the transgressive culture, exactly as are the leading architects of radical Italian design[4].

At the beginning of their careers, between 1968 and 1975, the object mechanic and the postmodern interior engineer both experienced the fragility and poverty of the rich world, through the triple crisis that affected all countries in the industrialized West: the student youth crisis and that of culture, the energy crisis and that of oil, the money crisis and that of the dollar. Today, they see the beginning of the recovery and the emergence of the second stage of the consumerist society. The parameter of generalized relativity, fruit of their lived experience, profoundly affects their sense of the modern, or post-modern nature. It is on the fundamental ambiguity of the object, that their language is founded.
But can we speak of a linguistic autonomy in their case? Following the example of the Memphis humorists grouped around Sottsass, or the Milanese conceptors of Studio Alchimia, who with Mendini are engaged in the practice of « redesign », the decorative recycling of standard art deco furnishings, the sculptors-mechanics do not present themselves as inventors of forms, or as builders of structures, but as tacticians of the stagecraft. They are manipulators of reality[5] and they expose this reality to us fragment by fragment, with no preconceived idea and no desire for the global. They practice overstatement of the objectivity of the object and maintain an open-door policy towards the immense potentiality of interpretations.
These mechanics have a strange way of showing us things. In «Astron Taurus», Reinhard Mucha presents us with three industrially made fans, the photographs of which show us that they have functioned as elements of a work of art. Thanks to the documentation, which acts as witness and as indicator of proportion, Mucha manages to introduce everyday objects into an art exhibition, where they remain visible as non-artistic objects[6]. Here is an elegant and efficient way of making us understand that there is nothing behind modern art and of blurring the borders between art and production. In overstating, somewhat more, the cheap irony, the group Présence Panchounette has been

groupe Présence Panchounette pratique ce genre d'exercice avec une exemplaire constance depuis une quinzaine d'années[7].

Le ready-made a bien l'air d'un produit, dans la mesure où, en tant qu'objet trouvé, tout fait, déjà prêt, il n'a plus besoin d'être créé. Mais en même temps il est le contraire d'un produit, dans la mesure où, une fois entré en art, il devient moralement et pratiquement inutilisable. Sa qualité esthétique « d'objet-plus » réside dans sa mémoire fonctionnelle : il atteste par l'intégrité de sa présence qu'il a servi ou qu'il pourrait servir. Et tout comme les ready-made qui sont l'objet de leurs manipulations, les œuvres mécaniciennes n'inventent rien. Pourtant, en imitant le déjà-là du monde, elles le dévoient dans un contresens plus riche de sens que ce déjà-là. Pour parvenir à ce résultat, pure convention morale du discours esthétique, ces œuvres doivent gagner le consensus du spectateur, forcer sa complicité. La complicité est acquise à partir du moment où l'artiste impose le double jeu de la production et de sa contrefaçon. Du même coup, ces objets « conceptualisés » entrent dans l'ordre de la consommation culturelle comme métaphores au second degré du pouvoir socio-économique dont les ready-made de Duchamp et les gestes d'appropriation du Nouveau Réalisme étaient les expressions directes : il est normal, dès lors, d'admettre que la valeur marchande de ce genre « d'art » n'a plus aucun rapport avec sa valeur réelle de « produit ».

La nouvelle sculpture objective répond à la question : « Qu'en est-il de l'art au sein de la société postindustrielle ? », par le biais d'une mécanique mécanicienne : elle laisse le soin à notre libre arbitre de déterminer les conventions qui régissent la « manière ». On a beau passer de l'appropriation à la manipulation, le réel reste le même. Le produit standard de base demeure lié au stade mécanique du machinisme industriel, c'est-à-dire à un modèle de dispositif technique historiquement dépassé. Le paradoxe de l'anachronisme est la clé de la manière. Sculpteurs-mécaniciens et ingénieurs du décor communient dans le même maniérisme objectif. Ils sont les derniers récupérateurs des produits du design de papa et du folklore machiniste. Quelle est la part de nostalgie qui se cache derrière l'ironie ? Quelle est la part de spéculation sentimentale sur laquelle se fonde

practicing this sort of exercise with exemplary consistancy for the last fifteen years[7].

The readymade certainly looks like a product, in the sense that, as found object, ready made, already ready, it no longer needs to be created. Yet at the same time, it is the opposite of a product in the sense that, once it becomes art, it becomes morally and practically unusable. Its aesthetic quality as « object plus » resides in its functional memory: by the integrity of its presence, it attests to the fact that it has been used and that it could be used. And just like readymades, which are the object of their manipulations, the works of the mechanics invent nothing. Yet by imitating the « already there » in the world, they lead it astray into a nonsense richer in meaning than the « already there ». To achieve this result, pure moral convention of the aesthetic discourse, these works must gain the consensus of the spectator, and force his complicity. Complicity is achieved from the moment that the artist imposes the double game of production and forgery. At the same time, these « conceptualized » objects become a part of the order of cultural consumption, as implied metaphors of the socio-economic power of which Duchamp's readymades and the gestures of appropriation by the Nouveau Réalisme *were the direct expressions: it is normal, then, to admit that the market value of this kind of « art » no longer bears any relation to its real value as « product ».*

Through mechanical engineering, the new objective sculpture answers the question : « What about art within the post-industrial society? » It is left to our free will to determine the conventions that govern the « manner ». Though we go from appropriation to manipulation, the real remains the same. The basic standard product remains tied to the mechanical phase of the industrial mechanism, which is to say, to a model of the technical system that is historically outmoded. The paradox of the anachronism is the key to the manner. Sculptors-mechanics and decor engineers are united in the same objective mannerism. They are the last recyclers of the products of old-fashioned design and mechanical folklore. What is the role of nostalgia behind the irony? What is the role of sentimental speculation on which is based the recourse to stylistic eclectism? The neo-mannerists are not concerned with these questions. Their intention is

le recours à l'éclectisme des styles ? Ces questions ne se posent pas pour les néo-maniéristes. Leur propos n'est pas d'innover en la matière, le destin de l'œuvre est de coller au produit.
Voilà donc ces œuvres en soi, sous la plus extrême dépendance du commentaire critique. Si les concepteurs se contentent de donner à voir l'objet sans en rendre immédiatement évident le « plus », le critique et le philosophe s'en chargeront, de façon à « éclairer » le libre arbitre de l'utilisateur, à l'orienter dans l'exercice de son goût.
En effet, le maniérisme mécanicien des années 80 a suscité une foule de jeunes glossateurs et exégètes. Fort significativement, la pensée qu'ils développent est une pensée seconde, née de la manipulation tous azimuts d'une série de concepts ready-made puisés dans l'arsenal des sciences humaines : sociologie, sémiotique, psychanalyse, philosophie existentialiste, ontologie. Les schèmes analytiques à l'honneur dans l'après-guerre de 1945 ont été revus et corrigés à la lumière de 1968. L'assemblage des citations des maîtres à penser constitue le garant théorique du système, c'est-à-dire du bon fonctionnement de la manière et du goût (ou de la mode, cela revient au même) qui est supposé s'y attacher. Le dispositif des références s'est singulièrement affiné durant ces dernières années et la substance de certains auteurs apparaît assimilée une fois pour toutes en tant que point de repère et plate-forme opérationnelle. C'est le cas pour Gilles Deleuze avec sa *Logique du sens*, pour Jean Baudrillard avec son *Système des objets*, pour Jürgen Habermas avec *Connaissance et intérêt*. C'est le cas pour Barthes, Lacan, Eco (de plus en plus relayé par son disciple Omar Calabrese), et surtout pour Heidegger avec sa monumentale interrogation sur *L'Être et le temps*.

On retrouve la même bibliographie de base chez les analystes du radical design ou les théoriciens du décor postmoderne qui, à la suite de Lapo Binazzi, abolissent toute distinction poétique entre art et design. Avec la divulgation des théories de Benoît Mandelbrot, la perspective fractale s'empare du rapport art/production et en fait apparaître la troublante homothétie interne et les auto-similarités en cascade. La transgression ainsi fractalisée se projette à l'infini dans l'identique du champ existentiel. Position ultime du parti pris manipulateur de la réalité,

not one of innovation in this field; the fate of the work is to stick to the product.
So much for the works themselves in the light of a most extreme dependence on critical commentary. If the creators are content in showing the object without manifesting its «plus», the critic and the philosopher will see to it in such a way as to «enlighten» the free will of the user and influence him in his tastes.
Indeed, the mechanistic mannerism of the 80s gave rise to a host of young glossators and exegetes. Highly significantly, the thought they develop is not original, being born out of the random manipulation of a series of ready made concepts culled from the arsenal of the human sciences: sociology, semiotics, psychoanalysis, philosophy, existentialism, ontology. The analytic schemata predominant in the period from 1945, have been revised and corrected in light of the events of 1968. The collected quotes of the leading minds constitute the theoretical guarantee of the system, which is to say the proper functioning of manner and taste (or of fashion, which is the same thing) which supposedly go hand in hand. The system of references has been noticeably perfected these last few years and the content of certain authors would seem to have been assimilated as reference point and as operational springboard once and for all. This is the case for Gilles Deleuze with his Logique du sens, *Jean Baudrillard with his* Système des objets, *or Jurgen Habermas with his* Knowledge and Human Interests. *This is the case for Barthes, Lacan, Umberto Eco (more and more replaced by his disciple, Omar Calabrese) and especially Heidegger with his monumental investigation of* Being and Time.
We find the same basic bibliography being used by both the analysts of radical design and the theoricians of post-modern decor who, following from Lapo Binazzi, have abolished all poetic distinctions between art and design. With the dissemination of the theories of Benoît Mandelbrot, the fractal perspective grabs a hold of the art-production relationship and forces troubling internal homotopies and a flood of autosimilarities to the surface. Transgression, fractalized in this way, projects itself into infinity in the identical of the existentialist field. Ultimate position of the biased manipulator of reality, the ideology of decor, dear to Frank Gehry,

l'idéologie du décor chère à Frank Gehry trouve là une justification imprévue. Le passage du fonctionnalisme (la forme utile) au décoratif (« il decoro ») incarne cette fatalité de l'identique. Vivre dans un décor objectivement fractalisé vous inspire le comportement correspondant : à objet fractal, sujet fractal.
L'idée obsessive d'une relation nécessaire et suffisante, qui unirait tous les signes de la déviance entre l'œuvre et le produit, finit par privilégier la référence aux dépens de la forme. Le vide qui s'ensuit, en dématérialisant les termes concrets de la relation, tend à supprimer la production d'objets et à y substituer la définition d'un espace libre que l'usager pourrait utiliser à ses fins créatrices. Nombreux sont les concepteurs actuels, sensibles à cette affectation du vide et qui assument le non-être de leur projet dans sa pleine dimension d'ouverture poétique à l'instinct et à l'aléatoire.
Alessandro Mendini propose de substituer le processus pictural au projet de design : « Disegnare è dipingere ». Dans ses dernières séries des *Animali domestici,* Andrea Branzi se réfère dans sa recherche à l'instinct néo-primitiviste de notre société postindustrielle[8]. Dans sa collection de meubles présentée à Paris en 1987, Jean Nouvel joue sur le purisme de la tôle d'aluminium et la mobilité des structures, « le minimal dans l'anti-matière », et il invoque Yves Klein, Carl Andre et Richard Serra[9]. Le matériau, c'est d'abord le vide. Nous sommes loin du Corbu qui faisait des fauteuils qui avaient l'air de machines. Jean Nouvel « sensibilise » et dématérialise les vraies machines dont il s'inspire. C'était ce que Roger Tallon avec son téléviseur Téléavia avait pressenti il y a vingt-cinq ans, dans le désert parisien, lorsque le design de papa avait le visage vénérable de Charlotte Perriand ou d'Olivier Mourgue. Il n'est pas toujours bon d'avoir raison trop tôt dans un pays qui est arrivé tard à la conscience de l'esthétique industrielle.
Les choses commencent à changer en France. Le retard dans la culture du design se comble peu à peu, grâce à l'action du Centre de création industrielle au Centre Pompidou notamment, grâce aussi aux récentes initiatives du musée des Arts décoratifs. Le maniérisme fin de siècle est peut-être la chance du néo-design français. Philippe Starck, par exemple, incarne brillamment l'idéologie transgressive. Sa

finds here an unforeseen justification. The transition from functionalism (the useful form), to the decorative (il decoro), *represents the inevitability of the identical. To live in an objectively fractalized decor inspires you to behave accordingly: to fractal object, fractal subject.*
The obsessive idea of a necessary and sufficient relation which would unite all signs of deviance between the work and the product, finally gives greater importance to reference at the expense of form. The resulting void, by dematerializing the concrete terms of the relationship, replaces the production of objets by substituting the definition of a free space within which the user could freely express his creativity. There are many present-day creators partial to this use of void, who defend the nonbeing of their project by underlining the adaptability of total freedom to instinctive and random poetic explorations.
Alessandro Mendini proposes the substitution of the pictorial process for the design project: « disegnare è dipingere ». In the last of his series of Animali domestici, *Andrea Branzi refers, in his investigation, to the neo-primitivistic instinct of our post-industrial society[8]. In his furniture presented in Paris in 1987, Jean Nouvel plays with the purism of sheet aluminium and the mobility of structures, « the minimal in the antimatter », and he invokes Yves Klein, Carl Andre and Richard Serra[9]. Matter begins with the void. This is a long way from Le Corbusier who made chairs that looked like machines. Jean Nouvel « sensitizes » and dematerializes the real machines that inspire him. This is what Roger Tallon foresaw 25 years ago in the Parisian desert, with his television set* Téléavia, *at a time when old-fashioned design wore the venerable face of Charlotte Perriand or Olivier Mourgue. It is not always profitable to be ahead of time in a country that has been slow to develop an industrial aesthetic consciousness.*
Things are beginning to change in France. The lateness in the design culture is slowly being corrected, thanks notably to the work of the CCI at the Centre Pompidou, and thanks also to the recent initiative of the Musée des Arts Décoratifs. Fin-de-siècle mannerism is perhaps the opportunity for French neo-design. Philippe Starck, for example, brilliantly incarnates the transgressive ideology.

table pliante « Nina Freed » fabriquée par les Trois Suisses, en 1985, est un exemple significatif : déployée, c'est un objet quotidien, un produit ; pliée, avec « son côté soleil nippon », c'est un « objet-plus », une œuvre d'art[10]. Que la spécificité des deux positions d'un même objet, à cheval sur l'art et la production, puisse servir d'argument de marketing, voilà l'événement !

Il ne faut pas se faire trop d'illusions sur la portée dématérialisante de « l'objet-plus ». Le Vide de Nouvel n'est pas tout à fait le Vide de Klein, et les « Immatériaux » sont encore ailleurs[11]. Le charme de la manière, c'est son infinie capacité de jouer sur la fractalisation des goûts et des sensibilités pour sauvegarder la matrice culturelle du vieux dispositif technique, pour retarder l'échéance du grand vacillement des valeurs que Lyotard nous prédit dans *La Condition postmoderne*. A l'horizon des nouvelles technologies, au seuil de la technoscience, la récupération du machinisme mécanique reste à l'honneur. Il n'y a pas lieu de s'en étonner. Dans cette savane immensément diversifiée des sensibilités minoritaires qui conditionne le profil de la production de masse, la frontière qui sépare, au coup par coup, la sculpture objective conceptuelle du projet de design décoratif ou tout simplement du modèle courant est une ligne sinueuse qui s'estompe bien souvent.
Et quand les ressources du commentaire philosophique viennent à manquer, les mécaniciens de la manière, sculpteurs et designers confondus, bénéficient d'un ultime atout majeur, l'institution muséale. Le musée aujourd'hui est l'espace réservé de « l'objet-plus », le lieu géométrique par excellence de la rencontre entre la tactique maniériste et le discours esthétique. Le lieu engendre l'art, il conditionne le style. Le catalogue prend une importance capitale et déterminante par rapport au produit proposé : bible et almanach, il est à la fois l'outil et le témoin de la synthèse des références sur lesquelles se fondent la sacralisation de l'œuvre, l'institution muséale et le commentaire.
Comme tous les maniérismes qui l'ont précédé, l'art objectif, conceptuel et décoratif de notre fin de siècle, dépend de façon étroite du système institutionnel sur lequel il fonde son identité et les conventions esthétiques qui en découlent. De façon aussi radicale que Philippe Starck avec sa table pliante, Bertrand Lavier,

His Nina Freed folding table produced by the 3 Suisses *in 1985 is a significant example: unfolded it is a quotidian object, a product; folded, with its «Nippon sun aspect», it is an «object plus», a work of art[10]. That the specificity of the two positions of one object, straddling art and production, can function as a marketing device, is exceptional.*

We should not have too many illusions about the dematerializing capacity of the «object plus». Nouvel's Void is not quite Klein's Void, and the «Immaterials» are something different again[11]. The charm of manner lies in its capacity to play on the fractalisation of tastes and sensibilities, in order to safeguard the cultural matrix of the old technical system, in order to delay the coming of the great vacillation of values predicted by Lyotard in The Post-modern Condition: A Report on Knowledge. *On the horizon of new technologies, on the threshold of technoscience, the recycling of mechanic machinery remains popular. This is not surprising. In this highly diversified savannah of minority sensibilities which conditions the character of mass production, the borderline, individually separating conceptual objective sculpture from the project of decorative design, or quite simply, from the habitual model, is a sinuous one which frequently fades out.*
And when the resourses of philosophical commentary are lacking, manner mechanics, sculptors and designers together, benefit by an ultimately major asset, the museum. The museum today is the privileged space of the «object plus», the geometric place par excellence *of the meeting between the mannerist tactic and the aesthetic discourse. The place engenders the art, it conditions the style.*
The catalogue assumes a capital and determining importance with regard to the proposed product: bible and almanach, it is at once the tool and the witness of the synthesis of the references by which the work, the museum and the commentary are rendered sacred.
As with all preceding mannerisms, the objective, conceptual, and decorative art of our fin de siècle *intimately depends on the institutional system on which it bases its identity and the ensuing aesthetic conventions. In as radical a manner as Philippe Starck with his folding table, Bernard Lavier, by placing a refrigerator on top of a safe («Brandt-*

en posant un réfrigérateur sur un coffre-fort (« Brandt-sur-Fichet-Bauche »), illustre la finalité de la manière : la mise en évidence de la potentialité esthétique au sein du produit. Et en fait, l'enjeu du propos est « l'objet-plus » : « les formes deviennent forme », nous dit justement Lavier. Où et quand ? Dans un contexte anonyme, son œuvre reste anonyme et passe inaperçue. Elle ne franchit le seuil de la conscience esthétique que lorsqu'elle est placée en situation de disponibilité au mimétisme culturel, dans l'atelier de l'artiste, parmi les autres pièces d'une collection, sur les cimaises d'une galerie, et a fortiori dans l'espace d'un musée.

L'extrême fragilité du discours maniériste est à la hauteur de l'enjeu humain qu'il implique et qui se situe à la pointe extrême de la nature moderne et postmoderne. Au-delà, c'est la déstabilisation générale de tous les concepts sur lesquels s'est fondée la matrice culturelle de notre société industrielle et postindustrielle, le déploiement planétaire de son dispositif technique. De cette nature industrielle, urbaine et médiatique, néo-dadas et nouveaux réalistes ont défini les styles appropriatifs. Leurs langages ont brossé le profil de l'autre face de l'art, de sa déviance par rapport aux genres de l'esthétique classique. Mais il y va de la transgression comme du dogme : après l'affirmation du style, l'émergence de la manière.

Le maniérisme fin de siècle, en nous proposant des « objets-plus » qui sont des œuvres-produits dont l'usage est soumis à notre libre arbitre, c'est-à-dire à nos bons usages, ramène l'art d'aujourd'hui à sa juste mesure, celle du consensus social. L'autre face du design se reflète dans le même miroir. En renvoyant dos à dos art et production, dans une ultime récupération des données objectives du machinisme, la manière révèle sa vraie nature, qui est conservatrice. Elle tente de ralentir le déploiement du prochain dispositif de productivité, celui des nouvelles technologies et des mutations biogénétiques. Flatteuse pour le raffinement de notre esprit et de nos sens, l'esthétique déviante de « l'objet-plus » nous rassure aussi : elle arrête le temps réel de l'histoire et prolonge artificiellement l'âge de la machine, le plus sûr exorcisme contre l'avènement généralisé de la technoculture, la grande interrogation de l'an 2000.

Pierre RESTANY

sur-Fichet-Bauche »), illustrates the finality of manner: the display of the aesthetic potentiality within the product. In fact, what is at stake in this discourse is the « object plus »: « the forms become form », Lavier precisely tells us. Where and when? In an anonymous context, his work remains anonymous and goes by unnoticed. It only crosses the threshold of aesthetic consciousness once it is placed in a situation of availability to cultural mimetism, in the artist's studio, among the other works in a collection, on the walls of a gallery, and a fortiori *in a museum space.*

The extreme fragility of the mannerist discourse corresponds to the human stakes that it implies and situates it at the extreme point of modern and post-modern nature. Beyond, lies the general destabilisation of all the concepts on which the cultural matrix of our industrial and post-industrial society is based, the planetary distribution of its technical operation. From this industrial, urban and media nature, the Neo-Dada and Nouveaux Réalistes *defined the appropriative styles. Their languages brushed with the other side of art, with its deviance, compared with the genres of classical aesthetics. But as with dogma, so with transgression: after the affirmation of style comes the emergence of manner.*

By offering us « objects plus » which are works of art and products, the use of which is left to our free will, which is to say our better usage, fin-de-siècle *mannerism returns art to its rightful position, that of social consensus. The other side of design can be seen in the same mirror. By placing art and production back to back, in an ultimate recuperation of mechanism's objective data, manner reveals its true nature, which is conservative. It attempts to slow down the deployment of the next system of productivity, that of new technologies and biogenetic mutations. Flattering our refined minds and senses, the deviant aesthetic of the « object plus » also reassures us: it arrests real historical time and artificially prolongs the machine age, the surest exorcism against the generalized arrival of technoculture, that great preoccupation of the year 2000.*

Présence Panchounette 1986,
Bateke n° 1.
Document Stéphane de Grailly / CNAP.

NOTES

1. Pierre Restany, « Le Nouveau Réalisme et le baptême de l'objet », *Combat-Art,* n° 86, Paris, février 1961. Texte repris sous le titre « Die Beseelung des Objektes », *Das Kunstwerk,* vol. 15, n° 1, Baden-Baden, 1961.

2. La chaise de Rietveld est une mini-architecture, celle de Pesce l'empreinte d'un corps assis. Le contraste est saisissant lorsqu'on voit les deux objets côte à côte, comme c'est le cas dans la section Architecture et Design du MOMA à New York.

3. Les mécaniciens de l'objet se sont manifestés depuis 1975 dans un nombre croissant d'expositions internationales. L'initiative, entre autres, de Didier Semin et Ramón Tío Bellido en 1986 au musée de l'Abbaye Sainte-Croix, aux Sables-d'Olonne, « Machines affectées », rend bien compte de l'affirmation en France de ce courant, qui a trouvé une plus ample consécration à Documenta 8, Kassel, 1987, sous l'égide de Manfred Schneckenburger.
Le profil européen du phénoméne s'inscrit dans la ligne poétique de l'objet pendant les années 60, telle qu'elle a été jalonnée par la pensée critique de Pierre Restany (Nouveau Réalisme), d'Alain Jouffroy (Les objecteurs) et de Germano Celant (Arte Povera) — et telle qu'elle est reprise aujourd'hui par Jacques Soulillou, Bernard Marcadé et Elizabeth Lebovici, notamment.

4. Pierre Restany, *L'Autre Face de l'art,* Milan, Éditions Domus, 1979 ; Paris, Galilée, 1979 ; Buenos Aires, Rina-Rosenberg, 1982.

5. Édith A. Tonelli, « Manipulated Reality : Objet and Image in New French Sculpture », Frederic S. Wight Art Gallery, University of California, Los Angeles, février-mars 1985. Dans le catalogue de cette exposition dédiée à la nouvelle sculpture française et qui comporte en référence un groupe d'œuvres des nouveaux réalistes, Édith Tonelli écrit : « (...) all of these artists produce work that begins with a manipulation of meaning, of content, of reality, as they — and we — perceive it. And in manipulating that common reality, they change forever the meaning communicated by those images and objects (...) ».

6. Ulrich Loock, « Astron Taurus », *Reinhard Mucha,* Paris, Éditions du Centre Pompidou, 1986.

7. « Cette perpétuelle agression contre les objets, par exemple, dont l'avant-garde fait son beurre et qui finit bien sûr par avoir l'effet inverse. Les objets, nous on les laisse tranquilles... on les trouve très bien... on les respecte et leurs utilisateurs aussi. » *in : Présence Panchounette, Œuvres choisies,* tome 1, CRAC Midi-Pyrénées et musée des Beaux-Arts de Calais, 1987, p. 20 (Dominique Casteran).
Voir également, *ibid.,* le texte intitulé « Para-design » (extraits), signé Bauhaus Panchounette, 1973.

8. Andrea Branzi, *Animali domestici,* Milan, Idea Books Edizioni, 1987. Préface de Pierre Restany. Emmanuel Collin poursuit en France une « Histoire de meubles » d'esprit néo-primitif similaire (*cf.* le catalogue de son exposition au musée des Arts décoratifs, 2 décembre 1987-31 janvier 1988).

9. Christine Colin, « Les meubles de Jean Nouvel » *in : Galeries-Magazine,* n° 18, Paris, avril-mai 1987.

10. Agnès Levitte et Margo Rouard, *100 objets quotidiens made in France,* Paris, APCI / Syros-Alternatives, 1987 ; p. 67, Table pliante « Nina Freed ».

11. Voir la déclaration de Thierry Chaput, *in : Modernes et après — les Immatériaux,* Paris, Éditions Autrement, 1985, p. 15.

NOTES

1. *Pierre Restany, « Le Nouveau Réalisme et le baptême de l'objet »,* Combat-Art *n° 86, Paris, Feb. 1961. Text reprinted under the title « Die Beseelung des Objektes »,* Das Kunstwerk *Vol. 15, n° 1, Baden-Baden, 1961.*

2. *The Rietveld chair is a mini-architecture, that of Pesce the imprint of a sitting body. The contrast is striking when we see the two objects side by side as is the case in the Architecture and Design section of MoMA in New York.*

3. *The object mechanics have been partaking in a growing number of international exhibitions since 1975. The exhibition « Machines Affectées », organized by Didier Semin and Ramon Tio Bellido, among others, in 1986 at the Musée de l'Abbaye Sainte-Croix in Sables-d'Olonne, is an affirmation of this movement in France, which found a greater consecration at Documenta 8, Kassel, 1987, under the aegis of Manfred Schneckenburger.*
The European realization of this phenomenon subscribes to the 60s idea of the poetic object, as it was marked out by the critical thought of Pierre Restany (Nouveau Réalisme), Alain Jouffroy (Les Objecteurs) and Germano Celant (Arte Povera) and as it is revived today by, notably, Jacques Soulillou, Bernard Marcadé and Elizabeth Lebovici.

4. *Pierre Restany,* L'Autre Face de l'art, *Milan, Éditions Domus, 1979, Paris, Galilée, 1979, Buenos Aires, Rina-Rosenberg, 1982.*

5. *Edith A. Tonelli, « Manipulated Reality: Object and Image in New French Sculpture », Frederic S. Wight Art Gallery, University of California, Los Angeles, Feb.-March 1985. In the catalogue of this exhibition dedicated to new French sculpture and wich includes a group of works by the* Nouveaux Réalistes *as reference, Edith Tonelli writes: « ...all of these artists produce work that begins with a manipulation of meaning, of content, of reality, as they—and we—perceive it. And in manipulating that common reality they change forever the meaning communicated by those images and objects... »*

6. *Ulrich Loock,* Astron Taurus *in « Reinhard Mucha », Pons, Éditions du Centre Pompidou, 1986.*

7. *« This perpetual agression against objects, for example, with which the avant-garde feathers its nest and which ends up, of course, by having the inverse effect. We leave objects alone... we find them just fine... we respect them and their users as well. », in: « Présence Panchounette - Œuvres choisies - Tome 1 », CRAC Midi-Pyrénées et musée des Beaux-Arts de Calais, 1987, p. 20 (Dominique Casteran).*
See also—ibid.—the text entitled « Para-design » (excerpts) signed Bauhaus Panchounette, 1973.

8. *Andrea Branzi,* Animali Domestici, *Milan, Idea Books Edizioni, 1987. Preface by Pierre Restany. In France, Emmanuel Collin is working on a « History of furniture » in a similar neo-primitive spirit (*cf. *catalogue of his exhibition at the Musée des Arts Décoratifs, 2 Dec. 1987-31 Jan. 1988).*

9. *Christine Colin, « Les Meubles de Jean Nouvel » in* Galeries-Magazine *n° 18, Paris, April-May 1987.*

10. *Agnès Levitte and Margo Rouard,* 100 objets quotidiens Made in France, *Paris, APCI / Syros - Alternatives, 1987: p. 67, Nina Freed Folding Table.*

11. *See the text by Thierry Chaput, p. 15 in* Modernes et après - Les Immatériaux, *Paris, Éditions Autrement, 1986, p. 15.*

Marcel Duchamp, *Roue de bicyclette,* 1964.
Document musée d'Art moderne.

Andrea Branzi, *Animali domestici,*
1985.
Photo Claude Postel, document Yves Gastou.

LES AVENTURES DES DÉCENNIES

Design et médias

Les mots, c'est bien connu, signifient beaucoup plus qu'ils ne veulent bien le dire. Derrière le mot se cache souvent le problème. La langue française est le champion toutes catégories du genre: double sens, connotations, litotes, périphrases, tautologies, nous permettent de contourner la rigueur de la construction. La limpidité n'est qu'apparente. Dans les années 70, lorsque le mot « environnement » fait son apparition, il n'est que le révélateur du problème. En diluant le design dans l'environnement, on ruine pour des années la prise de conscience du problème industriel et la réalité économique qui s'y attachent. Il faut attendre le début des années 80 pour qu'environnement vieillisse et qu'on voie réapparaître le design sous ses nouveaux atours.

John Nesbitt constate, dans son livre *Megatrends,* qui analyse les tendances des cinquante prochaines années, que la presse, quelle que soit l'époque, diffuse un volume rédactionnel pratiquement constant. Or, si le nombre de pages est le même, il faut que l'intérêt accordé au contenu rédactionnel change. La presse est donc le miroir et l'amplificateur de faits de société, de centres d'intérêt, de coups de cœur, de modes, qui changent de volume selon les moments. Et avec le développement rapide des nouveaux médias (mot apparu au début des années 80) de communication, l'effet amplificateur est encore bien plus redoutable.

Le design est un très bon exemple de ce phénomène : par le mot design, lui-même d'abord, sur lequel ferraillent depuis plus de vingt ans linguistes, Pouvoirs publics et designers. Dans la revue *La Banque des mots,* on peut lire: « Après avoir été lancé par R. Peel ou par R. Loewy il y a plus d'un demi-siècle aux États-Unis dans l'expression anglo-saxonne "Industriel Design", le terme technique "design" tente de faire son apparition ces dernières années dans le vocabulaire français d'usage courant avec des acceptions différentes et privilégiées. Ce mot difficilement prononçable, à la graphie anormale, déjà traduit en allemand, en italien et en espagnol, apparaît pourtant comme un terme simple (...) ». Suit l'analyse de l'enquête menée par le Conseil international de la langue française auprès des téléspectateurs de l'émission « Télémagazine », qui a fait ressortir 360 propositions de remplacement ! Imagine-t-on semblable enquête pour proposer des substituts à tous les mots

THE ADVENTURES OF THE DECADES

Design and the media

It is well known that words convey much more than they say. There often lies a problem behind each one. The French language is an undisputed champion in this field: double meaning, connotations, litotes, periphrases, tautologies allow the strict rules of construction to be by-passed. Clarity is superficial. The word « environment » when it appeared in the 70s only served to underline the problem. In diluting design with environmental connotations, awareness of the related industrial problem and economic reality was retarded for years. It was only in the early 80s that an excessive use of the word « environment » gave « design » a fresh autonomy.

John Nesbitt, in his book Megatrends *which forecast future trends over the next fifty years, established that the press of no matter what epoch circulates a practically constant volume of editorial matter. If therefore the number of pages is the same, it is imperative that the interest accorded to the content should change. The press reflects and amplifies social facts, new centres of interest, « crazes » or fashions, whose volume constantly changes. Since the development of the new media (a term which appeared in the 80s), this has become even more formidable.*

Design is a very good example of this phenomenon: even the word itself, over which linguists, public authorities and designers have wrangled for over twenty years. To quote the magazine La Banque des mots: *« After R. Peel and R. Loewy had launched the Anglo-Saxon expression "industrial design" in the United States over fifty years ago, the technical term "design" has attempted to appear in French current vocabulary during recent years, with various and privileged meanings. This word difficult to pronounce, unfamiliarly spelt, already translated into German, Italian and Spanish is however a simple term... » Them comes an analysis of the survey carried out by the « Conseil international de la langue française » with viewers of the programme « Télémagazine », from which 360 different proposals for a replacement word emerged! Can one imagine a similar survey to replace all foreign words in the French language from « week-end » to « sandwich » not to mention « stop »? Almost ten years later in 1983, the* Journal officiel *published a*

Françoise JOLLANT KNEEBONE

étrangers introduits dans la langue française, de week-end à sandwich en passant par stop. Presque 10 ans plus tard, en 1983, le *Journal officiel* publie une liste de termes mis au ban parmi lesquels figure bien entendu « design » remplacé par « stylique » et designer par « stylicien ». L'histoire récente montre que ces termes ont fait faillite. Faut-il en conclure hâtivement qu'il ne s'agit là que d'une querelle de termes ? Ce serait passer un peu vite à côté des véritables raisons. La résistance psychologique à un mot peut cacher une résistance au concept même, ou une méconnaissance de la pratique qu'il recouvre. La France a historiquement raté son entrée dans la révolution industrielle à la fin du 18e siècle, pour cause de révolution, et pris ainsi un retard considérable qu'elle n'arrivera jamais à combler entièrement. Le fort développement d'une tradition d'ingénieurs au 19e siècle, puis l'éclosion des Arts décoratifs ne font que renforcer un double cheminement art et industrie dont le design ne sera le fédérateur qu'à la fin des années 50, dans le sillage des pays anglo-saxons. L'histoire du design français commence ainsi en 1949, au moment où l'UAM (Union des Artistes Modernes créée dans les années 30) disparaît au profit de Formes utiles, dont les sélections de produits seront chaque année associées au Salon des arts ménagers jusqu'en 1983.

1950 : Jacques Viénot fonde l'Institut d'esthétique industrielle et crée la revue *Esthétique industrielle.* 1951, dans le cadre du plan Marshall d'aide à l'Europe, l'OECE envoie une trentaine de directeurs de bureaux d'études faire une visite d'usines aux États-Unis. La plupart d'entre eux n'ont jamais entendu parler de design.

Les Pouvoirs publics français vont mettre 14 ans à reconnaître l'existence du design : en 1964, André Malraux, ministre de la Culture, et Georges Pompidou, créent au Mobilier national un Atelier de création contemporaine, pour redonner un coup de fouet à la création de mobilier. Les années 60 sont des années prospères pour le design. Les designers s'en donnent à cœur joie avec l'arrivée des nouveaux matériaux (plastiques, mousses, acier et aluminium, jersey...), les industriels et les distributeurs se piquent au jeu.

La presse, discrète sur le sujet à la fin des années 50, s'intéresse à ce nouveau phénomène de société, dont

list of banned words, which included « design » and « designer », replaced by « stylique » and « stylicien ». Recent history shows that these words have died a natural death. We might conclude, perhaps a little hastily, that it only amounts to a battle of terminology. But perhaps the true reasons are being passed over too quickly. Psychological blockage to a word can often hide a serious resistance or ignorance about the concept which it represents. Historically, France failed to enter the Industrial Revolution at the end of the 18th century because of its own Revolution and suffered a considerable setback which has never been made good. The development of a strong engineering tradition during the 19th century, and the subsequent blossoming of the decorative arts only led to a parallel development of art on the one side and industry on the other, which design only federated towards the end of the 50s, in the wake of the Anglo-Saxon countries. The history of French design thus began in 1949 at the time when the UAM (Union des Artistes Modernes) created in the 30s, gave way to « Formes utiles », whose selection of products would be featured in the « Salon des arts ménagers » until 1983.

1950: Jacques Viénot founded the Institut d'esthétique industrielle and created the magazine Esthétique industrielle. *1951: under the auspices of the Marshall Aid programme for Europe, the OEEC sent 30 industrial managers on a visit of American factories. Most of them had never heard of design.*

The French government took 14 years to recognise that design existed: in 1964, André Malraux, the Minister of Culture, and Georges Pompidou created a contemporary design workshop at the Mobilier national to stimulate creativity in furniture. The 60s were prosperous years for design. Designers feasted on the new materials (plastics, foam, steel and aluminium, jersey...) and industry and distributors followed suit.

The press became interested in this new social phenomenon, while it had shown a certain reticence at the end of the 50s. The initial impact had been provided by the publication of Les Choses *by Georges Pérec in 1960. The press was mobilised by form, colour, materials... and the birth of the*

Plus-values : Pensez à votre portefeuille !

LE NOUVEL
ECONOMISTE

LES OSCARS DU DESIGN 1985

OÙ VA L'ARGENT DE LA CULTURE

Jack Lang, ministre de la Culture

Couvertures de presse.

le coup d'envoi a été donné, en 1960, par la publication du livre de Georges Pérec, *Les Choses.* Les formes, les couleurs, les matériaux, le démarrage de la société de consommation mobilisent la presse. La revue *Esthétique industrielle* devient, signe des temps, *Design industrie,* et supprime sa rubrique « au pilori » qui stigmatisait le mauvais design. On brûle encore de temps en temps un billet de banque dans les réunions pour en dénoncer la laideur. Serge Gainsbourg n'a rien inventé. Mais le design est encore relégué la plupart du temps dans les rubriques féminines des quotidiens (« pour vous », « Madame »), ou dans les journaux féminins. Les hommes dédaignent le sujet, et les journalistes femmes s'en emparent, trouvant ainsi un créneau laissé vacant. Seul Jacques Michel du *Monde* s'y intéresse. Mariella Righini fait ses premières armes au *Nouvel Observateur* qui, alors, s'intéresse de près au design. La *Maison de Marie-Claire* devient, vers la fin des années 60, la référence obligée au design : Gilles de Bure y collabore régulièrement, avant de participer à la création de la première revue vraiment contemporaine de design *Créé,* en 1969. Catherine Millet dans les *Lettres françaises* pose la question : « Qu'est-ce que le design ? » au moment où le CCI (Centre de Création Industrielle) ouvre ses portes au musée des Arts décoratifs. Effet médiatique sans précédent, le premier catalogue de mobilier contemporain sort chez Prisunic en 1968. On y découvre l'existence des designers comme Terence Conran (dont le premier magasin Habitat a ouvert, en 1964, à Londres), Marc Held, Olivier Mourgue, Danielle Quarante, Gae Aulenti.

Dans la foulée de 1968, les Pouvoirs publics s'intéressent enfin au design : si le CCI est né d'une initiative privée, Xavier Ortoli crée, en 1970, un Conseil supérieur de la création esthétique industrielle qui fermera ses portes en 1975. L'Institut de l'environnement ouvre ses portes au début de 1970 pour les fermer en 1972.

Contrairement à toute attente, c'est l'environnement et non le design qui va se tailler la part du lion dans la presse après 1968. La convivialité, le retour à la nature, la découverte de l'urbanisme, du dysfonctionnement des grandes métropoles reconstruites après la guerre, vont occuper la « une ». Le design est là, bien sûr, en particulier sous la forme du mobilier urbain, qui intéresse la presse de 1970 à 1973. C'est

consumer society. Significantly, the magazine Esthétique industrielle *changed its name to* Design Industrie *and the column known as the «pillory», which has denounced bad design, was suppressed. From time to time bank notes were burned in meetings to emphasize their ugliness. Serge Gainsbourg has invented nothing new! But on the whole, design was relegated to the woman's page of the dailies («for you madame») or to women's magazines. Men disdained the subject whereas women seized upon it as a vacant platform. Only Jacques Michel of* Le Monde *showed interest. Mariella Righini took up the gauntlet in the* Nouvel Observateur *which from then on highlighted design.* La Maison de Marie-Claire *became the ultimate reference to design towards the end of the 60s. Gilles de Bure contributed regularly before participating in the creation of the first real contemporary design magazine,* Créé, *in 1969. Catherine Millet asked the question «what is design?» in* Les Lettres Françaises *at the same time when the CCI (Centre de Création Industrielle) opened its doors at the musée des Arts décoratifs. The first catalogue of contemporary furniture published by Prisunic had an unprecedented impact; we discovered designers such as Terence Conran (whose first Habitat shop has opened up in London in 1964), Marc Held, Olivier Mourgue, Danielle Quarante and Gae Aulenti.*

Following the aftermath of 1968, public authorities at last became interested in design: whereas private initiative created the CCI, Xavier Ortoli created a state-operated Conseil supérieur de la création esthétique industrielle in 1970, which closed down in 1975. The Institut de l'environnement opened its doors in early 1970 and closed them in 1972.

Contrary to all expectations, the environment rather than design took the lion's share in the press after 1968. Conviviality, return to Nature, the discovery of town planning, the inadequacies of the big cities rebuilt after the war were front page news. Design was present in the form of street furniture, which particularly interested the press in 1970-73. It was the era of the first victories of Jean-Claude Decaux, and of Georges Pompidou (now President of France) who had the private apartments of the Elysée Palace redesigned by Pierre Paulin. The first oil crisis in December 1973

l'époque où Jean-Claude Decaux remporte ses premières victoires, et où Georges Pompidou, devenu président de la République, fait refaire les appartements privés de l'Élysée par Pierre Paulin. Le premier choc pétrolier, en décembre 1973, va porter un coup dur au design. De 1974 à 1980, la presse se mobilise peu autour de ce thème. Le design se fait rare. Odile Fillion résume ainsi cette période *(Archi-intérieure CREE,* mai-juin 1985) : « 1973-1980. Avec la crise, l'euphorie des années précédentes s'estompe. Beaucoup d'agences disparaissent. Les industriels semblent moins audacieux; le terme "design" a mauvaise presse. Pour se vendre, la profession (plutôt les grosses agences qui survivent) érige des dogmes qui camouflent souvent un évident manque de talent. Plus que jamais, la théorie forme-fonction reprend ses droits, assaisonnée de règles de marketing qui confortent l'industriel dans son manque d'audace. Finalement, la profession brille par son silence et son absence, le design français aussi par voie de conséquence. »
Jean Rafferty, dans le *New York Herald Tribune* (16-17/8/1980) s'interroge sur l'échec du design après 10 ans d'efforts dans un article intitulé : « Le design français moderne est-il trop moderne pour les Français ? ». « Aujourd'hui, la lune de miel est terminée. Prudents après les gigantesques augmentations des produits pétroliers, les industriels français sont retournés au conventionnel et l'Élysée au 18e siècle. Le design moderne — irrévocablement lié dans l'esprit populaire et professionnel à l'acier froid et au plastique industriel — est complètement démodé. »
Les années de vaches maigres vont prendre fin avec le début des années 80. Entraîné par une série de mesures publiques, la création du VIA et l'arrivée de Jack Lang au ministère de la Culture, le phénomène design va être très rapidement relayé par les médias. En 6 ans, il est paru plus d'articles dans la presse qu'entre 1968 et 1980. Plus de 600 articles mettent ainsi, ou plutôt remettent, le design à la « une ». Phénomène de mode ou plus simplement banalisation d'une profession qui entre enfin dans les mœurs ? La réponse n'est pas aisée. La jeune génération des designers y est pour beaucoup. Pour avoir trop longtemps courbé la tête sous l'orage, ils n'ont plus rien à perdre et optent pour un optimisme avoué. Ils vont là où on veut les écouter, ils sont moins désireux de plaire aux industriels, ils affichent des opinions

was a bitter blow to design. From 1974-80 the press showed little interest in design. Odile Fillion summarizes this period thus: « 1973-80—with the crisis, the euphoria of the previous years evaporated. Many design offices disappeared. Industry seemed less audacious: the term "design" received a bad press. In order to sell, the profession (that is the surviving offices) erected dogmas which often camouflaged an evident lack of talent. The theory of form-function more than ever asserted its rights, spiced with marketing rules, which were confirming industry in its lack of audaciousness. Finally the profession was conspicuous by its very silence and absence, and so was French design in consequence. » (Archi-intérieure CREE, *May/June, 1985.)*
Jean Rafferty questioned the failure of design after ten years of striving, in an article in the New York Herald Tribune *(16-17th Aug.,1980), entitled « Modern French design is it too modern for the French? »: « The honeymoon period is over today. French Industry, showing prudence after the price rise in oil-derived products, became more conventional, and the Élysée returned to the 18th century. Modern design, irrevocably linked with cold steel and industrial plastic in the layman's and the professional's minds, became completely outdated. »*
The lean years came to an end at the beginning of the 80s. As a result of several public measures, the creation of VIA and the arrival of Jack Lang at the Ministry of Culture, the design phenomenon was quickly publicized by the media and more articles appeared in the press during 6 years than in 1968-80. More than 600 articles were devoted to design. A new fad or more simply the acceptance of a profession which at last had become a standard feature of life? The answer is not evident. The young generation of designers were largely to blame. Having bent their heads under the storm for too long, they had nothing left to lose and opted for an avowed optimism. They went where they could be heard, they were less anxious to please industry, they flaunted uncompromising opinions and a style which quickly broke away to create an authentic French movement (although it owed a great deal to Memphis at the beginning). The furniture symbolized design, and the press took it over. Reference to Art-Deco was no longer frowned upon and

sans concessions, et un style qui, s'il doit beaucoup au départ au groupe Memphis, s'en écarte très vite pour créer un authentique mouvement français. Le domaine du mobilier est porteur du design tout entier, et la presse s'en empare. La référence à l'Art déco n'est plus honteuse, et le recours aux médias systématique et naturel. Interviews, numéros spéciaux sur le design se multiplient. Des designers tels que Philippe Starck, Nemo, Ron Arad comptent par centaines les articles les concernant. A l'analyse, on peut dégager un certain nombre de constantes :

• La presse quotidienne représente à peu près 50 % du total.
• La presse de gauche (à l'exception de *L'Humanité*) est majoritairement représentée avec 75 % des articles. Le design a-t-il le cœur à gauche ? Ce constat évidemment ne joue pas pour les hebdomadaires et mensuels dans lesquels le design est souvent présenté sous forme de dossiers spéciaux.
• La presse régionale ne s'intéresse que très peu au design, ce qui confirme le diagnostic de « parisianisme », ou indique une conception différente de la presse de province. Ce phénomène mérite qu'on s'y arrête dans la mesure où, depuis plusieurs années, les actions entreprises en province en faveur du design se sont multipliées et diversifiées (par exemple à Nîmes, Bordeaux, Grenoble, Lyon, Toulouse...).
• Le terme « design » est pris à 90 % au sens restrictif de design de produit. La presse ne s'intéresse que peu au design graphique, qui reste le parent pauvre. Il est vrai que les Pouvoirs publics n'investissent que peu dans un soutien au design graphique, particulièrement par son intégration au concept global de design.
• Journalistes, hommes et femmes, se partagent à peu près équitablement le gâteau avec un style et un esprit souvent différents. Le design n'est plus désormais un créneau « féminin ».
• L'action des Pouvoirs publics : l'État est, depuis 1981, le premier agent médiatique du design. Aide à la création, soutien de grandes manifestations, création d'une école de haut niveau en 1982, l'ENSCI (École Nationale Supérieure de Création Industrielle), création d'un Grand Prix national du design, etc.
• Le discours du design a changé. On ne parle plus du design comme on en parlait il y a dix ans. On peut distinguer trois types de discours : 1960-73, discours ludique ; 1974-80, discours sérieux, fonctionnaliste,

recourse to the mas media was now systematic and natural. Interviews and special issues on design multiplied. Designers such as Philippe Starck and Nemo could count articles about them by the hundred. In analysing them we can establish certain permanent features:

• *Daily papers represent about 50% of the total.*
• *Left-wing newspapers (except* L'Humanité*) make up a majority, with 75% of the articles. Is design left-wing? These facts do not include the weeklys and monthlys, of course, in which design is usually the subject of special features articles.*
• *Regional newspapers are little interested in design, which confirms the diagnosis of «Parisianism»—or indicates a quite different approach in the provincial press. This deserves some attention, for in the last few years action taken in the provinces in support of design has increased and diversified (for example: Nîmes, Bordeaux, Grenoble, Lyons and Toulouse...).*
• *The term «design» is at 90% used in the restrictive sense of product design. Little interest is shown by the press in graphic design, which remains the poor relation. It is true that public authorities do not really support graphic design, particularly as an integral part of a global design concept.*
• *Male and female journalists share out the loot, with style and spirit differing considerably. Design is no longer a «female» prerogative.*
• *Action by public authorities: the state since 1981 has been design's main media agent, giving help to creativity, supporting large events, creating a high level school in 1982 (the ENSCI: École nationale supérieure de création industrielle) and a national award for design, etc.*
• *Design has changed its discourse and it is no longer referred to in the same way as ten years ago. Three types of discourse may be indentified: 1960-73, the playful type.1974-80, the serious, functional and ergonomic type. The designer hides his romantic knotted cravat and his artist's portfolio. He leans toward related disciplines. It is a time of concern about usefulness. 1980, marketing. Sales and exports, and seduction are the priorities.*
• *Statements on design are still often made by non-designers. This phenomenon of the appropriation of words says a lot as regards public demand. The discourse of designers is often reduced to*

ergonomiste. Le designer cache sa lavallière et son carton à dessin. Il se penche vers les disciplines connexes. C'est le temps de la valeur d'usage ; 1980, discours « marketing ». Il faut vendre, il faut exporter, il faut séduire, il faut se montrer.

• Le discours du design est encore souvent tenu par les non-designers. Ce phénomène d'appropriation de la parole en dit long sur la demande du public. Le discours des designers est souvent réduit à l'état de citations à l'appui d'un discours sur le design. Il n'existe donc pas de discours *du* design mais un discours *sur* le design. L'exégèse avant la lettre en quelque sorte. La parole des designers est ainsi, à quelques exceptions faites, réduite à un discours de « boutique ». Les designers parlent de ce qu'ils font, et de la manière dont ils le font ainsi que des difficultés qu'ils rencontrent dans l'exercice de leur profession. Ils insèrent rarement dans ce discours le rapport à l'époque. Or, ceci n'intéresse ni le grand public ni les médias. On ne fait pas un scoop sur le « design to cost » ou sur l'ergonomie du produit. On assiste, depuis plusieurs années en Grande-Bretagne et aux États-Unis, au développement des disciplines connexes à toute profession : théorie, histoire, recherche, méthodologie, alors qu'il est encore difficile de trouver, en France, des gens susceptibles d'écrire sur le design.

• Fragilité de l'effet médiatique et promotion du design : si le rôle de la presse est de déclencher l'événement, le rôle de la profession est d'en stabiliser l'effet et de le faire perdurer. La promotion du design pose un problème complexe dans tous les pays qui la pratiquent : depuis vingt ans au moins que l'on essaie de convaincre l'industrie et les partenaires du design de l'importance de cette activité, il n'est pas sûr aujourd'hui qu'on y soit parvenu. Retrouver encore les mêmes arguments, les mêmes démonstrations, alors que la proportion du marché n'a que peu évolué, montre la relative efficacité de la promotion telle qu'elle a été et telle qu'elle est faite, en dépit des efforts et des moyens mis en œuvre. On n'a pas encore réussi à convaincre. Le discours du design ne serait-il pas celui qu'attend l'industrie ? S'agit-il tout simplement de convaincre ? « On se trouve face au paradoxe d'un succès médiatique doublé d'un échec commercial absolu. En outre, les magazines ne publient souvent que des esquisses, des griffonages, et non des objets en état de fonctionner et pouvant

quotations on design. Therefore discourses exist on design but never about... the interpretation before the fact in many ways. Designers' words are thus reduced to shop talk. They talk about what they are doing and the way in which they do it, as well as the difficulties they meet in exercising their profession. They rarely refer to their relation to their time, or perhaps this interests neither the media nor the general public. Scoops are not made from « design to cost » nor from the ergonomics of the product. We have witnessed in Great Britain and the United States, for several years, the development of related disciplines in each profession: theory, history, research, methodology, whereas in France it is still difficult to find someone able to write about design.

• *There is a certain fragility in the relation between media and promotion. If the role of the press is to create an issue, the role of the profession is to stabilise the effect and make it endure. Design promotion poses complex problems everywhere. In spite of twenty years of convincing industry and its design partners about the importance of this activity, it is not evident that it has succeeded yet. To find again and again the same arguments and demonstrations whereas the share in the market has only evolved a little, shows the relative success of promotion as it has been, and is, carried out, in spite of the means and efforts devoted to it. We have not yet succeeded in convincing. Is the discourse on design not what industry is waiting for? Is convincing all it really needs? « We find ourselves faced with the paradox of a media success combined with an absolute commercial setback. Besides, magazines often publish sketches or scrawls and not the functional object able to be industrially produced. »[1]*

Design's own image is reflected back through the press. The fundamental question to be asked at this end of a century, must be « is there a specifity to design and does French design exist? How are we viewed from abroad? »

« There is a terrible gulf, in modern France, between the deeply conservative nature of the French (which has not always been manifest politically as shown in 1789, 1870 or 1968, although desire for order has always overcome revolutions whatever the price to pay) and the rise of pure

être produits industriellement. »[1]

A travers la presse, c'est sa propre image qui est renvoyée au design. La question fondamentale que l'on peut se poser en cette fin de siècle est : y a-t-il une spécificité au design, et le design français existe-t-il ? Comment nous voit-on de l'étranger ?

« (...) Il y a un terrible fossé dans la France moderne entre la nature profondément conservatrice des Français (qui n'est pas toujours manifeste politiquement, comme le prouvent 1789, 1870, 1968, mais un désir d'ordre qui a toujours triomphé des révolutions, quel qu'en soit le prix à payer) et la montée de la pure technologie. Si les Français voulaient être modernes dans les années 60, alors ils allaient se bâtir LA ville la plus moderne, La Défense, LE train le plus rapide, le TGV, LEUR propre défense nucléaire (...) Cette lutte est visible dans la schizophrénie et l'idiosyncrasie de leur design. Curieusement, le design français n'est sophistiqué que dans le domaine technologique. La subtilité de la Citroën CX est contrebalancée par le conservatisme, la vulgarité ou le retard irrécupérable de leur mobilier, de leur architecture intérieure, leur mode, et tristement depuis la mort de Le Corbusier, leur architecture. »[2]

Ce jugement sans appel est une provocation que les designers sont maintenant prêts à relever.

Trente ans de transport

Lorsqu'en 1962, le paquebot *France* prend la mer pour son premier voyage, c'est la fin d'une époque marquée par le prestige de la création française à travers plusieurs générations de créateurs : Arbus, Leleu, Pascaud, Quinet, Adnet, Jacques Dumont, Jean Royère ont porté au sommet du raffinement la décoration des grands paquebots depuis le début du siècle.

C'est désormais sur fond de conquête de l'espace, de Youri Gagarine en 1961 au premier alunissage en 1969, que l'avion va démocratiser le voyage : les « gens du voyage », la génération des années 60 à 70 va partir à la découverte.

A partir de 1958, la Caravelle, l'Airbus, le Concorde jalonnent le progrès accompli. Pierre Gautier-Delaye et Isabelle Hebey conçoivent les sièges et l'aménagement des nouveaux avions. Les aéroports deviennent des lieux de prestige, fréquentés par des millions de voyageurs chaque année. Joseph-André Motte est chargé de l'aménagement intérieur d'Orly-

technology. If the French wanted to be modern in the 60s, they were to build La Défense, THE most modern town; the TGV, THE fastest train; and THEIR own nuclear defence... This struggle is well in evidence in the schizophrenia and idiosyncrasy of their design. Curiously, French design is only sophisticated in the technological field. The subtleness of the Citroën CX is counterbalanced by the conservatism, the coarseness or irrecuperable backwardness of their furniture, of their interior design, their fashion, and sadly since the death of Le Corbusier, their architecture. »[2]

This final judgement is a challenge that designers are now ready to take up.

30 years of transport

When the liner «France» put to sea on its first voyage in 1962, it was the end of an era marked by French creative prestige over several generations: Arbus, Leleu, Pascaud, Quinet, Adnet, Jacques Dumont and Jean Royère had reached a peak of refinement in the decoration of great liners since the beginning of the century.

It was now with the conquest of space as a backdrop, from Yuri Gagarin in 1961 until the first landing on the moon in 1969, that the aeroplane would democratize travel, and the « travellers », the generation of the 60s and 70s would set off in a spirit of discovery.

From 1958 onwards, the Caravelle, Airbus and Concorde marked out progress achieved. Pierre Gautier-Delaye and Isabelle Hebey designed the seating and interiors of the new planes. Airports became glamourous places, frequented by millions of passengers each year. In 1961, Joseph-André Motte was commissioned to design the interiors of Orly-Sud, and those of Roissy 1 in 1974, while Adrian Frutiger developed a system of signs for these same airports. The first food tray designed by Georges Patrix is still used today by Air France. Raymond Loewy designed the cutlery a few years later.

At the beginning of the 70s, the SNCF undertook an enormous modernization of its equipment and reception areas to combat the developing domestic airflight competition. In 1975, the launching of the new «Corail» trains, designed by Roger Tallon, revolutionized rail comfort. The first TGV (High Speed Train) was launched in 1983; Roger Tallon

« Tube », 1986.
Document RATP/Centre de production audiovisuelle.

Sud en 1961, puis de Roissy 1 en 1974, tandis qu'Adrian Frutiger réalise pour les mêmes aéroports des systèmes de signalisation. Georges Patrix dessine le premier plateau-repas Air France encore utilisé aujourd'hui, et Raymond Loewy fait quelques années plus tard le design des couverts.
Dès le début des années 70, la SNCF entreprend une vaste opération de modernisation de son matériel et de ses lieux d'accueil. Il s'agit de relever le défi lancé par le développement du trafic aérien intérieur. Sortis en 1975, les nouveaux trains « Corail », conçus par Roger Tallon, révolutionnent le confort ferroviaire. Le premier TGV est lancé en 1983, Roger Tallon travaille déjà sur le TGV Atlantique, le TGV Nord, et sur l'aménagement des navettes Trans-Manche.
Dans le même temps, les réseaux de banlieue se modernisent, la CEI Raymond Loewy et le Groupe MBD s'attaquent au design de nouveaux trains de banlieue, les gares se modernisent, la signalétique et l'image de la SNCF sont revues et les cartes du réseau ferroviaire sont redessinées.
A partir de 1970, les réseaux de transport urbain se multiplient à Paris comme en province, Marseille, Lyon, Lille se dotent de métro, la plupart des villes améliorent la qualité de confort de leurs autobus et tramways. La RATP entreprend un programme ambitieux de modernisation du matériel et des stations dès la fin des années 60 : Nation, première station du RER est inaugurée en 1969. Édouard Maurel et Bernard Fric créent de nouvelles rames de métro, Roger Tallon exporte son savoir-faire en concevant le métro de Mexico en 1968.
La carte orange fait son apparition en 1975, et dès le début des années 80, l'agence Ecom Univas lance une brillante campagne d'image et de publicité. Depuis 1986, le Tube crée une animation audiovisuelle dans les stations. L'automobile, industrie exemplaire en France, subit, au cours de ces trente années, des fortunes variables sur le plan de la création : les années 60 sont sans conteste « les années DS ». La « déesse » règne sans partage sur la création automobile. En lançant en 1972 la R5, dont le designer Michel Boué meurt l'année précédente, Renault fait une entrée médiatique sans précédent depuis la 4CV de l'après-guerre. C'est le début de la voiture urbaine, petite (la pionnière du genre est la Mini Morris lancée en 1959), et destinée a priori à une clientèle féminine, de plus en plus nombreuse.

was already working on the «Atlantique» TGV, the «Nord» TGV and the equipping of the Cross Channel shuttles.
At the same time suburban transport was being modernized, the CEI Raymond Loewy and the MBD group took on the redesigning of suburban trains, the stations were modernized, the signage and the image of the SNCF were revised, and the network rail maps were redesigned.
From 1970 urban transport increased, not only in Paris. Marseilles, Lyons and Lille developed a subway system. The majority of towns improved the quality and comfort of their buses and trams. The RATP undertook an ambitious modernization programme of their equipment and stations at the end of the 60s. The first RER (Regional Express Line) station at Nation was opened in 1969. Édouard Maurel and Bernard Fric designed new metropolitan trains and Roger Tallon exported his know-how by designing the underground in Mexico City in 1968.
The carte orange (monthly ticket) appeared in 1975 and the Ecom Univas agency launched a brilliant advertising campaign at the beginning of the 80s. In 1986 the «Tube» introduced an audio-visual distraction in the stations.
France's exemplary car industry experienced ups and downs during these 30 years on the design level. The 60s without a doubt were the «DS years», and this goddess reigned supreme. By launching the R5 in 1972, after the death the previous year of its designer Michel Boué, Renault made a media impact unprecedented since the 4 CV after the war.
It was the debut of the small town car (the pioneer being the Morris Mini Minor of 1959) aimed at an increasing female market. With the first oil crisis in 1973, car makers concentrated on the smaller, fuel-efficient car. The appearance of the Peugeot 205 in 1985 and the face-lift of the R5 confirmed this trend. The disappearance of the popular 4L and of the legendary 2CV in 1987 marked the end of the myth of the robust, rustic, working-class car.

From «Chasseur français» to «Chouchou»

30 years of mass distribution

Until the beginning of the 60s, the French, and especially the provincial and rural French, had two «bibles»—the Chasseur Français *equally renowned for its matrimonial classified ads, and the Manufacture des armes et cycles de Saint-Étienne mail-order catalogue. Mail-order selling (vente par correspondance or later VPC) appealed to a clientele preoccupied more by the quality and durability of the product than by its aesthetic qualities. The presentation should be of extreme simplicity. One did not «consume», but bought what was needed.*
1962. Tupperware arrives in France. Invented by Earl Tupperware in 1945, a chemist with Dupont de Nemours, and inventor of the famous air-tight food boxes, it was a new way to distribute goods: home distribution by a snowball effect. Based upon the economic and social position of the housewife, this

Avec le premier choc pétrolier de 1973, les recherches des constructeurs vont s'orienter vers des voitures plus petites, moins dévoreuses d'énergie. La sortie, en 1985, de la 205 Peugeot et le « lifting » de la R5 confirment désormais la tendance. La disparition, en 1987, de la populaire 4L, comme celle de la légendaire 2CV, marque la fin du mythe de la voiture rustique, rurale, populaire.

Du Chasseur français au Chouchou
Trente ans de grande distribution

Jusqu'au début des années 60, les Français, et plus particulièrement les provinciaux et les ruraux, ont deux bibles : le *Chasseur français,* également célèbre pour ses petites annonces matrimoniales, et le catalogue de la Manufacture des armes et cycles de Saint-Étienne.

La vente par correspondance — que l'on n'appelle pas encore VPC — s'adresse à une clientèle plus sensible à la qualité, à la durabilité des produits qu'à leur esthétique. La présentation est d'une simplicité monacale qui n'incite pas aux excès. On ne consomme pas, on achète ce dont on a besoin.

1962 : Tupperware arrive en France. Inventé, en 1945, par Earl Tupperware, chimiste chez Dupont de Nemours, et créateur des fameuses boîtes alimentaires hermétiques, un nouveau mode de distribution voit le jour : celui de la distribution à domicile par effet « boule de neige ». Basé sur la réalité économique et sociale de la femme au foyer, ce système va connaître, aux États-Unis comme en France, une fortune considérable qui ne se démentit pas sur les trois décennies.

1964 : Terence Conran ouvre à Londres le premier magasin Habitat, fruit d'une réflexion sur un nouveau mode de diffusion : on offre au client, non pas des produits, mais un style de vie, de la petite cuiller aux draps de lit. Chaque produit doit donner à l'acheteur l'envie d'assortir son environnement tout entier.

1965 : alors que les premières grandes surfaces font leur apparition, dans le ciel jusque-là sans nuages des petits commerçants, Pierre Verdun commence la commercialisation du robot ménager, dont il a inventé le principe en 1961 et déposé le brevet en 1963. La révolution culinaire qui va s'ensuivre changera complètement les habitudes de préparation des repas des Français pourtant très conservateurs en ce domaine.

Vente par correspondance :
Prisunic, Habitat, les Trois Suisses,
Catalogia.
Document Prisunic, Habitat, Mafia, CCI.

Dans le même mouvement, le congélateur, introduit sur le marché français trois ans auparavant, connaît une grande diffusion dans les milieux ruraux. Ce changement fondamental du mode de conservation des aliments, venu de la fraction la plus conservatrice de la population, entraîne une modification du mode d'approvisionnement : on n'achète plus au jour le jour, on stocke. La commercialisation, à partir de 1975, du four à micro-onde, va consolider le changement de mode de vie.
1965 : sous l'impulsion de Denise Fayolle, Prisunic se lance dans la grande distribution et dans la vente par correspondance en publiant son premier catalogue de meubles. Prisunic aura, jusqu'au début des années 70, une politique de création tout à fait remarquable, faisant appel aux designers les plus inventifs de leur temps, Marc Held, Marc Berthier, Alain Chauvel, Danielle Quarante, Daniel Pigeon, Terence Conran, Pascal Mourgue, R. Avril... Les années plastiques battent leur plein et nombre de ces modèles resteront des exemples de la création de cette décennie.
Le relais médiatique va être opportunément assuré, en 1967 et 1968, par la création de deux nouvelles revues consacrées à la maison : la *Maison de Marie-Claire* et le *Journal de la maison.* Pour la première fois, des magazines de grande diffusion, destinés à un public féminin moyen présentent à l'achat un art de vivre. Ils véhiculeront, au fil des ans, tous les courants : l'environnement, les écologies et le retour à la nature, les modes de vie parallèles, puis dans les années 80, le High Tech, le retour à l'individualisme, le postmodernisme et le gadget. A la portée de tous, un art de vivre rendu acceptable et désirable, gommé de tous les excès.
1967 : Denise Fayolle quitte Prisunic pour entrer comme conseiller aux Trois Suisses. La VPC commence à bouger pour rajeunir son image et attirer une clientèle urbaine, plus soucieuse de mode. Les *Trois Suisses* et *La Redoute* introduisent la couleur et une périodicité plus fréquente de parution, le recours aux créateurs pour des secteurs comme le mobilier ou la mode, et une politique de communication très active à partir des années 80. Philippe Starck, Alain Chauvel, Andrée Putman, Pascal Mourgue pour le mobilier, Michel Schreiber, Élizabeth de Senneville, Popy Moreni, Guy Paulin, Agnès B... pour la mode, collaborent à la création de modèles exclusifs.

system achieved a constant and considerable success during thirty years in the United States and France.
1964. Terence Conran opens the first Habitat store in London, the fruit of much reflection about distribution: the client was offered a new life style from the teaspoon to the bed linen. Each product encouraged the buyer to harmonize everything in his environment.
1965. The first hypermarkets made their appearance, under a sky which had been without clouds for the small shopkeeper. Pierre Verdun markets the food blender, a principle he had first studied in 1961 and patented in 1963. The cooking revolution which followed completely changed the preparation of the meal, about which the French had been most conservative. In the same way the deep freeze, which had been introduced on the French market three years earlier, gained a great popularity in rural areas. This fundamental change in the way of preserving food, adopted by the most conservative sector of the population, brought about a new approach to food supply. No more day-to-day buying, but storage. From 1975, the availability of the micro-wave oven consolidated the change in the way of life.
1966. Under the impetus of Denise Fayolle, Prisunic enters into mail order, by publishing its first furniture catalogue. Prisunic maintained a remarkable design policy until the beginning of the 70s, calling upon the most brilliant designers of that time, Marc Held, Marc Berthier, Alain Chauvel, Danielle Quarante, Daniel Pigeon, Terence Conran, Pascal Mourgue, and R. Avril... the «plastic» years had arrived and many products remain significant of the decade.
The coverage in the media was provided in time by the creation of two new magazines for the home in 1967 and 1968: La Maison de Marie-Claire *and the* Journal de la Maison. *For the first time, these widely circulated magazines presented a new life-style to a middle-class, female readership. For many years they featured articles attuned to the varying interests: environment, ecology, the return to nature, alernative ways of life, then, in the 80s, High Technology, individualism, post-modernism and the gadget mania. This life-style was within everyone's reach, acceptable, desirable, freed from the «too much».*

Nous sommes entrés dans l'ère du « Chouchou », un grand merci au Minitel depuis 1984 et à la banalisation de la carte bancaire depuis 1985. On assiste, depuis 1985, à la naissance d'un nouveau type de VPC ciblé « haut de gamme », visant particulièrement les leaders d'opinion et une clientèle aisée. Objectif : toucher une catégorie qui n'a que peu de temps à consacrer aux achats, et « repérer » pour elle les derniers objets désirables. *Préférences,* lancé par Habitat, puis *L'Exemplaire* et *Catalogia* occupent le créneau, sans parler des rubriques « objets » dans les revues masculines comme par exemple « La défonce du consommateur » dans *Lui.*

1968 : après la FNAC, première grande surface consacrée à l'électroménager et la hi fi, Darty ouvre ses portes. Et, à partir de 1970, les grandes surfaces se développent à la périphérie comme au centre des villes. On salue avec ironie « la civilisation du caddie », devenu le symbole de la société de consommation. Architectes d'intérieur et commerciaux peaufinent des environnements stimulateurs d'achats impulsifs : lumières, signalisation, effet de masse et empilage des produits sur les gondoles, juxtapositions voulues de produits... Carrefour, suivi par ED lancent, dès la fin des années 70, les produits « libres », c'est-à-dire portant la marque du magasin, et dont la conception graphique est particulièrement soignée. Il faut rappeler que depuis le début des années 60, le conditionnement des produits a pris une importance considérable, avec le développement de la publicité, qui, à partir de 1974, s'installe dans les foyers par la télévision. Des cabinets de design se spécialisent dans le packaging et la PLV : Lonsdale, Carré Noir, Alain Carré, MBD, Jean-Louis Barrault, Guy Boucher...

Après l'ouverture à Paris du premier magasin Habitat en 1973, les grands magasins entreprennent une rénovation de leur image : ciblage d'une clientèle sensible à la mode et aux tendances, remodelage des rayons, appel aux créateurs (Fondation Galeries Lafayette), arts de la table au Printemps, ouverture de secteurs de mobilier d'avant-garde.

La mort de la société de consommation, que l'on prédisait au début des années 70, n'a pas eu lieu. Le phénomène est irréversible, et le phénomène de la « gadgétisation » apparu avec force dans les années 80 est là pour le confirmer. Le règne des objets-culte a encore de beaux jours.

1967. Denise Fayolle leaves Prisunic to become adviser to the «3 Suisses». Mail order began to change and rejuvenate its image, and attract a fashion-conscious urban clientele. The «3 Suisses» and the «Redoute» introduced a colour catalogue and a more frequent publication. From the 80s, they sought the help of designers in the fields of furniture and fashion and adopted a more active communication policy: Philippe Starck, Alain Chauvel, Andrée Putman, Pascal Mourgue for furniture; Michel Schreiber, Elisabeth de Senneville, Popy Moreni, Guy Paulin, Agnès B, etc., for fashion, collaborated in the creation of exclusive models. The era of the « Chouchou », as the 3 Suisses catalogue was called, arrived thanks to the Minitel from 1984, and the popularity of the credit card from 1985. Since 1985 a new type of mail order aimed at the higher income bracket, the opinion leaders, has been born. The objective: to reach a category of people who have too little time to buy or seek out the « latest». Préférences *issued by Habitat, followed by the* Exemplaire *and* Catalogia *are examples of these, not to mention the consumer columns in men's publications, such as « the hyped consumer» in* Lui.

1968. After FNAC, the first department store for household appliances and Hi-Fi, Darty, opens up, and the hypermarkets start to open up in the suburbs in 1970. Ironically we greet the civilization of the shopping trolley, which became the symbol of the consumer society. Interior designers and marketing men redesigned spaces to stimulate impulsive buying: lighting, signs, mass effects, stockpiling of products, juxtaposition... And then, Carrefour, followed by ED, launched the «brandless» product, carrying the shop's name on an identifiable packaging. One has to remember that since the 60s, product packaging has played a considerable role, especially in advertising which television brought into the home since 1974. Design offices specialized in packaging and in-store advertising: Lonsdale, Carré Noir, Alain Carré, MBD, Jean-Louis Barrault, Guy Boucher. After the opening of Habitat in Paris in 1973, the department stores undertook a renovation of their image aimed at a clientele interested in the latest fashions, remodelling the counters, calling upon designers (Galeries Lafayette Foundation), offering new tableware (Printemps), and opening avant-garde furniture departments.

L'aventure du plastique ou le chant du styrène

« O temps, suspends ton bol, O matière plastique d'où viens-tu ? Qui es-tu ? Et qu'est-ce qui explique tes rares qualités ? De quoi donc es-tu faite ? »[3]

« Notre génération a été fascinée par les possibilités du plastique qui ouvrait un champ nouveau : il devenait possible de produire des surfaces modelées et de quitter l'orthogonalité. Nous pouvions travailler comme des sculpteurs. »[4]

« (...) L'apparition des dérivés du pétrole va bouleverser le paysage domestique du monde occidental. Les formes se libèrent, les expériences se multiplient et si le groupe Archizoom naît cette année à Florence, la France n'est pas en reste, alignant Marc Berthier, Marc Held, Olivier Mourgue et Pierre Paulin, Christian Germanaz et Lionel Morgaine... qui vont accélérer la montée de l'expansion et célébrer les vertus du progrès et de l'économie comme générateurs de lendemains qui chantent. Les matières plastiques sont la grande donnée, la découverte majeure de 1966.
Dès lors, le vocabulaire des designers français allait s'enrichir d'une litanie de mots barbares recouvrant des possibilités infinies : polyéthylène, polycarbonate, acrylique, polyester, polyamide, styrénique, polyuréthane, vinylique, cellulosique, phénolique... avec en vedette incontestée l'acrylique buthadienne styrène, mieux connu sous l'appellation ABS.
L'avantage majeur des matières plastiques, c'est leur extraordinaire malléabilité, leur « plasticité », leur capacité à épouser n'importe quelle forme. Elles ont donc permis de créer à l'aventure, sans contrainte ni restriction formelle et, même, donné lieu à tous les excès imaginables.
Autre avantage, non moins majeur, des matières plastiques, leur perméabilité à la couleur. Tout devenait possible. Le bon ton cédait la place à la « rumeur puissante des couleurs ».
Tout était envisageable en ce domaine, mais, sans que personne n'en ait su les raisons, l'orange devint la couleur phare des plastiques et nous en souffrons encore douloureusement aujourd'hui. Bien au-delà des prouesses formelles et des performances techniques, la gloire du plastique confirmait une donnée sociologique dont l'avènement provoquerait des conséquences irréversibles.

The death of the consumer society, predicted since the 70s, has not happened. The phenomenon was irreversible, as was «gadgetization» which appeared with force in the 80s and is here to stay. The reign of the cult object has still a bright future.

The adventure of plastic or the styrene song

«O time, suspend thy bowl, O plastic from whence comest thou? What art thou? And what explaineth thy rare qualities? Of what art thou made?»[3]

«Our generation has been fascinated by the possibilities of plastic which opened up a new field: it became possible to produce shaped surfaces and to leave orthogonality behind. We could work like sculptors».[4]

*«The advent of oil-derived products upset the western domestic scene. Shapes are liberated and more and more products appear. If the group Archizoom comes into existence this year, France is not far behind, lining up Marc Berthier, Marc Held, Olivier Mourgue and Pierre Paulin, Christian Germanaz and Lionel Morgaine, who will accelerate the rise of expansion, celebrate the virtues of progress and economy as generators of a better future. Plastic materials are the basic element, the discovery of the year 1966.
Since then the vocabulary of French designers has become enriched by a litany of barbaric words covering every possibility: polythene, polycarbonate, acrylic, polyester, polyamid, styrene, polyurethane, vinyl, cellulose, phenol... but the incontestable star is acrylonitrile-butadiene-styrene, better known as ABS.
The major advantage of plastic materials is their extraordinary malleability, their plasticity, their capacity to adopt any shape. Thus they have permitted a creative adventure without constraint nor formal restriction and even given place to every imaginable excess.
Another advantage of plastic materials none the less important, is their colour permeability. Everything became possible. Good taste gave way to the powerful rumour of colour.
Everything could be contemplated in this domain,*

Jacques Famery, série
« Kaléidoscope » rhodoïd courbé,
1967. (Éditions Steiner).
Document CCI.DR.

L'arrivée des plastiques et leur mise en œuvre, c'est avant toute chose l'abandon de l'orthogonalité. Facteur déterminant, ils autorisent enfin une approche anthropomorphique des formes qui correspond parfaitement à la libération des mœurs qui s'annonce. L'arrondissement du paysage domestique provoqué par les plastiques rappelle d'ailleurs étrangement celui du style Louis XV qui triomphe lui aussi dans une époque de « relâchement » notoire. C'est cela le plastique : la sensualité enfin permise ; la main qui caresse ; la forme ondulatoire ; les vagues répétitives ; les mousses accueillantes ; un confort différent, non plus basé sur le « maintien », mais sur les mouvements naturels du corps ; un œil qui glisse, qui contourne ; une libération formelle absolue...
Emerveillés par cette découverte qui justifie leurs théories et leurs discours, les designers et autres créateurs vont se jeter à corps perdus dans l'exploration systématique de ce matériau miracle qui permet toutes les extrapolations, toutes les fantaisies, tous les fantasmes...
Extrapolations, fantaisies et fantasmes évidemment non assumés comme tels, mais reconnus comme l'expression de la machine et la vérité de la matière.
L'humour ne sera qu'accidentel ; l'ironie, l'esprit et la subversion fruits du plus parfait des hasards. Il faudra attendre un Gaetano Pesce pour que ces qualités apparaissent comme la matière première de l'objet créé et produit. »[5]

L'irrésistible ascension des « tiques »

Curieuse décennie que celle de 70 : on y pressent la fin d'une époque et la montée en puissance d'une autre dont on cerne mal les contours. De là les extrêmes dans les attitudes, les modes de vie, les théories. D'un côté le désir de ressourcement, de retour au naturel et à la nature, de refuge au sein de communautés de vie, de convivialité retrouvée — Ivan Illitch est l'homme écouté des années 70 —, de l'autre la montée en puissance de la société informatique et l'apogée du fonctionnalisme, perceptible dans les recherches de certains designers. Les designers se veulent ergonomes, usagistes, à l'écoute du consommateur. Michel Millot, ancien étudiant de l'École d'Ulm développe au CCI, à partir de 1974, un système d'information sur les produits afin de ratio-

but without anyone knowing why, orange became the beacon of plastics and we are still suffering from it today. Well beyond formal and technical achievements, the plastic glory confirmed a sociological datum whose arrival would entail irreversible consequences.
The arrival of plastics and their use meant above all the giving up of orthogonality. Mostly, they permitted an anthropomorphic approach to shape which corresponded perfectly with the announced liberation of mores. The rounding of the domestic scene caused by plastics reminds us strangely of the Louis XV style, which also triumphed in a period of notorious laxity. It's what plastic is about: sensuality permitted at last, a caressing hand, the undulating shape, waves and waves, a welcoming foam, another meaning to comfort, no longer based on the « deportment » but on the natural movements of the body, a roving eye, a liberation of the shapes...
Marvelling at this discovery, which justified their theories, the designers threw themselves entirely into the systematic exploration of this miracle material that allowed every extrapolation and every fantasy... these were not accepted as such, but recognised as an expression of the machine and the truth of the material.
Humour is only accidental. Irony, spirit and subversion are the fruit of pure chance. You have to wait for a Gaetano Pesce to come in order that these qualities can be seen as the raw material of the object created and produced. »[5]

The irresistible rise of the « -tics »

What a curious decade the 70s were: we sensed the end of an epoch and the forceful rise of another, whose contours were ill-defined. As a result there were extremes in attitudes, ways of life, theories. On the one hand the urge to return to one's roots, to the natural, to nature, to take refuge within the community, to rediscover a conviviality of life— Ivan Illitch was the man most listened to in the 70s—, on the other the powerful rise of the computer society and the heyday of functionalism, reflected in some designers' work. Designers became ergonomists listening to the consumer. Michel Millot, ex-student of the Ulm School, developed an information system about products, at the

naliser le choix idéal en fonction de critères d'usage. Vision optimiste, profil du consommateur, alors que la grande distribution est déjà en place.

On a marché sur la lune et le public ne se passionne déjà plus pour les promenades spatiales. L'informatique et la robotique sont entrées dans les vies : Hal, l'ordinateur imaginé par Stanley Kubrick dans *2001 L'Odyssée de l'espace* en 1968, permet, à une lettre près d'y découvrir IBM. Dès 1972, les calculateurs électroniques commencent à se miniaturiser, et, en 1979, les ordinateurs individuels font leur apparition. La miniaturisation et l'arrivée des microprocesseurs vont permettre très rapidement la banalisation de l'univers informatique et électronique. La télématique, rencontre de l'informatique et des télécommunications, est née, formidable enjeu de société dont on commence seulement, à la fin des années 80, à percevoir les conséquences.

Les « tiques » sont, au départ, une affaire de spécialistes, ingénieurs et mathématiciens. L'écran de fumée ainsi créé ne permet pas de lever les craintes qui s'expriment de dépersonnalisation de l'individu, de paupérisation des tâches et de violation de la vie privée. Alors que la CAO s'installe dans les grosses entreprises dès les années 70 (Renault et Peugeot par exemple), les designers devront attendre les années 80 pour se familiariser avec ces nouveaux outils de création. Les « tiques » ont désormais gagné la place d'honneur sur les bureaux et dans les maisons, avec la bureautique et, plus récemment, la domotique. Les jeunes générations de créateurs, artistes, graphistes et professionnels de la vidéo ont généré, depuis le milieu des années 80, une nouvelle forme de création.

Loin d'être un mauvais coup porté à la création, c'est la découverte d'un champ encore inexploré de possibilités créatives.

Le grand tournant de la révolution télématique arrive, en 1984, sous la forme d'une petite boîte discrète conçue par le groupe ENFI design : le minitel. En trouvant le mot minitel au début des années 80, Roger Tallon nomme la plus passionnante invention de la décennie. Cette nouvelle forme de convivialité va trouver un écho sans précédent auprès du public et devenir un phénomène de société. Du 22 à Asnières au 36.15.

CCI in 1974, in order to be able to rationalise the ideal choice. An optimistic vision of the consumer, when mass distribution was already on its way.

Men had walked on the moon and the public was no longer enraptured by space walks. Computers and robotics entered on the scene. In 1968, Hal, the computer dreamed up by Stanley Kubrick in the film « 2001, a Space Odyssey » introduced us in fact to IBM. From 1972, pocket calculators became smaller and smaller, and in 1979 home computers made their appearance. Miniaturization and microprocessors made the world of computers and electronics commonplace. « Telematics », the result of a merger between telecommunications and computerization, was born, an impressive undertaking for society, of which we are just beginning to realize the consequences at the end of the 80s.

At the beginning « -tics » were the concern of specialists, engineers and mathematicians. The smoke screen thus created did nothing to alleviate the worries about a depersonalization of the individual, a reduction of the labour force, and a violation of private life. CAD was installed in large enterprises from the 70s (for example Renault, Peugeot), but designers had to wait until the 80s to become familiar with these new creative tools. The « -tics » gained pride of place in offices with the « bureautics » (office automation) and more recently in the home with the « domotics ». The new generation of creators, artists and designers and the professionals of video generated a new form of creativeness from the middle of the 80s. Far from being a bad blow for creativeness, it was the discovery of an unexplored field in this domain.

The major turning point in the « telematic » revolution was the arrival of a discreet little box, designed by ENFI—the Minitel—in 1984. With the word Minitel, Roger Tallon christened the most interesting invention of the decade. This new form of user-friendliness echoed all round in an unprecedented way and became a social phenomenon.

The age of the ephemeral

« It seems that the final goal of industry is not to make objects but to replace them. Hence the expendable, conceived to last only a split second: the time to read the label on the supermarket shelf. It is possible that this will continue ... »[6]

L'ère de l'éphémère

« Il semble que le but final de l'industrie n'est pas de fabriquer des objets mais de les remplacer. D'où la multiplication d'objets à jeter, faits pour n'exister que le temps d'un éclair : le temps d'en lire la marque sur les étagères des supermachés. Il est possible que cela dure (...) »[6]

Avec l'arrivée des matières plastiques, le temps de la production de masse et de la liberté des formes est arrivé. Il faut faire vite : c'est, dit Gilles de Bure, « le temps du vite conçu, du vite créé, du vite produit, du vite consommé, voire même du vite jeté... ».

C'est le temps du gonflage, du rhodoïd, du carton, du papier. Architectes, artistes, ingénieurs et designers se passionnent. En 1967, une exposition à l'ARC, « Les structures gonflables », révèle au public les projets des architectes Jean Aubert, Jean-Paul Jungman et Antoine Stinco qui animent, par ailleurs, avec Hubert Tonka et Jean Baudrillard, la revue *Utopie*.

Jacques Famery, Michel Mangematin, Boris Tabacoff, Marta Pan travaillent le transparent, rhodoïd et plexiglass. Quasar, Bernard Quentin, Ronald Cecil Sportes produisent du mobilier gonflable. Jean-Paul Barray, Kim Moltzer, Jean-Lin Viaud réalisent des meubles en carton.

Le briquet Cricket entre en 1965 dans la légende. On jette pêle-mêle les crayons à bille, les rasoirs, les bas et les collants, les mouchoirs, les changes pour bébés, les emballages, les assiettes en papier, les couverts jetables, les nappes en non tissé.

Sous l'influence de Frei Otto et de Buckminster Fuller, les architectures sont éphémères et les structures tendues. L'idée de l'habitacle, du container fait son chemin. Les expositions universelles de Montréal, en 1967, et d'Osaka, en 1970, témoignent de l'intérêt général pour ces recherches. Le Centre Georges Pompidou même en est un exemple intéressant : structure métallique en tension, dégagement des espaces intérieurs, recherche de modularité. Il est un manifeste architectural des années 70.

L'idée de l'éphémère est profondément ancrée dans l'histoire de la consommation, et le regard que nous portons en cette fin de décennie 80 sur les vingt ans passés nous montre son irréversibilité.

« Si le design est immergé dans la mode, écrit Jean Baudrillard en 1972, il ne faut pas s'en plaindre : c'est la marque de son triomphe. C'est la marque de l'envergure prise par l'économie politique du signe,

With the introduction of plastic materials, mass production and freedom of form arrived. You have to move fast. Gilles de Bure said: «It is the time of quick conception, quick creation, quick manufacturing and quick consumption, even quick throw away...»

It was the time of the inflatable, clear acetate, cardboard, paper. Architects, artists, engineers and designers became excited about it. In 1967 an exhibition at ARC— «Les Structures Gonflables»—revealed the projects of the architects Jean Aubert, Jean-Paul Jungman and Antoine Stinco who together with Hubert Tonka and Jean Baudrillard edited the magazine Utopie.

Jacques Famery, Michel Mangematin, Boris Tabacoff, Marta Pan worked on the transparent acetate and plexiglass. Quasar, Bernard Quentin, Ronald Cecil Sportes produced inflatable furniture. Jean-Paul Barray, Kim Moltzer, Jean-Lin Viaud produced cardboard furniture.

The Cricket lighter became legendary in 1965. We threw away ball point pens, razors, stockings and tights, hankies, nappies, packaging, paper plates, plastic knives and forks and nonwoven tablecloths.

Under the influence of Frei Otto and Buckminster Fuller, architecture became ephemeral. The idea of a self-contained habitation gained ground. The World Fairs of Montreal (1967) and Osaka (1970) revealed the interest shown in this research. The Centre Georges Pompidou is an interesting example—a steel structure in tension, clear interior space, the search for modular effect. It is an architectural manifesto of the 70s.

The idea of the ephemeral is deeply anchored in consumer society history, and looking back over the last twenty years we can see it is irreversible.

«We should not complain about design being immersed into fashion» wrote Jean Baudrillard «it is the sign of its triumph. It is the sign of a large scale offensive undertaken by the economy of sign, which has been, together with Bauhaus, the first rational theorization. All that is meant to be today marginal, irrational, in revolt, anti-art, anti-design, etc. from Pop to Psychedelic and street art observe the same principle, whether they wish to or not. That is all design. Nothing escapes it—it is inevitable.»[7]

Première maxi-bouteille « Vittel »,
1969.
Document Société générale des eaux de Vittel.

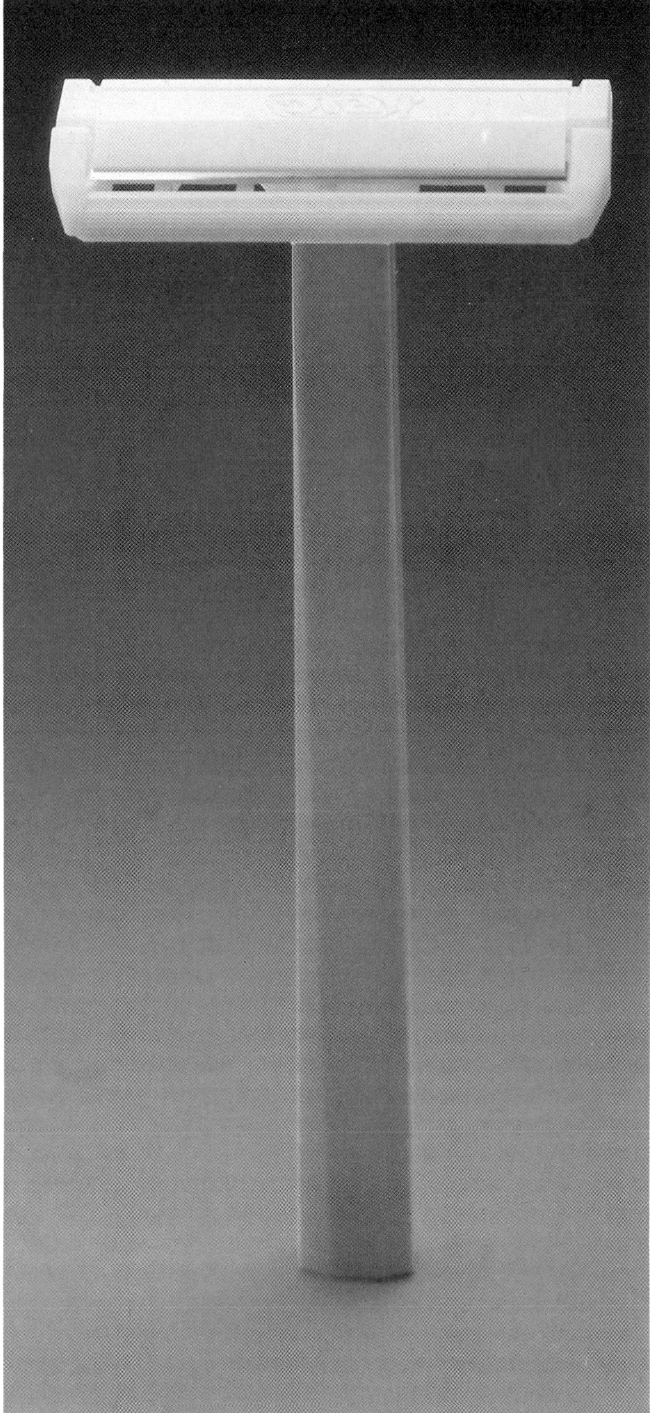

Rasoir « Bic » jetable, 1975.
Photo APCI/Alain Vivier.

dont il a été, avec le Bauhaus, la première théorisation rationnelle. Tout ce qui se veut aujourd'hui marginal, irrationnel, révolté, « anti-art », anti-design, etc., du Pop au psychédélique et à l'art dans la rue, tout cela obéit, qu'il le veuille ou non, à la même économie du signe. Tout cela est design. Rien n'échappe au design, c'est là sa fatalité... »[7]

Les Français malades de l'environnement

« Il faut créer et répandre une sorte de morale de l'environnement imposant à l'État, aux collectivités, aux individus, le respect de quelques règles élémentaires, faute desquelles le monde deviendrait irrespirable. »[8]

Une fois retombés les échos de 1968, les Français découvrent un nouveau mot symbole de tous les maux : environnement. Les reconstructions hâtives de l'après-guerre, l'absence de planification urbaine, le manque de qualité des matériaux ont dégradé les villes. Que sont-elles devenues ? Qui exerce le pouvoir de décider ? On parle de « qualité de la vie », expression qui situe bien le citadin en terme de consommateur, « d'espaces interstitiels », c'est-à-dire d'espace non bâti, « d'espace vert », « d'espace de jeu », de travail. C'est le temps des villes nouvelles, nouvelle conception de la vie urbaine proposée à l'imaginaire collectif, la ville à la campagne.
Pendant 10 ans, architectes, urbanistes, paysagistes, planificateurs et designers travaillent à la création de la ville idéale. On développe de nouveaux secteurs de recherche.
La signalétique, par laquelle l'usager communique avec l'environnement — signalisation, systèmes de pictogrammes — langage de signes dont le programme créé par Otl Aicher pour les Jeux olympiques de Munich, en 1972, sert de modèle.
L'image de marque : ensemble par lequel une entreprise, une municipalité, et même l'État se signalent et communiquent avec leurs usagers.
Le mobilier urbain : le terme est caractéristique des années 70. Pas de différence entre l'individu chez lui et hors de chez lui, dans l'espace collectif. L'homme de la rue est avant tout consommateur de « services » : s'informer, s'asseoir, s'abriter, se divertir... « L'unité de service » est née. Le CCI (Centre de Création

The French ill-at-ease in their environment

« We have to create and spread a morality about the environment, to impose upon the state, the individual and groups, the respect of a few elementary rules so that the world continues to be breathable. »[8]

After the aftermath of 1968, the French discovered a new word to symbolize all evils: « Environment ». The hasty rebuilding after the war, the lack of town planning, the scarcity of good materials had downgraded the towns. What have they become? Who made the decisions? One talked about the « quality of life », an expression which described the citizen in terms of the consumer, of « interstitial », i.e. open, space, of green spaces, playgrounds, working areas. It was the era of the new towns, a new concept presented to the imagination, the town in the country.
For ten years architects, town planners, landscapers, and designers worked to create the ideal town. New areas of research were developed:
Signs, *by which the user communicated with the environment, the pictograms or a sign language based upon those created by Otl Aicher for the Munich Olympic Games of 1972.*
The corporate image*—the way in which a company a town or even the state makes itself known to its users.*
Street furniture*—this term is characteristic of the 70s. There should be no difference between the individual in his home and out of it in community areas. The man in the street was above all the consumer of public services: to get informations, sit down, take refuge, entertain... Thus the « service unit » was born. In 1971 the CCI launched a competition with the participation of the City of Paris, and published two directories (in 1972 and 1975) on street furniture for towns and local communities. At the same time Jean-Claude Decaux created and installed his first bus shelters, together with a network based on advertising. It was an immediate success. The idea to sell a product by way of maintenance was to gain ground. Service industry was booming.*
Playground equipment*—the 70s were the years of the child. In the great wave of depression and*

Affiche de Reiser pour l'exposition «Énergies libres», CCI/Centre Georges Pompidou, 1974.
Document CCI.

Industrielle) lance, en 1971, un concours pour la création d'unités de service de mobilier urbain, avec le concours de la Ville de Paris, et publie deux annuaires successifs (en 1972 et 1975) de mobilier urbain à destination des villes et collectivités locales. Au même moment, Jean-Claude Decaux crée et installe ses premiers éléments de mobilier urbain, les « abribus » et les assortit d'un réseau de maintenance basé sur la publicité... Succès immédiat. L'idée de vendre un produit par le biais de la maintenance fera son chemin. La notion de service s'installe.

Le mobilier d'aires de jeu : les années 70 sont les années de l'enfant. Dans la grande vague de déprime et de scepticisme qui couvre la décennie, l'enfant apparaît comme une valeur sûre, un symbole d'authenticité. L'exposition inaugurale du CCI au Centre Georges Pompidou, en 1977, « La ville et l'enfant » lance le débat. A travers l'enfant, l'adulte perçoit et exprime les dysfonctionnements de l'environnement. Designers, architectes et urbanistes s'affairent autour de lui. Les aires de jeu et les terrains d'aventure se multiplient, des groupes de designers se spécialisent : Ludic, Artur, Sculpture-Jeux, où l'on retrouve Xavier de la Salle, Jean-François Grunfeld, Bernard et Ariane Vuarnesson, Jean-Michel Folon. Le CCI organise dans les Halles de Baltard encore debout l'exposition « Jouer aux Halles », les Tuileries sont le théâtre, à plusieurs reprises, d'expérimentations de mobilier d'aires de jeu.

Bon nombre de ces expériences tourneront court en raison de l'absence d'un système de maintenance, et, à partir de 1975, les acquéreurs se montreront plus prudents sur les questions de sécurité et d'entretien. L'environnement scolaire est mis en question : quelle école, pour quoi faire ? Le CCI lance, en 1975, un concours de mobilier scolaire avec l'UGAP et le ministère de l'Éducation nationale, tandis que les designers comme Daniel Pigeon, Marc Held, Christian Ragot, Marc Berthier, Pascal Mourgue et Lionel Morgaine créent pour les enfants des mobiliers spécifiques.

Prisunic crée la première mode enfantine, bientôt suivi par d'autres. L'enfant consommateur est né.

Les énergies alternatives : le premier choc pétrolier, le 23 décembre 1973, frappe l'opinion publique : cette année-là, symboliquement, les traditionnelles lumières de Noël ne s'allument pas sur les façades du grand magasin Harrods à Londres. Fin de la société

scepticism which haunted this decade, the child represented true values. The inaugural exhibition of the CCI, in 1977, called « The city and the child », initiated the debate. The adult perceived and expressed the faults in the environment through the child. Designers, architects and town planners fussed around him. Playgrounds and adventure playgrounds multiplied, specialized groups of designers were formed: Ludic, Artur, Sculpture-jeux with Xavier de La Salle, Jean-François Grunfeld, Bernard and Ariane Vuarnesson, Jean-Michel Folon. The CCI organized the exhibition «Jouer aux Halles» at the Halles de Baltard, the Tuileries served as an experimental showground for playground facilities.

Many of these installations were short-lived owing to insufficient maintenance and, from 1975, the purchasers became more careful about maintenance and security. The school environment came under scrutiny: which school, and what for? The CCI launched a competition for school furniture in 1975, with the UGAP and the Ministry of Education, while designers such as Daniel Pigeon, Marc Held, Christian Ragot, Marc Berthier, Pascal Mourgue and Lionel Morgaine created specially designed furniture for children. Prisunic produced the first clothes specifically for children, soon to be followed by others. The child consumer was born.

Alternative energy*—Public opinion was shaken by the first oil crisis on 23rd December 1973: in that year the traditional Christmas lights did not illuminate the front of Harrod's in London. Some people predicted the end of the consumer society. The era of energy at a reasonable price was over. The era of alternative energy had begun. Whatever the solution, it meant the same thing: to dispel the fear of having to go without it, and to seek an answer to the problem through Nature, which led to natural sources, solar, wind, and tidal energy. The CCI mounted two significative exhibitions: «Energies libres» in 1974 and «Sous le soleil autrement» in 1978.*

Unhampered research, often whimsical, linked with ecology, and with concrete results, especially where solar energy was concerned, bore fruit in the 80s. Solar panels, batteries, calculators... But it was nuclear energy which was in focus during the 80s and created controversies in countries with a large

de consommation, prédisent certains. Le temps de l'énergie à bon marché est révolu. Le temps des énergies alternatives commence. Douces, alternatives, marginales, libres, elles ont toutes un point commun : conjurer l'angoisse du manque, et chercher, dans la nature, la réponse au problème. Elles portent sur les sources naturelles, solaire, éolienne, marémotrice. Le CCI leur consacre, signe des temps, deux expositions, « Énergies libres », en 1974, « Sous le soleil autrement » en 1978. Recherches débridées, souvent fantaisistes, connotées d'écologie, cette richesse d'invention débouchera, surtout pour le solaire, sur des applications concrètes dans les années 80 : panneaux solaires, piles, calculatrices... Mais c'est l'énergie nucléaire qui se taille la part du lion tout au long des années 80 et alimentera une polémique vivement soutenue, surtout dans les pays à forte tendance écologiste comme la RFA et la Grande-Bretagne.
Toutefois, il semble que partout, l'angoisse du manque ait disparu. L'énergie chère est entrée dans les mœurs.

Françoise Jollant Kneebone

NOTES

1. Roger Tallon, *Dynasteurs,* février 1988.

2. Paru dans *Art Press,* janvier 1987.

3. Raymond Queneau, *Le Chant du styrène,* Paris, Gallimard, 1969.

4. Marc Held, *in : Les Années plastiques,* 1986.

5. Gilles de Bure, extrait de *Le Mobilier français 1965-1979,* vol. 2, Paris, Éditions du Regard, 1983.

6. Philippe Galland, Catalogue de l'exposition *Matériau, Technologie, Forme,* Paris, Éditions du Centre Pompidou, 1974.

7. Jean Baudrillard, *Pour une critique de l'économie politique du signe,* Paris, Gallimard, 1972.

8. Georges Pompidou, voyage aux États-Unis, 1970.

ecologist following such as Great Britain and West Germany.
In any case it is evident that the fear of a shortage has disappeared. Expensive energy has come to stay.

NOTES

1. *R. Tallon,* Dynasteurs, *February 1988.*

2. In: Art Press, *January 1987.*

3. *Raymond Queneau,* Le Chant du styrène, *Paris, Gallimard, 1969.*

4. *Marc Held,* in: Les Années plastiques, *1986.*

5. *Gilles de Bure,* in: Le Mobilier français, 1965-1979, *vol. 2, Paris, Éditions du Regard, 1983.*

6. *Philippe Galland, exhibition catalogue* Matériaux, technologie, forme, *Paris, Éditions du Centre Pompidou, 1974.*

7. *Jean Baudrillard,* Pour une critique de l'économie politique du signe, *Paris, Gallimard, 1972.*

8. *Georges Pompidou, 1970.*

Les télécréateurs : Rémi Malingrey.
Image réalisée sur Paint Box
Quantel, 1988.
Document les Télécréateurs.

LES CRÉATEURS DE A à Z

COLORISME, GRAPHISME, TEXTILE

ARCHITECTURE D'INTÉRIEUR, DESIGN DE PRODUIT

Maïmé ARNODIN

Née à Paris en 1916. Diplôme d'ingénieur à l'École centrale des arts et manufactures. De 1951 à 1957, rédactrice puis directrice du *Jardin des Modes.* En 1959 et 1960, directrice de la promotion des ventes et de la publicité des grands magasins Au Printemps.
De 1961 à 1967, elle dirige un bureau de conseil en style et en promotion qui porte son nom. En 1968, elle fonde MAFIA avec Denise Fayolle.
En 1987, elle crée NOMAD (Nouvelle Organisation Maïmé And Denise) dont elle est gérante associée avec Denise Fayolle.

Born in Paris in 1916. She qualified as an engineer at the École Centrale des Arts et Manufactures. From 1951 to 1957, she was first a regular contributor, then the manager of Jardin des Modes. *In 1959 and 1960, she was in charge of the sales promotion and advertising policy for the Printemps department stores.*
From 1961 to 1967, she ran a promotion and design consultancy under her own name. In 1968, she founded MAFIA with Denise Fayolle.
In 1987, she created NOMAD (Nouvelle Organisation Maïmé and Denise), which she now co-manages with Denise Fayolle.

« Style Fleur », 1964. Extrait du cahier de coloris été 64.
Document CCI/ Planchet.

« Volutes », 1969. Extrait du cahier de coloris été 69.
Document CCI/ Planchet.

« Vogue de vagues », 1968-69. Extrait du cahier de coloris hiver 68-69.
Document CCI/ Planchet.

1970

« Spirales », 1969. Extrait du cahier de coloris été 69.
Document CCI/ Planchet.

Jean

BAYLE/JBA

Successivement directeur artistique de *L'Expansion,* du *Nouvel Observateur,* du *Nouvel Économiste* et de *F. Magazine.* En 1979, il fonde avec Claude Maggiori l'agence Editorial, spécialisée dans la conception de formules de presse. En 1985, il crée JBA dont il est actuellement le directeur de création. JBA a conçu les formules de l'*Usine nouvelle,* du *Matin de Paris,* de *Sport,* de *Viva,* de *Décision informatique,* de la *Tribune de L'Expansion* et de *Canal + magazine.* Par ailleurs, l'agence a réalisé des travaux d'édition *(La Révolution française, images et récit,* Messidor, 1987), d'image de marque pour des entreprises (Macif, CIC, Sofaris, Pallas-France) et de communication institutionnelle (presse municipale, SID). Actuellement JBA étudie des projets pour les groupes de presse Bayard, CEP, Expansion et le Monde.

Jean Bayle has worked as an art director for the following publications: L'Expansion, Le Nouvel Observateur, Le Nouvel Économiste *and* F. Magazine. *In 1979, along with Claude Maggiori, he founded the Editorial agency, which was specialised in setting up press structures.*
In 1985, he created JBA, where he currently heads the art department. JBA conceived the basic structures for Usine nouvelle, Matin de Paris, Sport, Viva, Décision informatique, Tribune de l'Expansion *and* Canal + Magazine. *In addition, the agency has undertaken many publishing projects (The French Revolution, Images and Narration, Messidor, 1987), worked out corporate images for enterprises (Macif, CIC, Sofaris, Pallas-France) and handled institutional communications (townships press, SID).*
JBA is currently studying different projects for important press groups such as Bayard, CEP, Expansion and Le Monde.

1980

Nouvelle couverture de *Up'Magazine,* 1982.
Document JBA.

Ancienne couverture du magazine *L'Usine nouvelle,* 1986.
Document JBA.

Nouvelle couverture du magazine *L'Usine nouvelle,* 1986.
Document JBA.

Nouvelle couverture du magazine de la commune de La Courneuve, *Regards,* 1987.
Document JBA.

Nouvelle mise en page du magazine de la commune de La Courneuve, *Regards,* 1987.
Document JBA.

L'USINE NOUVELLE
HEBDO
6 JUIN 1985 N° 23 - 11,50 F
QUALITE
Ils ont déja pris le train
AIRBUS : ENFIN LE REDECOLLAGE ?
ENSEIGNEMENT TECHNOLOGIQUE: LE PROJET DE R. CARRAZ
REPRISE D'ENTREPRISE : LES REGIONS RIVALISENT D'IMAGINATION

Regards
DECEMBRE 1987 – N° 19
ISSN 0769-4482
LA COURNEUVE
Coup de froid
Tramway
On l'a vu on le veut
Pauvreté
Est-ce ainsi que les hommes vivent ?
LE 8 DÉCEMBRE A 17 HEURES
LA COURNEUVE A L'HEURE DES GRANDS
L'adieu aux armes

Premier bilan pour la commission des secours du conseil communal pour l'action sociale

Est-ce ainsi que les hommes vivent ?

Jacqueline JAN

Hommes et femmes ont droit à une juste rémunération selon la qualité et la quantité de leur travail, en tout cas aux ressources nécessaires pour vivre dignement, eux et leur famille. C'est écrit dans le préambule de la Constitution. Comment se fait-il alors que le conseil communal pour l'action sociale ait dû mettre en place en août 1986 une commission des secours ?

des situations limite

BAZOOKA

Couverture de la brochure *Bazooka Production,* 1978.
Document Kiki Picasso.

Kiki Picasso, de son vrai nom Christian Chapiron, fonde en 1970 Bazooka avec d'autres membres du groupe Punk des Beaux-Arts. Ils dessinent pour la presse *(Libération)* et produisent de nombreux journaux marginaux *(Activité sexuelle normale, Un Regard moderne sur l'actualité, Bazooka magazine).* Ils utilisent des dessins, des collages, des photos retouchées et des couleurs violentes. A la fin des années 1970, Bazooka se réduit peu à peu au plus « hargneux » du groupe Kiki Picasso. Peintre à ses débuts, il réalise actuellement des produits audiovisuels sur palette graphique.
En 1984, membre du jury au Prix de l'illustration Mecanorma, il provoque un certain malaise en apostrophant les lauréats. Depuis 1986, il travaille chez RIFF où il produit *Leopen,* premier pamphlet électronique. Il réalise un feuilleton pour enfants pour A2 *Le Tridianimex* (1986), le générique du Mondial pour A2, la vidéo de Bashung *Arrivée du Tour de France,* etc. Projet avec Swatch d'une machine à remonter le temps avec un film alternant plans réels et plans en images d'archives retraitées.

A group founded in 1970, with other members of the Punk group from the Beaux-Arts, by Kiki Picasso whose real name is Christian Chapiron. They provide illustrations to the press («Libération») and produce a number of their own alternative publications («Activité sexuelle normale», «Un regard moderne sur l'actualité», «Bazooka magazine»). They use collages, altered photographs and violent colours. By the end of the 70s Bazooka is reduced to its most virulent element, i.e. Kiki Picasso. Initially a painter, he is now involved in audio-visual products using computer graphics.
He disturbed some people in 1984, when, as member of Mecanorma's illustration prize jury, he sharply addressed the prize-winners. Since 1986, he has worked with Riff producing «Leopen», the first electronic satire, as well as a children's series for television network A2 «Le Tridianimex» (1986), a trailer for the World Cup also for A2 and Bashung's «Arrivée du Tour de France» video clip, etc. He has collaborated with Swatch on a time machine using a film which alternates between present-day images and touched-up images from the past.

Mise en page du magazine *Un Regard moderne,* 1978.
Document Kiki Picasso.

BAZOOKA
PRODUCTION
FUTUROPOLIS

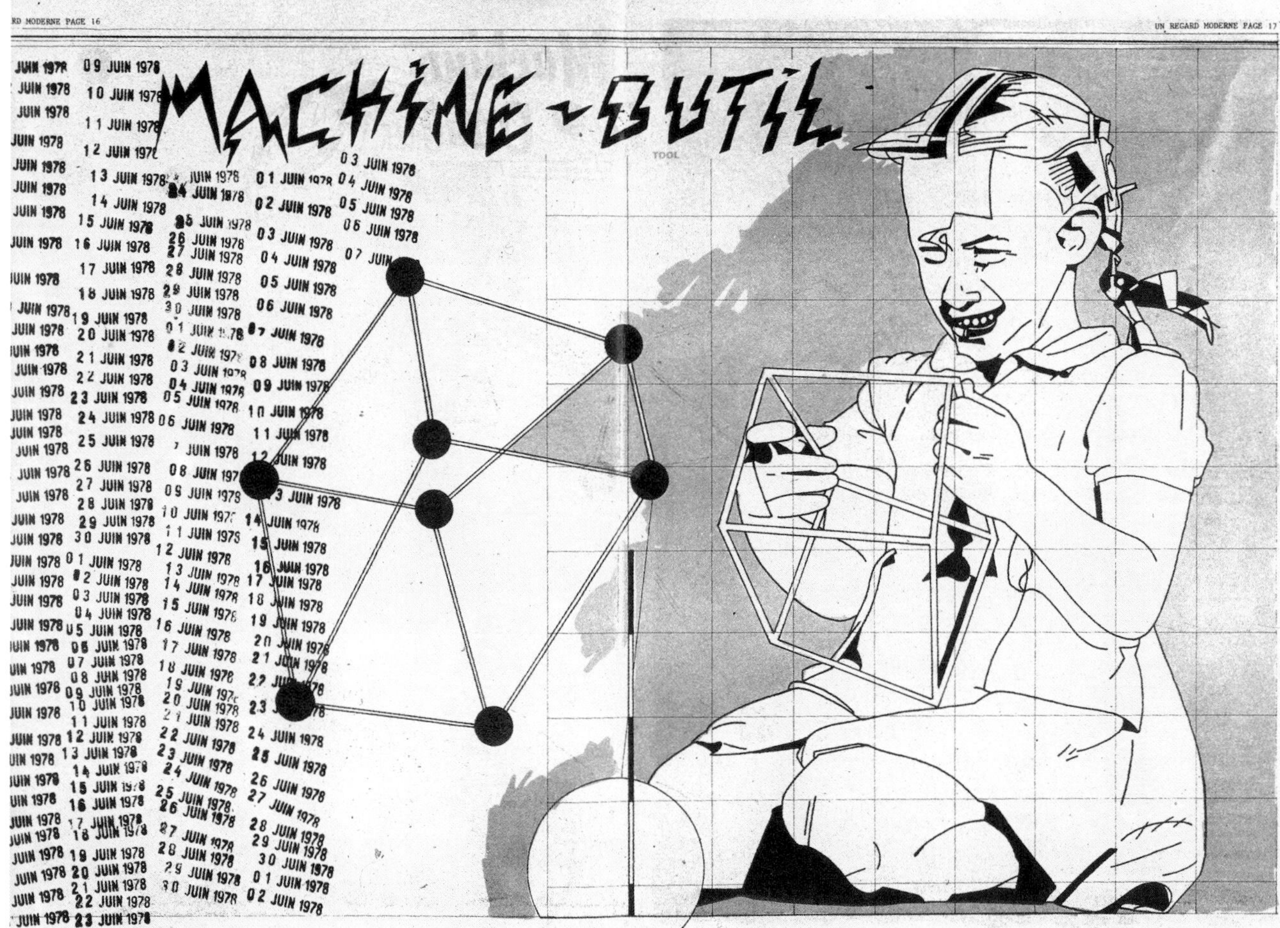
UN REGARD MODERNE PAGE 16
UN REGARD MODERNE PAGE 17
MACHINE-OUTIL
TOOL

Roman
CIESLEWICZ

Né en 1930 en Pologne. Diplômé de l'Académie des beaux-arts de Cracovie en 1955. De 1955 à 1963, il travaille en Pologne, participant aux grandes manifestations de l'affiche polonaise. De 1959 à 1963, il est directeur artistique de la revue *Ty i Ja* puis s'installe à Paris. Il est maquettiste, illustrateur puis directeur artistique de la revue *Elle*. Il conçoit également, avec A. Kieffer, l'image graphique de *Vogue*, en 1966. En 1969 et 1970, il est directeur artistique de MAFIA puis il crée sa propre agence. En 1970, il crée la revue *Kitsch* avec Christian Bourgois, J. Sternberg et Topor. L'année suivante, il se voit confier la conception graphique des éditions du Centre national d'art contemporain.
Il enseigne à l'ENSAD de 1973 à 1975, puis à l'ESAG à partir de 1975. En 1976, il crée, aux Éditions Christian Bourgois, la revue d'Information Panique *Kamikaze*. Depuis l'ouverture du Centre Georges Pompidou en 1977, il a réalisé plusieurs catalogues d'exposition. Il conçoit des annonces-presse pour Jourdan en 1982-1983 et la campagne publicitaire, « La France a du talent » en 1984.
De 1956 à 1984, Roman Cieslewicz réalisera 400 affiches, 300 photomontages, 300 couvertures de livres. Il est membre de l'Alliance graphique internationale.

Born in 1930, in Poland. Graduated from the Fine Arts Academy in Kracow in 1955 and continued to work in Poland until 1963, where he participated in all the major poster shows. Between 1959 and 1963 he is art director of the « Ty i Ja » magazine, before moving to Paris, where he works successively as a lay-out artist and illustrator before becoming « Elle » magazine's art director. He also designs « Vogue »'s graphic image in 1966 with A. Kieffer. Between 1969 and 1970 he is art director of MAFIA prior to establishing his own agency.
In 1970, he is a founder-member of « Kitsch » magazine with Christian Bourgois, J. Sternberg and Topor, and the following year is given the task of giving the Centre national d'art contemporain's publications a coordinated graphic image.
He also teaches. At ENSAD to begin with between 1973 and 1975 and at ESAG from then on.
In 1976, he creates a magazine entitled « Information Panique Kamikaze » published by Christian Bourgois . Since the Centre Georges Pompidou's opening in 1977, he has designed several exhibition catalogues. In 1982-83 he designs Jourdan's press advertisements and in 1984 does an advertising campaign « La France a du talent ».
Between 1956 and 1984 Roman Cieslewicz has signed more than 400 posters, 300 photomontages and 300 book covers. He is a member of the International Graphic Alliance.

1960

Papier d'emballage pour l'agence MAFIA, 1969.
Document R. Cieslewicz.

SEX
FOLK
YOU

1970

paris-berlin
rapports et contrastes
france-allemagne
1900-1933
art architecture littérature
cinéma théâtre musique
centre georges pompidou
12 juillet-6 novembre 1978

PARIS
créations en france
1937
1957
PARIS
28 mai-2 novembre 1981
Centre Georges Pompidou

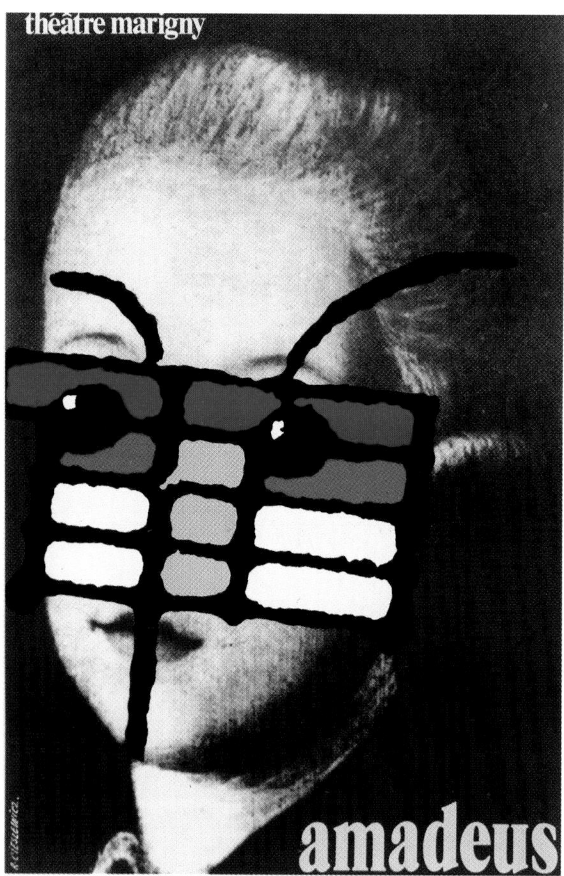

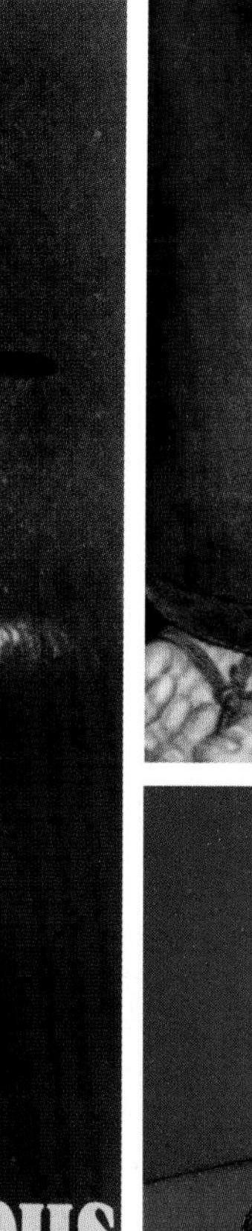

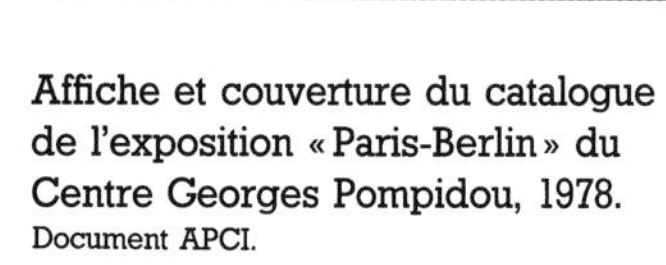

Affiche et couverture du catalogue de l'exposition « Paris-Berlin » du Centre Georges Pompidou, 1978.
Document APCI.

1980

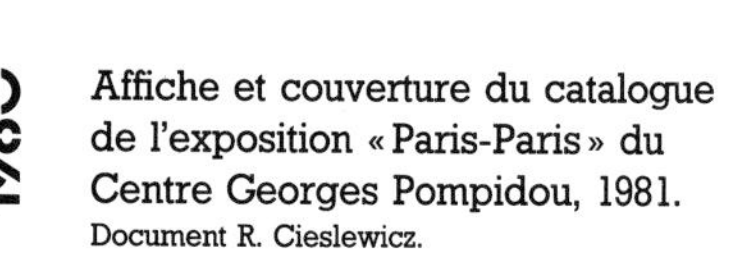

Affiche et couverture du catalogue de l'exposition « Paris-Paris » du Centre Georges Pompidou, 1981.
Document R. Cieslewicz.

GALERIES LAFAYETTE
LA FRANCE A DU TALENT
EXPOSITION DU 5 AU 31 OCTOBRE 84.
R. CIESLEWICZ.

Affiche pour « Amadeus » de Roman Polanski, 1981.
Document R. Cieslewicz.

Collage pour la campagne publicitaire Ch. Jourdan, 1982.
Document R. Cieslewicz.

Collage pour le rapport annuel L. Vuitton, 1987.
Document R. Cieslewicz.

« La France a du talent », 1984.
Affiche pour les Galeries Lafayette.
Document R. Cieslewicz.

Robert

DELPIRE

Rédacteur en chef d'une revue médicale, *Neuf,* et éditeur, il fonde son agence en 1952. Il développe un département d'Édition publicitaire qui offre un service complet aux annonceurs. En 1962, il crée un département Cinéma qui produit des films : *Cassius le Grand* et *Qui êtes-vous Polly Magoo ?* de William Klein, *Flagrants Délits,* réalisé par lui-même sur l'œuvre de Cartier- Bresson, des films industriels et publicitaires. En 1964, il ouvre la galerie Delpire où sont exposés de grands graphistes comme Herb Lubalin, André François, Savignac, Paul Davis, Milton Glaser.
En 1969, il expose à la Visual Art Gallery de New York et constitue, avec l'agence Advico de Zurich, le Groupe européen de publicité Advico-Delpire. Puis il crée, en 1971, la Société Lubalin, Delpire et Cie pour la conception d'images de marque, de conditionnements et de nouveaux produits. En 1974, Advico-Delpire s'associe au groupe international DDF.
Il organise en 1982, avec la Fondation Kodak-Pathé, une exposition de photographie rédactionnelle : « Images pour une page ». Il devient directeur du Centre national de la photographie et lance la collection Photo Poche.

Editor-in-chief of the medical publication Neuf *and publisher, he founded his agency in 1952. He developed a department of advertising publications which runs the full gamut of services for its advertisers. In 1962, he created a film department, which produced movies such as «Cassius Longinus» and «Who are you Polly Magoo», by William Klein. He personally directed «Flagrants Délits», based on Cartier Bresson's work, as well as a number of industrial and advertising films. In 1964, he opened the Delpire Gallery, where he showed many leading graphic artists such as Herb Lubalin, André François, Savignac, Paul Davis and Milton Glaser.*
In 1969, he exhibited at the Visual Art Gallery in New York and along with the Advico agency in Zurich, created the European advertising group Advico-Delpire. Then, in 1971, he founded Lubalin, Delpire and Co., specialised in conceiving brand images, packaging and new products. In 1974, Advico-Delpire merged with the international group DDF.
Sponsored by the Kodak-Pathé Foundation, he organized in 1982 an exhibit of photojournalism: «Images for a page». He then became director of the Centre national de la photographie and launched the Photo Poche series of books.

1960

Plaquette publicitaire pour la 2CV Citroën, 1964.
Document R. Delpire.

1970

Campagne Citroën, 1971.
Document CCI.

1980

Campagne Cacharel photographiée par Sarah Moon, 1972-75.
Document CCI.

la liberté !!
la liberté
la liberté !
la liberté !
la liberté !
la liberté !
la liberté !
la liberté en 2CV...
1234·AB06

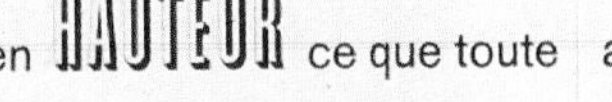
en LONGUEUR

miraculeusement, elle accueille, en HAUTEUR ce que toute autre voiture refuserait. Voyez quelle complaisance !!!

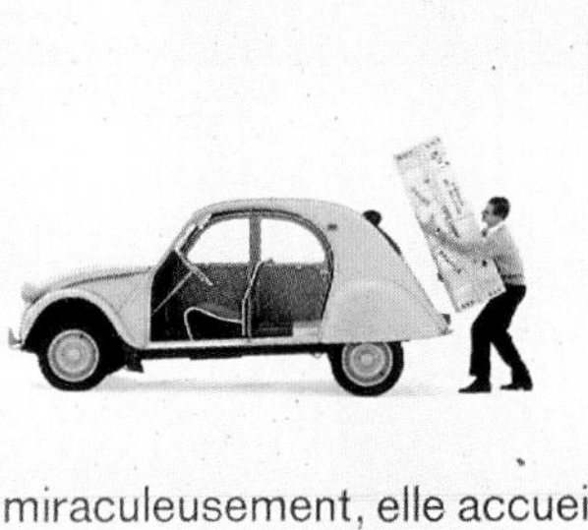

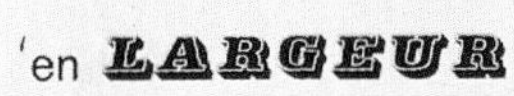
en LARGEUR

129

(cacharel)

Nathalie

DU PASQUIER

Née en 1957. Peintre, designer, amie d'enfance de Martine Bedin. Elle voyage, étudie le dessin en France puis se rend en Italie en 1979. Elle débute en créant des motifs pour textiles puis s'intéresse au mobilier, aux luminaires, aux objets de table et au graphisme. Elle s'associe avec George Sowden (1983) : tissus pour Fiorucci et Naj Oleari, tapis pour Palmisano, montres et horloges pour Lorenz, vêtements avec Laura Reggi, couteaux et couverts pour la Maison des coutelliers de Thiers (1985).
En 1987, elle expose ses peintures à la Galerie Jannone de Milan.

Born in 1957. Painter, designer and childhood friend of Martine Bedin. Having travelled, she studied drawing in France and then went to Italy in 1979. She began by creating patterns for fabrics then became interested in furniture, light fixtures, table settings and graphics. Teaming up with George Sowden (1983), she designed fabrics for Fiorucci and Naj Oleari, carpets for Palmisano, watches and clocks for Lorenz, clothes with Laura Reggi, cutlery for the Maison des couteliers in Thiers (1985).
In 1987, she showed her painting at the Jannone Gallery in Milan.

Création textile, 1982.
Document N. Du Pasquier.

Création textile, 1984.
Document N. Du Pasquier.

Création textile pour le groupe Memphis, 1988.
Document N. Du Pasquier.

Geneviève

DUPEUX

Après des études d'esthétique et de philosophie à la Sorbonne, elle travaille dans des ateliers de tissage. En 1958, elle ouvre son propre atelier, l'Atelier de recherche textile-Geneviève Dupeux. Elle s'associe temporairement avec O. Mourgue et J.-P. Lenclos en 1969 pour étudier, à la demande du ministère des Affaires culturelles, une habitation totale HLM. En 1971, elle fait un voyage d'études aux USA, Mexique et Guatemala (tissus pré-colombiens) en tant que membre de la Société des Américanistes du musée de l'Homme. Elle participe à de nombreuses expositions dont plusieurs biennales de la tapisserie à Lausanne. De 1971 à 1985, elle enseigne à l'ENSAD et met sur pied l'atelier de tissage. D'autre part, elle crée l'Atelier national d'art textile aux Gobelins, en 1976.
Depuis 1980, elle est conseillère en textile pour la Régie Renault. En 1984, elle réalise une exposition au Centre Georges-Pompidou, mise en espace par Pierre Paulin. Dans son atelier, elle continue de créer des tissus d'ameublement pour l'industrie tout en tissant des pièces uniques pour des architectes.

After her studies in aesthetics and philosophy at the Sorbonne, she worked in several weaving workshops. In 1958, she opened her own workshop, Atelier de recherche textile-Geneviève Dupeux. She then teamed up temporarily with O. Mourgue and J.P. Lenclos in 1969 to devise at the request of the Ministry of Cultural Affairs a global concept of subsidized housing. In 1971, she went on a field trip to the USA, Mexico and Guatemala (pre-columbian fabrics) as a member of the Société des américanistes of the musée de l'Homme. She participated in many exhibits, including several Tapestry Biennales in Lausanne. From 1971 to 1985, she taught at the ENSAD and set up a weaving workshop.
She also created the Atelier national d'art textile at the Gobelins in 1976.
Since 1980, she has been a textile adviser for the Renault cars. In 1984, she had a show at the Centre Georges Pompidou, which was set up by Pierre Paulin. In her workshop, she continues to design textiles for industrial purposes, while weaving unique samples for architects.

«Bandes dessinées», 1985. Tissage.
Document CCI.

«Table», 1985. Tissage.
Document CCI.

«Les voiles noires», 1985. Tissage.
Document CCI.

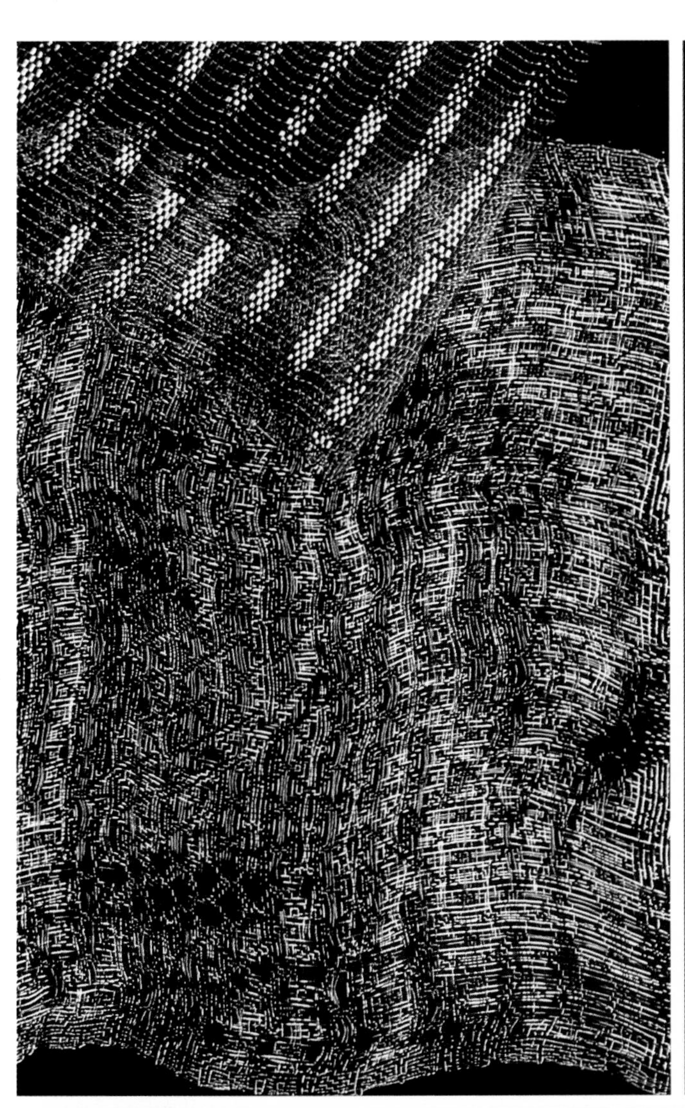

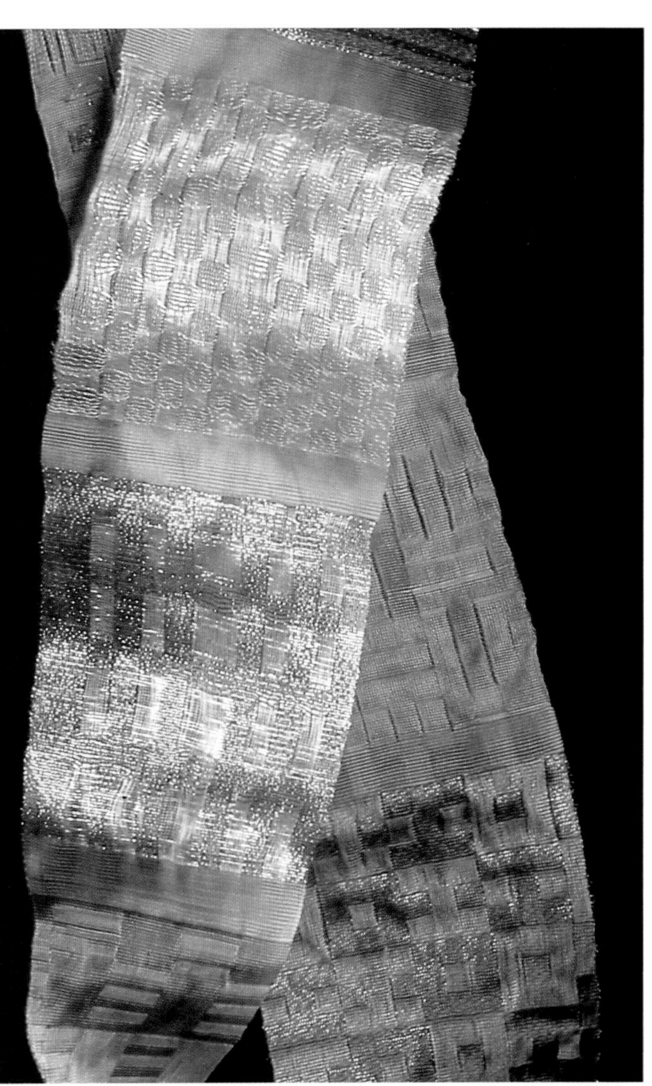

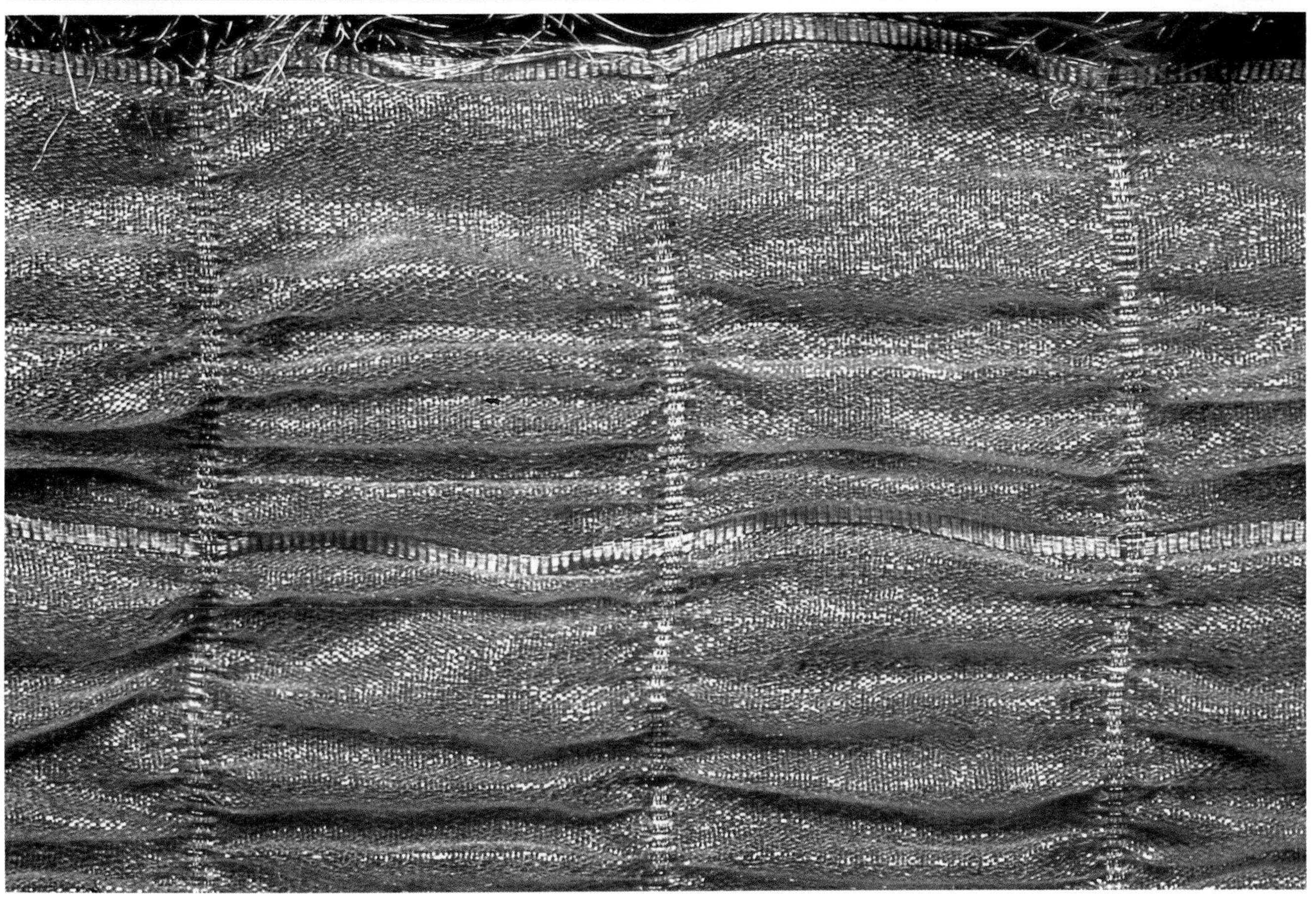

ECOM et PARTENAIRE

Huitième agence française, filiale du groupe Eurocom, premier groupe français de communication, gère depuis 1973 la communication de la RATP.
1981, création du Ticket comme emblème publicitaire de la marque RATP. « Un ticket pour la mode » : le ticket jaune et marron, héros symbolique de la publicité de la RATP vole de succès en succès, raflant tous les grands prix publicitaires.
1983, c'est cette année-là que l'idée de concevoir une ligne de produits dérivés de la publicité est née.
1984, ouverture de la boutique Chic et Choc de Châtelet-Les Halles.
Directeurs de création :
Serge Larue, Michel Rogale, Christian Vince, Seï Sékiguchi.
RATP département publicité :
Jean-Pierre Chanson, Pierre-Robert Tranie.
Stylisme, boutiques Chic et Choc :
Christine Le Moing de Tissot, Janine Rosze.

Ranks as the eighth agency in France and is a subsidiary of the Eurocom group, the leading French group in communication, which handles the corporate publicity of the RATP since 1973.
1981: creation of the subway ticket as the advertising banner for the RATP. «A ticket to fashion»: the yellow and brown ticket, symbolic hero of the RATP advertising campaign, is more and more successful and wins all the top advertising prizes.
1983: the year when the idea of conceiving a line or products derived from the ad campaign was born.
1984: inauguration of a «Chic et Choc» boutique in the Châtelet-Les Halles subway station.
Creative directors:
Serge Larue, Michel Rogale, Christian Vince, Seï Sekiguchi.
RATP advertising department:
Jean-Pierre Chanson, Pierre-Robert Tranie.
Stylism for the Chic et Choc boutiques:
Christine Le Moing de Tissot, Janine Rosze.

« Le musée a le ticket », 1983.
Campagne « Ticket chic, ticket choc ». (Annonceur : RATP ; département publicité : J.P. Chanson, P.R. Tranie).
Document ECOM et PARTENAIRE.

« Tickets de collection », 1984.
Campagne pour les produits des boutiques « Chic et choc » de la RATP. (Annonceur : RATP ; département publicité : J.P. Chanson, P.R. Tranie).
Document ECOM et PARTENAIRE.

« Tu auras le ticket choc », 1983.
Campagne « Ticket chic, ticket choc ». (Annonceur : RATP ; département publicité : J.P. Chanson, P.R. Tranie).
Document ECOM et PARTENAIRE.

« Paris vous va bien », 1987.
Campagne pour les produits des boutiques « Chic et choc » de la RATP. (Annonceur : RATP ; département publicité : J.P. Chanson, P.R. Tranie).
Document ECOM et PARTENAIRE.

LE MUSÉE A LE TICKET
Tout, tout sur le ticket au Musée de la Publicité.
Du 16 Mars au 30 Avril - 18, rue de Paradis - 75010 PARIS.
RATP

TICKETS DE COLLECTION.
UNE NOUVELLE COLLECTION A LA BOUTIQUE CHIC ET CHOC.
Printemps-Eté 84. La tendance est au sport. Avec la nouvelle collection "Chic et Choc"
faites-vous un nouveau look bien tonique (tennis, golf, plage, aérobic). Collectionnez le chic très choc
à la boutique de Châtelet-les-Halles (salle de correspondance RER), dans les grands magasins,
dans les boutiques gadgets ou dans le Bus Boutique de Roland Garros (sortie du métro : Porte d'Auteuil)
durant tout le tournoi (28 Mai/10 Juin). Etiquetez-vous ticket. Collectionnez le choc.
CHIC ET CHOC
RATP

TU AURAS LE TICKET CHOC
RATP
2e VOITURE

PARIS VOUS VA BIEN!
COLLECTION CHIC ET CHOC BRICOLES, FRINGUES, PETITS PAPIERS
OUTIQUE CHIC ET CHOC, SALLE DE CORRESPONDANCES CHÂTELET-LES HALLES (RER) ET GRANDS MAGASI

Roger

EXCOFFON

1910-1983. Typographe, il a dessiné plusieurs types de caractères pour la Fonderie Olive à Marseille pendant trente ans : le Banco (1948), le Mistral (1952), le Nord (1958-1959) adopté par Air France, le Vendôme, le Calypso ou l'Antique Olive. Directeur artistique de l'agence de publicité Urbi et Orbi à Paris, il a conçu des campagnes publicitaires, notamment pour Air France, Sandoz, Boussois et Houbigant. Il a également dessiné des affiches pour Air France (Caravelle), Bally, Larousse, Dunlop, la SNCF... ; des logotypes pour Larousse et les Jeux olympiques d'hiver à Grenoble (1968). Secrétaire général, de 1964 à 1967, puis vice-président de l'Alliance graphique internationale, il a été membre de l'Institut d'esthétique industrielle et du Conseil du design français, ainsi que du Conseil supérieur des arts décoratifs.
Il a remporté le Grand Prix de la Publicité en 1962, le Grand Prix Martini de l'Affiche en 1965, les Oscars de la publicité et de l'emballage en 1969 ainsi que le diplôme d'honneur du Prix européen Rizzoli. Sa ligne de conditionnements pour les produits Sandoz a obtenu le Label d'esthétique industrielle en 1969.

1910-1983. Typographer, he designed several type faces for the Olive foundry in Marseilles over a period of thirty years: Banco (1948), Mistral (1952), Nord (1958-59) adopted by Air France, Vendôme, Calypso and Antique Olive. As art director for the « Urbi et Orbi » advertising agency in Paris, he conceived ad campaigns for Air France, Sandoz, Boussois and Houbigant. He also designed some posters for Air France (Caravelle), Bally, Larousse, Dunlop, the SNCF, and logotypes for Larousse publications and the Winter Olympic Games in Grenoble (1968). Secretary-general from 1964 to 1967, then vice-president of the International Graphic Alliance, he was a member of the Institut d'Esthétique Industrielle and of the Conseil du Design Français as well as of the Conseil Supérieur des Arts Décoratifs.
He won the prize of Advertising in 1962, the Grand Prix Martini for posters in 1965, advertising and packaging « Oscars » in 1969 as well as the honorary diploma of the Rizzoli European Prize. His packaging line for the Sandoz products won the Label d'esthétique industrielle in 1969.

1960

Affiche pour Bally, 1965.
Document musée de la Publicité, Paris.

Affiche pour Campari, 1965.
Document musée de la Publicité, Paris.

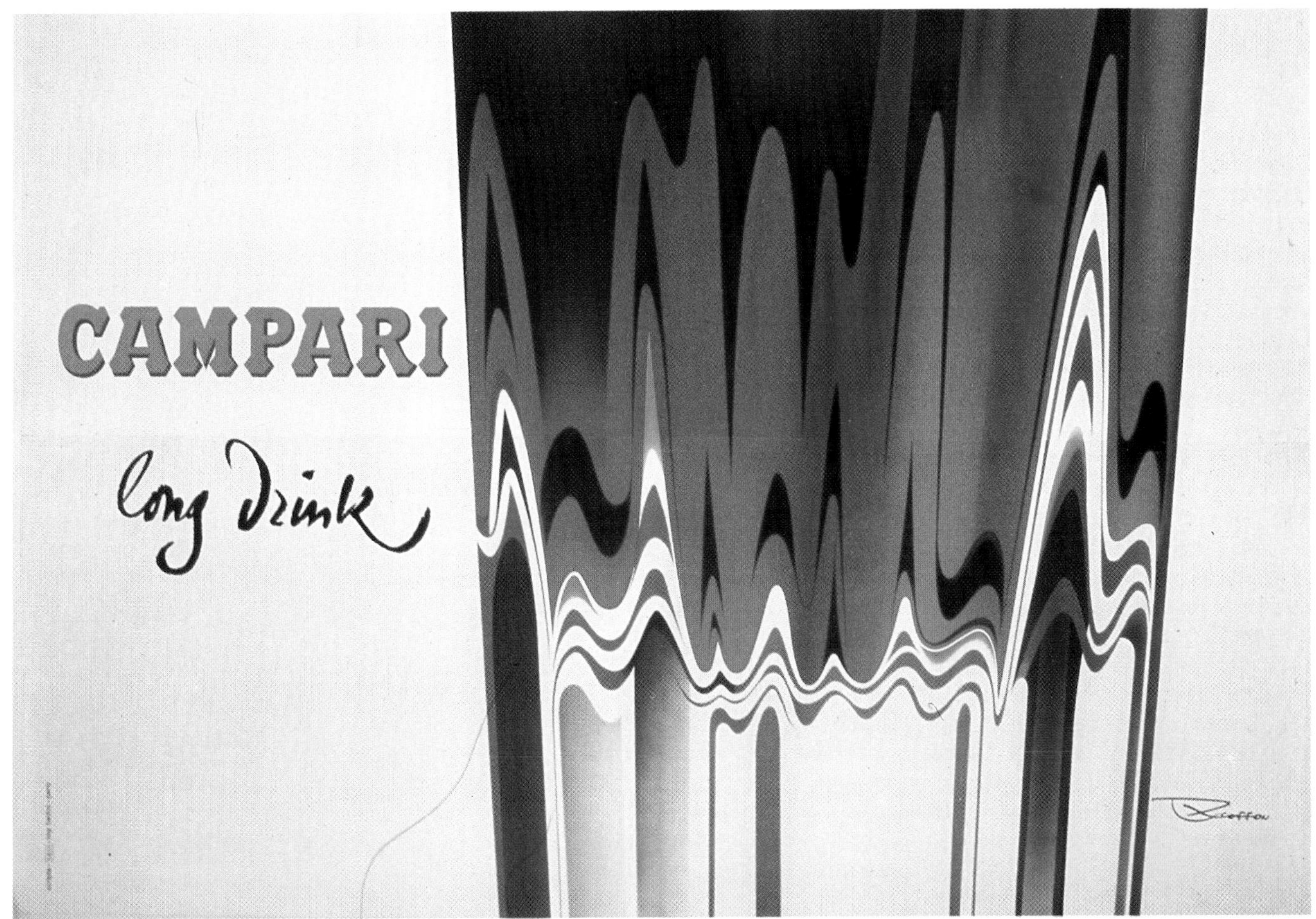

1970

Affiche pour Concorde Air France, 1976.
Document musée de la Publicité, Paris.

Pierre FAUCHEUX

Né en 1924. Études à l'École Estienne et à l'Institut d'urbanisme. Muni d'un CAP de typographe, il mène une carrière, à la fois dans l'édition et dans l'architecture. Artiste du livre indépendant en 1943, il collabore d'abord au Club français du livre de 1947 à 1952, puis est directeur artistique au Club des libraires de France de 1959 à 1967. Il crée son bureau de recherche pour l'édition, l'atelier Pierre Faucheux, en 1962. En 1958, il travaille pour Le Seuil puis, en 1963, pour Le Livre de Poche.
En matière d'architecture, il conçoit des expositions artistiques et culturelles depuis 1946 et aménage le musée d'Art moderne de Paris. Depuis 1949, il mène des études de systèmes destinés à l'industrialisation du bâtiment et des structures spatiales. Il réalise la Plate-forme du 20e siècle en 1967, et participe à l'aménagement des Halles. En 1983, il réalise des décors pour le Théâtre national de Zagreb. Il obtient, pour son œuvre architecturale, le Prix Blumenthal d'architecture en 1953, et la médaille d'argent de l'Académie d'architecture pour la recherche et la technique, en 1982.

Born in 1924. He studied at the École Estienne and at the Institut d'Urbanisme. Having qualified in typography, his career encompasses both publishing and architecture. He began as a freelance book designer in 1943 and worked at first for the Club Français du Livre from 1947 to 1952, then he was art director for the Club des Libraires de France from 1959 to 1967. He created a research studio for publishing, the Pierre Faucheux Workshop, in 1962. After working for Le Seuil in 1958, he went on to the Livre de Poche in 1963.
In the architectural field, he has conceived artistic and cultural exhibits since 1946 and laid out the Musée d'Art Moderne de la Ville de Paris. Since 1949, he has developed systems geared towards the industrialisation of buildings and spatial structures. He undertook the 20th Century Platform in 1967 and participated in the implementation of Les Halles. In 1983, he did some stage sets for the National Theater in Zagreb. He was awarded the Blumenthal Prize for his architectural work in 1953. For his research and technique, he received the silver medal from the Académie d'Architecture in 1982.

1960

Le Livre de poche, Nadja, 1964.
Document P. Faucheux. DR.

Jean-Jacques Pauvert, Libertés, 1964.
Document P. Faucheux. DR.

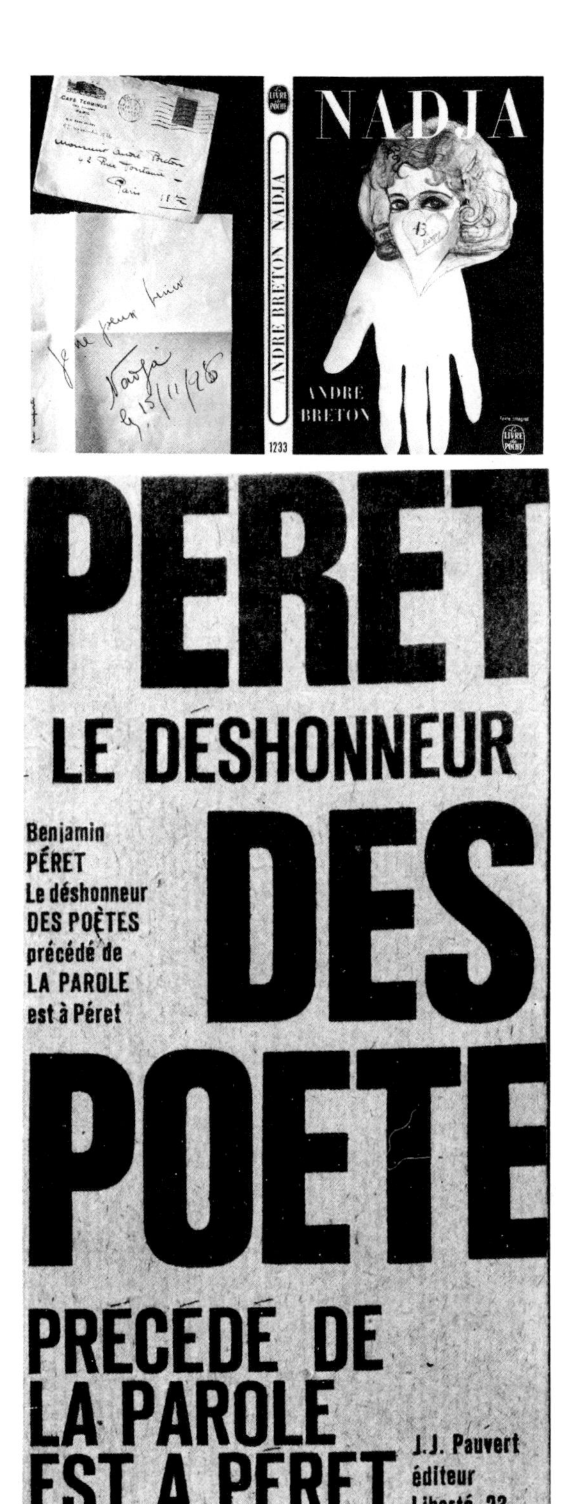

1970

Le Seuil, collection Points, 1970.
Document P. Faucheux. DR.

Hachette, collection Pluriel, 1978.
Document P. Faucheux. DR.

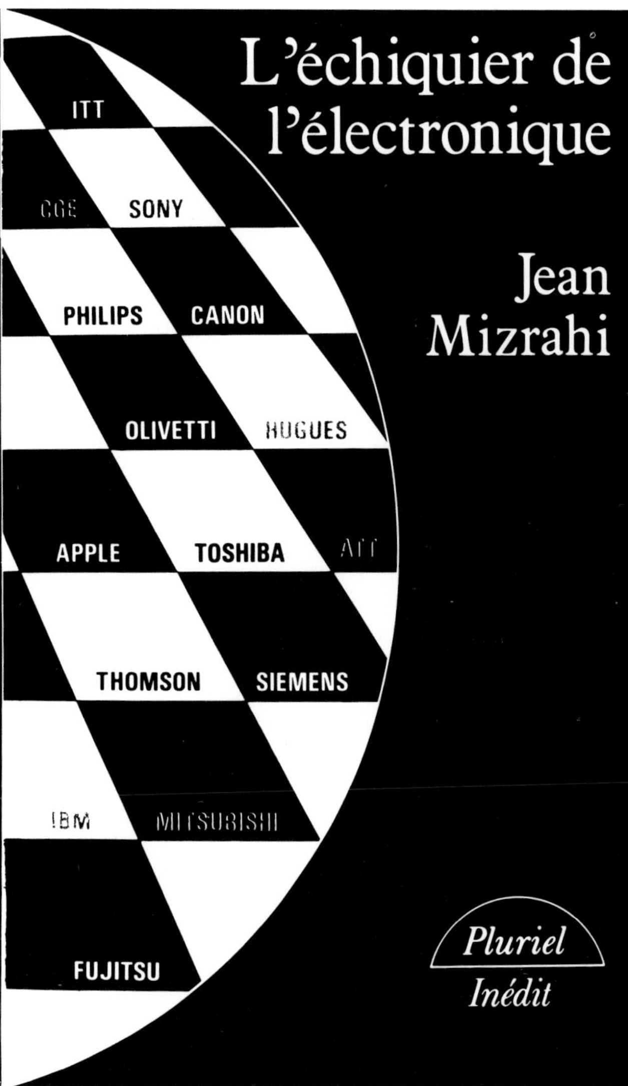

L'échiquier de
l'électronique
Jean
Mizrahi
ITT
CGE
SONY
PHILIPS
CANON
OLIVETTI
HUGUES
APPLE
TOSHIBA
THOMSON
SIEMENS
IBM
MITSUBISHI
FUJITSU
Pluriel
Inédit

Denise

FAYOLLE

Née à Paris en 1923. Licenciée en philosophie et championne de France de patinage artistique. De 1953 à 1967, en tant que directrice de style et de publicité de l'entreprise Sapac-Prisunic, elle est responsable du style de tous les secteurs, des relations presse, du conditionnement, de la promotion sur le lieu de vente et de la publicité. En 1966, elle crée le premier catalogue de mobilier contemporain de grande diffusion en Europe avec l'appui de Jacques Gueden, directeur de Prisunic. Elle passe, entre autres, des contrats avec Terence Conran et Gae Aulenti.
Un an plus tard, elle démissionne et fonde avec Maïmé Arnodin, en 1968, l'agence MAFIA. En 1987, elle devient gérante associée de NOMAD (Nouvelle Organisation Maïmé And Denise).

Born in Paris in 1923. Has a degree in philosophy and was once a national figure skating champion. From 1953 to 1967, as design and advertising manager of Sapac-Prisunic, she was responsible for design in all sectors, as well as for packaging, in-store promotion, advertising and press relations. In 1966, she created the first mass-distribution catalogue of contemporary furniture in Europe with the backing of Jacques Gueden, director of Prisunic. She negociated several contracts, including the ones with Terence Conran and Gae Aulenti.
A year later, in 1968, she resigned and set up MAFIA with Maïmé Arnodin. In 1987, she became co-manager of NOMAD (Nouvelle Organisation Maïmé and Denise).

1960

Logos pour Prisunic, 1963.
Document CCI.

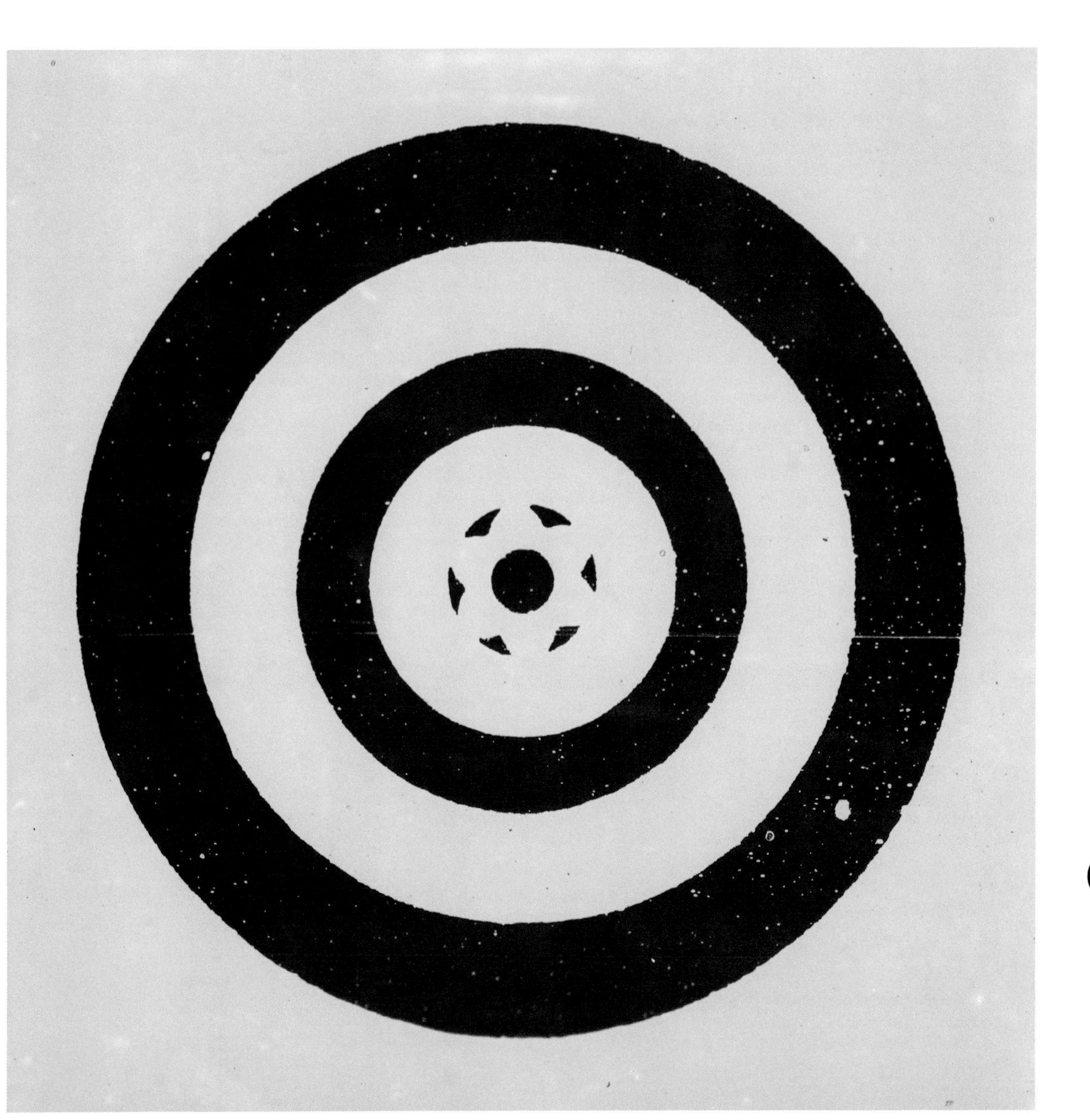

Jean-Michel

FOLON

Né à Bruxelles en 1934. Il interrompt ses études d'architecte à La Cambre pour le dessin en 1955. Dès 1960, il expose chez Jean-Jacques Pauvert et réalise sa première affiche. Ses dessins paraissent dans *le Nouvel Observateur* et dans *L'Express,* en 1967.
En 1971, il conçoit pour Artur le « Folonum », jouet anthropomorphe pour terrains de jeux. Dans les années 70 et 80, il exerce dans des domaines divers : dessins de presse, peintures murales (métro de Bruxelles en 1974, Waterloo Station à Londres en 1975, Paris en 1985), affiches, décors de théâtre, illustrations de livres (Kafka, Borges, toute l'œuvre de Prévert et d'Apollinaire, Maupassant, Camus, Vian, etc.), films (État-Unis pour « Le grand échiquier » en 1982, Carnaval de Venise en 1986). Il participe à de nombreuses expositions en France et à l'étranger. Il apparaît également comme acteur dans des films : *Qui êtes-vous Polly Magoo ?, Lily, aime-moi, L'Amour nu,* etc. Il a été chargé de créer le logo du bicentenaire de la Révolution française en 1989.

Born in Brussels in 1934, he interrupted his architectural studies at La Cambre to take up drawing in 1955. As early as 1960, he gave a show at Jean-Jacques Pauvert's and produced his first poster. His drawings were published in Le Nouvel Observateur *and* L'Express *in 1967.*
In 1971, he conceived for Arthur the «Folonum», a toy of human form designed for playlands. In the 70s and 80s, he worked in several fields: press drawings, mural paintings (the Brussels underground in 1974, London's Waterloo Station in 1975, Paris in 1985), posters, stage sets, book illustrations (Kafka, Borges, the entire opus of Prévert and Apollinaire, Maupassant, Camus, Vian, etc.); his cinematographical contributions included USA for the «Grand Échiquier» in 1982 and the Venice Carnival in 1986. He participated in several exhibits in France and abroad. He also played an actor's part in the films «Who are you Polly Magoo?», «Lilly, aime-moi!», «L'Amour nu» and others. He has been asked to create the logo for the upcoming bicentennial of the French Revolution in 1989.

1970 Idées Flèches, double page du *Jardin des modes,* 1973.
DR.

Idées Flèches par Nicole Bamberger. **Des Hôtesses pour Bébés.** Savez-vous qu'Air France s'occupe même de faire voyager les bébés? Un corps spécial d'hôtesses peut, si vous le désirez, se charger du vôtre. Les conditions sont intéressantes : l'hôtesse et le bébé ne payent, à eux deux, qu'un seul passage (le retour de l'hôtesse étant pris en charge par la Compagnie). L'hôtesse, bien entendu, n'a d'autre charge pendant le trajet que de s'occuper de votre bébé et prendra le temps, avant le départ, d'écouter vos consignes. Formalités : faire une demande — un mois à l'avance si possible — à Air France Madame ● **Un disque de grammaire.** ... C'est, sous forme de disque de carton, une véritable grammaire de poche. Toutes les chausse-trapes de l'orthographe et de la syntaxe y sont répertoriées : pluriels difficiles, verbes sournois, tournures à éviter, etc. « Indicateur Grammatical », distribué par Contact (une agence spécialisée dans le travail temporaire) ● **Le parfum pour douche.** C'est à la fois un parfum et une lotion adoucissante présentée en bombe aérosol, et particulièrement agréable à utiliser en sortant du bain. A essayer le soir où vous avez envie de vous offrir une mini-dose de luxe (parce qu'il fait trop froid, que l'hiver est long ou n'importe quell- autre bonne raison). Lotion adoucissante après bain N° 5. Chanel ● **Un parapluie de petite poche.** Destiné à celles qui n'aimer pas sortir sans parapluie; un engin télescopique encore plus petit que ceux qui existaient jusqu'ici et qui tient vraiment dans un sac. Longueur : 27,5 cm, poids : 300 g. Mini Boy: 29,75 F. Grands Magasins ● **Une hotte américaine.** A imiter, cette hotte d'aspiration qui supprime vraiment les odeurs de cuisine. Qualité spéciale : deux filtres en aluminium lavables, et un aérosol fixateur d'odeurs. Hottes Droan. Made in U.S.A. ● **Un succès goûter.** Le rêve de toute mère de famille qui donne un goûter d'enfants : parvenir à « inventer » quelque chose de nouveau; gâteau, jeu, décor, pour émerveiller ses invités. Dans un nouveau petit livre « Cadeaux originaux et Emballages de fête », par Juttà Lammer (éd. Nathan), vous trouvere vingt idées excellentes pour transformer en objets de rêve les menus cadeaux que vous offrirez aux enfants. Vous adoptere aussi, la recette de la maison de pain d'épices, qui sera la gloire de votre goûter. Pour la pâte : 150 g de sucre, 250 g miel, 50 g de farine, cannelle, levure. Pour les formes, donnez à la pâte les dimensions du patron-carton fait à l'avance. Fa. cuire à feu vif. Assemblez avec une colle-sucre (1 blanc d'œuf, 200 g de sucre glace, un jus de citron). Recouvrez la maison d'u. glacis de chocolat, et décorez avec des bonbons plats ● **Un anti-salpêtre.** Une nouvelle technique pour empêcher l'humidité de traverser les murs poreux : un liquide (à appliquer à la brosse), qui pénètre les matériaux en profondeur et constitue un barra anti-humidité. Tixon 12. Il faut appliquer deux couches à vingt-quatre heures d'intervalle, et prévoir 3 à 4 litres pour 10 m² de surfac à traiter ● **Un rénove-baignoire.** Pour la première fois, un moyen de reémailler des baignoires malades de vieillesse. Un nouvea procédé permet de repasser une couche d'émail sur les surfaces écaillées. Cette technique est réservée à des techniciens qui se chargent — après devis — de l'opération. Coût : entre 150 et 300 F. Métaux Inoxydables Ouvrés, 65, avenue de Clamart. 92 Issy-les-Moulineaux. 642-71-40 ● **Un guide des sens uniques.** Un nouveau guide-plan de Paris, pour automobilistes qui ignorent leur route. Il indique tous les sens uniques et comporte un système de dépliage ingénieux qui permet d'avoir en même temps sous les yeux, la superficie de trois arrondissements (24 km²). En annexe, une liste des rues. Plan Falk. 7,90 F. Librairies ● **Rince-doigts au citron.** De nouveaux mouchoirs imprégnés, présentés en minuscules sachets métallisés. Ils sont parfumés au citron vert, donc tout fraîcheur. Agréables à trouver dans un tiroir de bureau; à utiliser, aussi, pour décrasser les mains des enfants quand on les cherche en classe. Rince-doigts au citron. 2 F. Boîte de 8. Lotus. Grands Magasins ● **Choisir une carrière.** Une grande banque — la Banque Nationale de Paris — vient de faire éditer, et de distribuer à ses clients, une série de petits livrets consacrés à l'étude pratique d'une profession. Ce type de brochure, bien diffusé, rendrait infiniment service aux jeunes de 16 à 20 ans, qui ignorent, en général, ce en quoi consistent, exactement, ces « métiers » parmi lesquels on leur demande de faire un choix.

Au joli mois de février, le 2, les crêpes, et le 27, les beignets.

● **Les problèmes de femmes.** A paraître, une grande collection romanesque qui veut ne publier que des ouvrages (écrits ou non par des femmes), traitant des problèmes actuels de ces femmes Situation, mari, aventures, enfants, drames ou bonheur vécus aujourd'hui. Le Fleuve Noir ● **La vaisselle de week-end.** Pour la faire très vite, un torchon papier réétudié, moins mince, moins rêche que ceux qui existaient. Susceptible d'essuyer efficacement même les verres. Sopalin Essuie-tout. Trois couleurs. 2,50 F ● **Les jeux bien sages.** Une série de jeux faciles et très peu coûteux, pour distraire les enfants enrhumés. Gommettes, collages, pliages, assemblages faciles, etc. Djibi : 3 F la boîte, Prisunic ● **Electrique sans pile, ni fil.** Le dernier cri en matière de couteau électrique, un modèle pile-secteur, qui se recharge de lui-même sur son socle-boîtier-chargeur, et s'emploie sans fil, pendant 6 à 9 minutes. Scovil 188 F ● **Bronzage de neige.** Une crème spécialement étudiée pour protéger la peau contre la réverbération en altitude, présentée non plus en tube ni en pot, mais en « stick », extra-plat (qui se glisse dans une poche d'anorak), facile à tenir (cela ressemble à un rouge à lèvres élargi). Ambre-Stick, 7,50 F ● **Potages en boîtes régime.** Les récents potages en boîte, spécialement étudiés pour très jeunes enfants, et très peu salés, conviennent à toutes celles (futures mamans entre autres), qui doivent réduire leur consommation de sel. Nestlé. Inno, 0,90 F la boîte ● **Cirage en tube magique.** L'inconvénient majeur des cirages classiques : impossible de les utiliser sans se salir les mains. Après l'excellent « Padawax », une autre idée ingénieuse, le tube terminé par un large bouchon-tampon. Klips, noir, marron, neutre. 2,95 F ● **Casseroles à louer.** On peut avoir une excellente batterie de cuisine et ne pas posséder la turbotière géante, la couscoussière, le pot-au-feu pour quinze, dont on a brusquement besoin en cas de grand dîner. Une excellente boutique, spécialisée dans les batteries de cuisine moderne, vous propose de « louer » pour un soir, l'ustensile qui vous manque. Vous pourrez aussi venir consulter sur place une remarquable bibliothèque de livres de cuisine... (il y a déjà cent volumes). Kitchen Bazaar, 11, rue d'Alençon ● **Matériel pour bridgeur.** A noter sur votre carnet, l'adresse d'une boutique pour bridgeur. On y trouve tout ce dont peut rêver un joueur, et, en particulier, tout le matériel nécessaire pour organiser des tournois. Etuis transporteurs de cartes, feuilles de duplicate, carnets... On peut même acheter, d'un coup, tout un fond pour jeu à 4 tables : 8 jeux, 8 étuis, 50 feuilles individuelles, 50 feuilles pour jouer par paire, 50 feuilles pour duplicate, plus un petit manuel énumérant les mouvements classiques de tournoi. Le tout 73 F. La Boutique du Bridgeur, 28, rue de Richelieu. Envoi par correspondance ● **Assurance famille.** Une réalité à ne pas oublier : La seule assurance obligatoire pour tous les automobilistes, est une assurance aux « tiers », qui ne protège vos passagers que s'ils ne font pas partie de votre famille. L'assurance « tous risques » elle-même vous indemnise, en ce qui concerne les dégâts matériels, mais n'assure en rien les soins médicaux nécessaires en cas d'accidents survenus aux vôtres. La seule assurance tranquillité pour une mère de famille, reste donc l'assurance « Famille-Passagers » l'Union qui prend en charge tous les frais, qu'il s'agisse de vous (conducteur) ou de vos enfants ou parents ● **Potage à la chapelure.** De Mme Serriro, une fidèle lectrice d'Issy-les-Moulineaux (qui reçoit 50 F), une excellente idée : remplacer la cuillerée de flocons d'avoine, utilisée de temps en temps pour épaissir un potage, par une cuillerée de chapelure qui donne un goût excellent ● **Lecteur de carte.** Voilà enfin un gadget pratique. Il s'agit d'un système qui maintient une carte routière sur deux cylindres de bois, et vous permet d'avoir devant vous, dépliée, la portion de territoire qui intéresse; une loupe grossit le trajet à distinguer. Ram-Dam Plan de Paris : 60 francs selon le même principe.

FOLON

Couverture du magazine
L'Architecture d'aujourd'hui, 1971.
Document Jean-Michel Folon.

André

FRANÇOIS

Né en 1915 en Roumanie. Il s'installe à Paris en 1934 et suit les cours de l'Atelier de Cassandre. Dès 1945, il travaille à des illustrations, des couvertures de magazines, des dessins animés, des décors et, à partir de 1960, à la sculpture, la gravure ou la peinture.
Les pays anglo-saxons sont les premiers à reconnaître son talent d'« illustrateur d'humeur ». Dès 1947, il signe de nombreuses couvertures de magazines anglais. Il dessinera aussi, en France, pour *Vogue* et *le Nouvel Observateur.*
En 1950, il rencontre Jacques Prévert qui écrit sur ses dessins un pamphlet politique sur la liberté, *Les Lettres des îles Baladar* (1951). Mais c'est surtout avec Robert Delpire qu'il donnera toute la mesure de son talent avec *Les Larmes de crocodile* (1957). Il illustre également *Ubu Roi* (1957), *Le Meilleur des mondes* (1961), *Si tu t'imagines* de Raymond Queneau (1979), et *L'Arrache-cœur* (1981).
Parallèlement à ses activités d'illustrateur, il réalise de nombreuses affiches publicitaires ou humanitaires (Kodak, Citroën, UNESCO, Amnesty International). Il conçoit aussi des décors et des costumes de théâtre : *Le Vélo magique* de Roland Petit (1957), *Pas de dieux* de Gene Kelly (1960).
En 1979, il reçoit le prix Honoré pour l'ensemble de son œuvre et une exposition, panorama complet de son travail, a lieu au Palais de Tokyo à Paris en 1986.

Born in 1915, in Romania. Settled in Paris in 1934 and attended classes in Cassandre's workshop. As early as 1945, he is producing illustrations, magazine covers, animated cartoons, stage sets and, from 1960, turns to sculpture, engraving and painting.
The Anglo-Saxon countries are the first to recognise his talents as a responsive illustrator. From 1947, he designs a number of English magazine covers, and likewise in France for «Vogue» and «Le Nouvel Observateur».
Jacques Prévert, whom he met in 1950, wrote a political satire about freedom based on his drawings, entitled «Les Lettres des îles Baladar» (1951). But it is his collaboration with Robert Delpire that reveals his true talent, in «Les Larmes de crocodile» (1957). He also illustrated «Ubu Roi» (1957), «Brave New World» (1961), Raymond Queneau's «Si tu t'imagines» (1979), and «l'Arrache-cœur» (1981).
Alongside his illustration work, he has produced a number of posters both for advertising and humanitarian organizations (Kodak, Citroën, UNESCO, Amnesty International). He has also designed some costumes and sets for theatrical productions like Roland Petit's «Le Vélo magique» (1957), Gene Kelly's «Pas de deux» (1960).
In 1979, he is awarded the Honoré Prize in recognition of his overall work which is later shown at the Palais de Tokyo in Paris (1986).

Profitez de votre temps
Liaisons directes Lille-Londres
profitez de la Terre AIR FRANCE

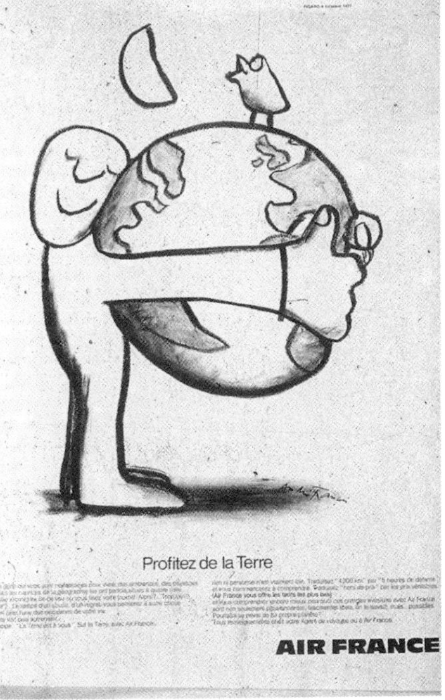

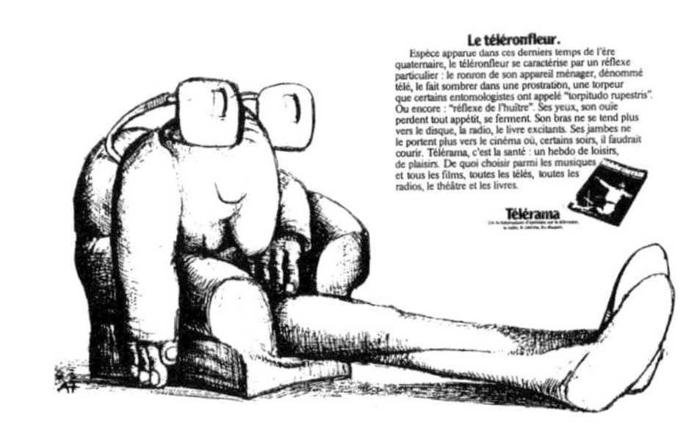

1970

Campagne pour Air France, 1971-72.
Document CCI.

Campagne de presse pour *Télérama,* 1972.
Document André François.

Campagne d'affiches pour *Le Nouvel Observateur,* 1972-73.
Document André François.

Adrian

FRUTIGER

Né en 1928 en Suisse. Il apprend la typographie à la Kunstgewerbeschule de Zurich avant d'être invité en France par Charles Peignot, en 1952 pour créer des caractères à la Fonderie Deberny & Peignot et adapter des caractères classiques à la photocomposeuse Lumitype-Photon. En 1954, il conçoit le Méridien et, de 1954 à 1957, le caractère Univers qui rencontrera un succès international.
En 1962, il ouvre son atelier avec Bruno Pfaffli : création de caractères et de marques, création typographique et mise en page. Adrian Frutiger crée des caractères comme le Sérifa (1967), le Frutiger (1975), le Versailles (1982), ainsi que des alphabets pour EDF-GDF (1959), la RATP (1973) ou l'aéroport Charles-de-Gaulle (1970). Il conçoit la signalétique d'Orly en 1959 et celle de Roissy en 1970.
En 1968, il crée un caractère normalisé pour reconnaissance optique, l'OCR-B. De 1954 à 1968, il enseigne à l'École Estienne puis à l'ENSAD. Il a publié, notamment en Suisse, *Type, Sign, Symbol* (1980), *Des Signes et des hommes* (1983), ainsi qu'une étude sur ses caractères, *Formen und Gegenformen* (1985).

Born in 1928, in Switzerland. Is taught typography at the Zürich Kunstgewerbeschule and invited by Charles Peignot came to France in 1952 in order to design types for the Deberny et Peignot foundry and adapt traditional characters to the Lumitype-Photon photo-composer. In 1954, he designs the «Meridien» character and, from 1954 to 1957, the now world-famous «Univers».
He opens his workshop in 1962 with Bruno Pfäffli to design new characters, logotypes, typographic works and lay-outs. Adrian Frutiger creates characters like the «Serifa» (1967), the «Frutiger» (1975), the «Versailles» (1982) as well as alphabets for EDF-GDF (1959), RATP (1973) and the Charles de Gaulle Airport (1970). In 1959, he designed the Orly Airport signage and in 1970, did likewise for Roissy.
In 1968, he designed O.C.R.-B., a standard character for optical scanning. Between 1954 and 1968, he taught first at the Estienne School and later at ENSAD. He has primarily published in Switzerland, his publications including «Type, Sign, Symbol» (1980), «Des Signes et des hommes» (1983), «Formen und Gegenformen» (1985), an essay about his own characters.

1960 Caractère Univers, 1963. Nouveau concept de caractères typographiques.
Document Jean-Claude Planchet / CCI.

1970 Alphabet Roissy, 1971. Caractère typographique créé pour la signalétique de l'aéroport de Roissy-en-France.
Document Jean-Claude Planchet / CCI.

Caractère OCR-B (Optical Character Recognition, class B), 1968-73. Caractère créé pour les lecteurs électroniques afin que l'ordinateur discerne avec certitude les différentes formes de lettres, chiffres et signes de l'alphabet. Devenu norme internationale en 1973.
Document A. Frutiger.

L'ECMA crée l'écriture OCR-B
L'Association européenne des constructeurs d'ordinateurs (European Computer Manufacturers Association), pleinement consciente des dangers découlant d'une dispersion des méthodes et d'une négligence des aspects esthétiques et éthiques du problème, a entrepris, depuis 1963, la mise au point d'un programme pour la création d'un alphabet plus «humain», approprié aux exigences de la lecture optique. Ce faisant, il était indispensable de prendre en considération tous les domaines d'application de la composition typographique.

Comparaison entre OCR-A et OCR-B
En haut, l'alphabet OCR-A avec la trame grossière et, en bas, l'alphabet OCR-B sur la trame plus fine selon définition B.
Les nouveaux lecteurs optiques réagissent à de nombreux critères très subtils. Les dessins peuvent être tracés sur une trame plus fine. En outre, le lecteur ne reconnaît pas seulement le simple contraste noir-blanc, mais la cellule individuelle saisit aussi le tracé du contour de la forme et le décompose selon une structure diagonale.

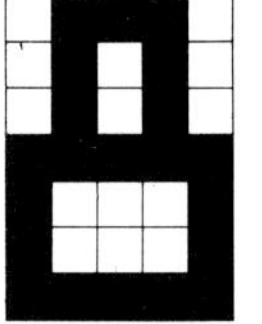

ABCDEFGHIJKLM
NOPQRSTUVWXYZ
01234567 9
8
OCR-A

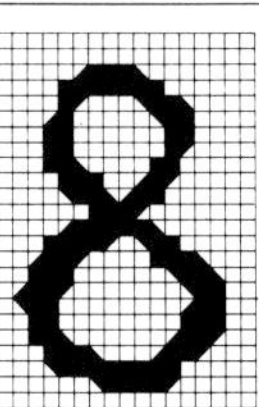

ABCDEFGHIJKLM
NOPQRSTUVWXYZ
01234567 9
8
OCR-B

39 univers

45 univers	46 *univers*	47 univers	48 *univers*	49 univers

53 univers	55 univers	56 *univers*	57 univers	58 *univers*	59 univers

63 **univers**	65 **univers**	66 ***univers***	67 **univers**	68 ***univers***

73 **univers**	75 **univers**	76 ***univers***

83 **univers**

Alphabet Roissy:

HAHBHCHDHEHFHGHIHJH
HKHLHMHNHOHPHQHRH.
HSHTHUHVHWHXHYHZH
Æ & Œ ÇÉÈÊËÎÏ
nanbncndnenfngnhninjn,
nknlnmnonpnqnrnsntnun;
nvnwnxnynzn' «ß-æœ»
?!—* ç (éèêë) îï
010203040506070809O/

GRAPUS

Collectif de graphistes actuellement constitué par Jean-Paul Bachollet (né en 1931), le gestionnaire, et par Pierre Bernard (né en 1942), Gérard Paris-Clavel (né en 1944) et Alexander Jordan (né en 1947).
Après des études à l'ENSAD, Bernard et Paris-Clavel suivent l'enseignement de Henryk Tomaszewski en Pologne. En 1968, ils participent à l'Atelier populaire des Arts décoratifs puis font un stage à l'Institut de l'environnement. En 1970, ils fondent GRAPUS avec pour objectif, la propagande et s'engagent au Parti communiste.
A partir de 1973, ils conçoivent l'identité visuelle de la CGT et travaillent pour les théâtres (théâtre de la Salamandre), les Maisons de la culture, le Centre Georges-Pompidou.
En 1982, ils organisent leur première expositon publique au musée de l'Affiche à Paris, réalisent *L'Album ZUP ! de famille* dans le cadre du Festival de La Rochelle et le programme graphique de VIA.
En 1985, GRAPUS remporte le concours du CNAP pour son image de marque ainsi que le concours pour l'image graphique du Parc de La Villette qui leur vaudra la Silver Award de l'Art Directors'Club de New York en 1987.

A graphic designers' collective currently comprised of Jean-Paul Bachollet (born in 1931), its manager, Pierre Bernard (born in 1942), Gérard Paris-Clavel (born in 1944) and Alexander Jordan (born in 1947).
After studying at ENSAD Bernard and Paris-Clavel receive Henryk Tomaszewski's teaching in Poland. During 1968, they play an active role in the Atelier populaire des arts décoratifs and later follow a course at the Institut de l'environnement. GRAPUS is set-up in 1970, with propaganda as its main objective; its founders join the Communist Party.
From 1973, they are responsible for the CGT's visual identity; they also work for theatres such as the Théâtre de la Salamandre, community art centres, as well as for the Centre Georges Pompidou.
They organise their first public show at the musée de l'Affiche in Paris (1982), produce «L'Album ZUP! de famille» in the context of the Festival de La Rochelle and also VIA's graphic programme.
In 1985, GRAPUS's brand image for the CNAP is retained; they also win the competition for the Parc de la Villette's own graphic image, the latter also bringing them the New York Art Directors' Club Silver Award in 1987.

«Union du peuple de France pour le changement démocratique», 1974. Affiche pour le Parti communiste français.
Document CCI.

«On y va», 1977. Affiche pour le Mouvement de la jeunesse communiste de France.
Document APCI / Ralph Delval.

Affiche pour le 14 juillet 1978, commandée par la Ville du Havre.
Document Grapus.

union du peuple de France
pour le changement
démocratique
CONGRÈS EXTRAORDINAIRE
DU PARTI COMMUNISTE FRANÇAIS
VITRY du 24 au 27 octobre 1974

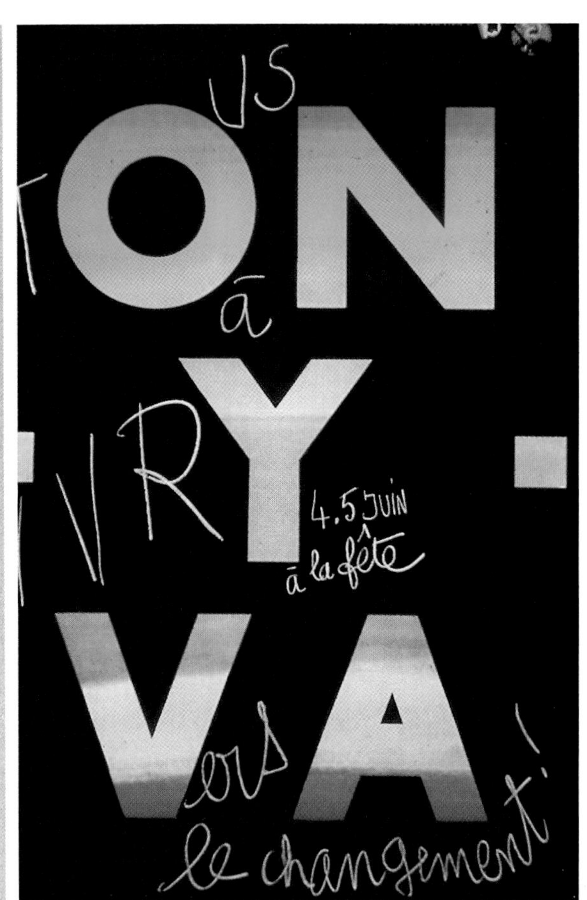
ON
à
Y
4.5 JUIN
à la fête
VA
vers
le changement!

vive le 14 juillet

1789

Ville du Havre - 14 Juillet 1978

Grapus au musée de l'Affiche, 1982.
Document APCI / Ralph Delval.

« Marche pour le désarmement », 1983. Affiche pour le Mouvement de la paix.
Document APCI / Ralph Delval.

Ligne graphique de l'Établissement public du Parc de La Villette, 1984.
Document CCI.

Grapus expose ses « Différentes tentatives différentes » en Hollande, 1985.
Document APCI / Ralph Delval.

téléphone 27 87 70 0
la Villette
parc de la Villette
information presse
(1) 42 49 77 22
la grande halle
avec la grande
bonne année

2 maart t/m 14 april 1985
de Beyerd centrum voor beeldende kunst
Boschstraat 22, Breda, maandag gesloten
dinsdag t/m vrijdag 10-17 uur
zaterdag/zondag 13-17 uur
(1e paasdag gesloten, 2e paasdag
13-17 uur)
de uiterste poging
ultime tentative
the last attempt
grapus
28 april t/m 2 juni 1985
de Zonnehof Zonnehof 8, Amersfoort, mandag gesloten
dinsdag t/m zaterdag 10-17 uur, zon-en zeestdagen 13-17 uur
de uiterste poging
ultime tentative
the last attempt
grapus
Wat wilt u ?
Wij hebben alles wat wij nodig hebben. Als u ons eruit wilt hebden, dan moet u ons eerst de smaak voor het overbodige bijbrengen
grapus
toont zijn
'différentes
tentatives
différentes'
in Holland
van 2 maart t/m
14 april 1985 in
de Beyerd te Breda
en van 28 april t/m
2 juni 1985 in
de Zonnehof te Amersfoort
Catalogus/Catalogue
du 2 mars au 14 avril 1985 au **Beyerd** de Breda,
et du 28 avril au 2 juin 1985 au **Zonnehof** d'Amersfoort, en Hollande.
grapus expose
ses « différentes
tentatives
différentes »
Qu'est-ce que vous voulez,
ici on a tout le nécessaire.
Si vous voulez qu'on sorte, il faut nous donner
le goût du superflu...
Grapus 85

Albert

HOLLENSTEIN

Né en Suisse en 1930. Apprentissage de typographe. Il s'installe à Paris en 1953, et entre à l'agence de publicité R.-C. Dupuy. En 1957, il crée son propre atelier. Avec Knapp, Frutiger et Widmer, il introduit la typographie suisse en France dans les années 60. Il lance le Brasilia en 1958, puis, en 1959, importe le Haas qui prend plus tard le nom d'Helvetica. Passionné d'audiovisuel, il organise en 1965 la Revue parlée et projetée, avec des projections de montages audiovisuels alliant textes et images. Le 19 de la rue Germain Pilon est également un lieu de rencontres et d'expositions.
De 1966 à 1968, il introduit la typographie américaine en France en lançant l'American Type Shop, puis, en 1972, il lance la « Collection Hollenstein », constituée de caractères exclusifs créés par des membres de son équipe ou par des indépendants comme Albert Boton. Fidèle depuis le début des Rencontres internationales de Lurs-en-Provence, il meurt accidentellement en 1974.

Born in Switzerland in 1930. Served his apprenticeship as a typographer. Moved to Paris in 1953, where he joined the R.C. Dupuy advertising agency. In 1957, he opened his own workshop. Together with Knapp, Frutiger and Widmer, he introduced Swiss typography into France in the 60s. He created the «Brasilia» character in 1958 and, in 1959, imported the «Haas» later to be known as «Helvetica».
His fondness for audio-visual techniques led him to organize the «Revue parlée et projetée» in 1965, screening audio-visual productions which combined words and pictures. His workshop at 19 rue Germain-Pilon also became a meeting place and exhibition space.
From 1966 to 1968, he introduced American typography into France with the American Type Shop and later, in 1972, he launched the «Hollenstein Collection» made up of exclusive type faces designed by members of his team or by freelancers such as Albert Boton. He remained a loyal participant in the Rencontres Internationales of Lurs-en-Provence until his accidental death in 1974.

1960

Catalogue de caractères de la typographie Hollenstein, 1957.
Document extrait de *Communication et langages*, n° 4/1974.

1970

Exemples du caractère American Type Shop, 1966-68.
Document extrait de *Communication et langages*, n° 4/1974.

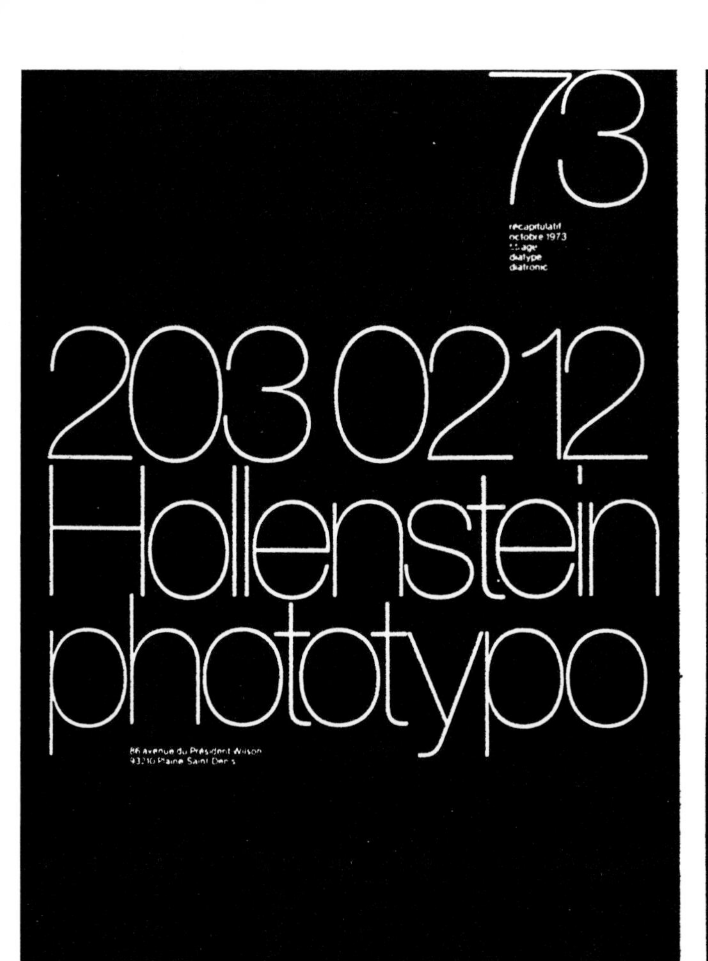

SUPPLEMENT
74
HOLLENSTEIN
PHOTOTYPO
203 02 12

Peter

KNAPP

1960

Né en Suisse en 1928. Il reçoit une formation de graphiste. Dans les années 50 il vient en France et mène de front les activités de directeur artistique (Nouveau Fémina en 1953 et Galeries Lafayette en 1955) et de peintre. Il entre au journal *Elle* en 1959 jusqu'en 1966, puis de 1974 à 1977.
En 1960, il commence à faire des photographies de mode. Il collabore régulièrement à *Elle, Vogue, Stern* ou *Sunday Time.* En 1966, il arrête de peindre et réalise les films *Dim Dam Dom* pour la télévision et photographie les collections Courrèges et Ungaro. En 1968, il travaille au Studio Arno. Il participe en 1970 à la réalisation d'un reportage photographique sur l'Exposition d'Osaka. Il expose chez Denise René en 1975. Il réalise des livres pour le musée national d'Art moderne. Depuis 1983, il est directeur artistique de *Femme* et de *Décoration internationale.* En 1986, il devient professeur de photographie à l'École supérieure d'art graphique.

Born in 1928, in Switzerland. Is trained as a graphic designer. Moves to France in the 50s where he concentrates on both his activities as art director (with Nouveau Femina *in 1953, and the Galeries Lafayette in 1955) and painter. He joins* Elle *magazine from 1959 to 1966 and again from 1974 to 1977.*
In 1960, he begins taking fashion photographs, regularly contributing to Elle, Vogue, Stern *and the* Sunday Times. *In 1966, having ceased to paint, he produces the «Dim Dam Dom» films for television, and photographs both the Courrèges and Ungaro collections. In 1968, he works at the Studio Arno. In 1970, he participates in the making of a photographic reportage on the Osaka exhibition. Denise René exhibits his work in 1975. He lays out several books for the Musée national d'art moderne. Since 1983, he has held the post of art director for* Femme *and* Décoration Internationale *and in 1986, is appointed professor of photography at the Ecole supérieure d'art graphique.*

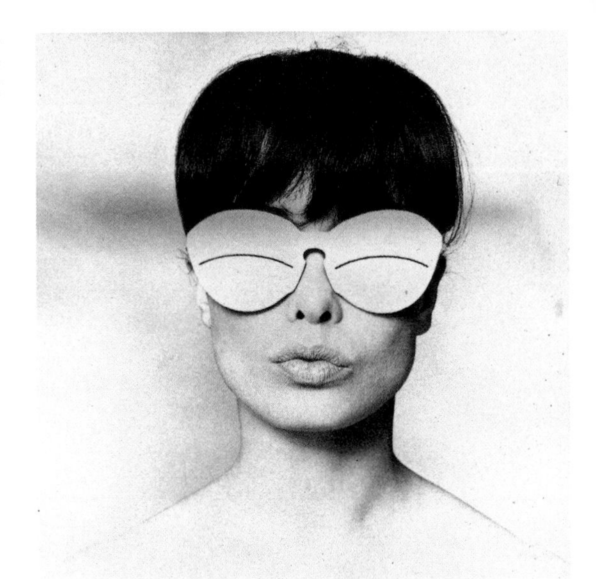

Sandra et les lunettes Courrèges, journal *Elle,* 1965. Photo noir et blanc.
Document Peter Knapp.

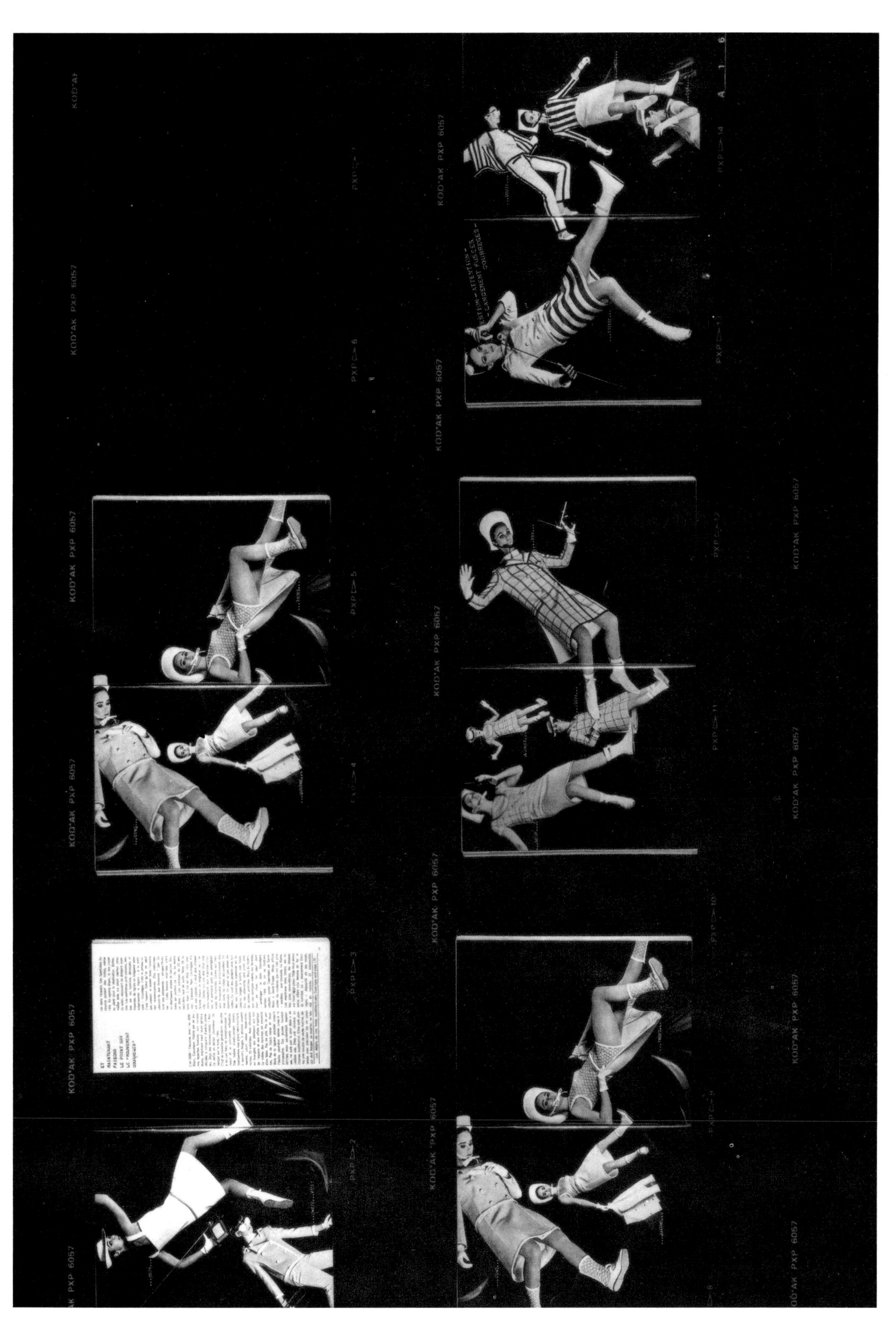

Gunilla en Courrèges, journal *Vogue*. Photo noir et blanc, 1967.
Document Peter Knapp.

Collection Cardin, journal *Vogue*, 1967.
Document Peter Knapp.

Collection Courrèges, journal *Elle*, 1965. Photo noir et blanc.
Document Peter Knapp.

Alain
LE FOLL

Né en 1934. Il étudie la peinture dans plusieurs académies parisiennes de 1950 à 1953. Ensuite, il fait de la céramique, des décors de théâtre, de la peinture. En 1958, il entre à l'agence publicitaire SNIP qui lui confie la campagne Rodier. En 1959, Peter Knapp fait appel à lui pour des dessins qui paraissent dans *Elle*. Il travaille aussi aux Galeries Lafayette en 1960, puis devient indépendant. Il mène alors une carrière de graphiste aussi bien dans la publicité, l'illustration, l'édition, le dessin d'animation que dans les tissus, la porcelaine ou les papiers peints.
En 1964, il s'associe avec Claude Roy pour réaliser le livre, *C'est le bouquet*, qui lui permet d'exprimer ses thèmes graphiques préférés. La même année, il s'intéresse à la lithographie et découvre l'atelier Wolfensberger à Zurich dans lequel il trouvera de bonnes conditions de travail. Il réalise, en particulier, des lithographies pour le texte de Bernard Noël *Extraits du corps*, en 1971. Il illustre également des ouvrages édités par Delpire (*Sindbad le marin*, 1969). Il enseigne à l'ENSAD jusqu'à sa mort en 1981.

Born in 1934, he studied painting in several Parisian academies from 1950 to 1953. Then, he did some ceramics, stage sets and paintings. In 1958, he went to work for the SNIP advertising agency and was asked to handle the Rodier campaign. In 1959, Peter Knapp asked him to do some drawings for Elle *magazine. Having worked for the Galeries Lafayettes in 1960, he became independent and launched his career as a graphic artist in many fields: advertising, illustration, publishing, animation, fabrics, porcelain as well as wall papers.*
In 1964, he teamed up with Claude Roy in order to publish a book intitled «C'est le bouquet», which enabled him to express his favorite graphic themes. The same year, he became interested in lithography and discovered the Wolfensberger workshop in Zürich, where he worked under good conditions. His most notable work included lithographies for Bernard Noël's Extraits du corps *in 1971. He also illustrated works published by Delpire (*Sinbad the Sailor*, 1969). He taught at ENSAD until his death in 1981.*

1960

Illustrations du livre de Claude Roy, *C'est le bouquet!*, 1964. (Éditeur: Robert Delpire).
Document R. Delpire.

Texte de Claude Roy
Illustrations d'Alain Le F
Collection Dix sur Dix
Delpire éditeur.

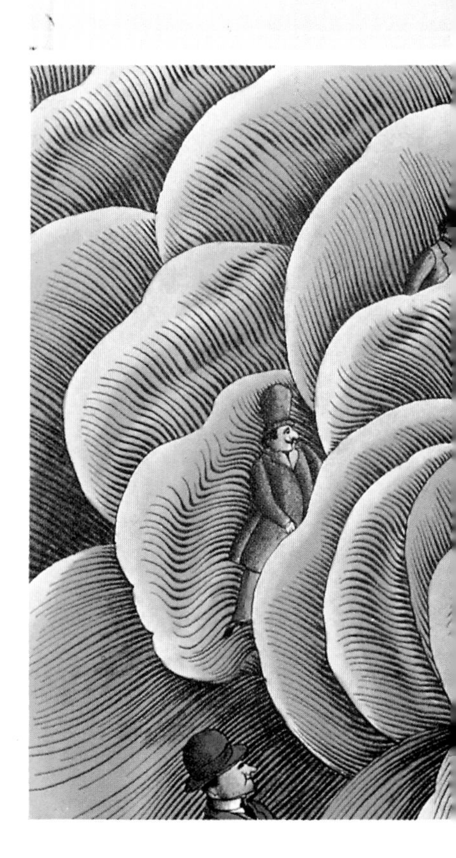

st le Bouquet

Jean-Philippe

LENCLOS

Né en 1938. Formation à l'École Boulle et à l'ENSAD (1953-1961). En 1961-1962, il part à l'université des Beaux-Arts de Kyoto. Il devient directeur artistique de la Société des peintures Gauthier et, en 1967, il décide d'entreprendre une étude sur les couleurs dominantes utilisées en architecture pour chacune des régions de France.
En 1970, il réalise la signalétique de l'Exposition d'Osaka et participe au Congrès international de la couleur à Helsinki. En 1970-1971, il analyse et définit la palette des couleurs de Tokyo pour le Color Planning Center dont il devient membre actif.
En 1975, il participe à la création du groupe Urbame, qui se consacre à l'urbanisme et au paysage.
En 1978, son équipe prend le nom d'Atelier 3D Couleur. Il fait de nombreuses études de colorisme pour les villes nouvelles et les grands ensembles, la mise en couleur de groupes scolaires, centres commerciaux, hôpitaux et métro de Marseille, des études d'environnement d'usines. L'Atelier 3D Couleur est consultant permanent pour le bureau de style Renault. Il enseigne depuis 1969 à l'ENSAD. Il publie, en 1982, *Les Couleurs de la France : maisons et paysages.*

Born in 1938. Attends the École Boulle and ENSAD between 1953 and 1961. Spends 1961-62 at the Tokyo University of Fine Arts. Is appointed art director of the Société des Peintures Gauthier. In 1967, he decides to undertake a study of the dominant colours found in the architecture in each of the French regions.
He carries out the signage for Expo'70 in Osaka and is a participant at the International Colour Congress held in Helsinki. In 1970-71, after analysis, he proposes a colour palette for Tokyo on behalf of the Color Planning Center, which he later joins as an active member.
In 1975, he contributes to the setting-up of the «Urbame» group which specializes in landscapes and town planning.
In 1978, his team adopts the name Atelier 3D Couleur. He carries out a number of colour studies for new towns and large housing projects, providing colour schemes for schools, commercial centres, hospitals, factories and the Marseilles underground. His Atelier 3D Couleur is permanent consultant to Renault's styling office. He has taught at ENSAD since 1969. In 1982 he publishes Les Couleurs de France: maisons et paysages.

1960

Ligne graphique des pots de peinture Gauthier, 1965-70.
Document Jean-Philippe Lenclos.

1970

Coloration des bâtiments du groupe scolaire La Haye-aux-Moines à Créteil, 1975.
Document Jean-Philippe Lenclos.

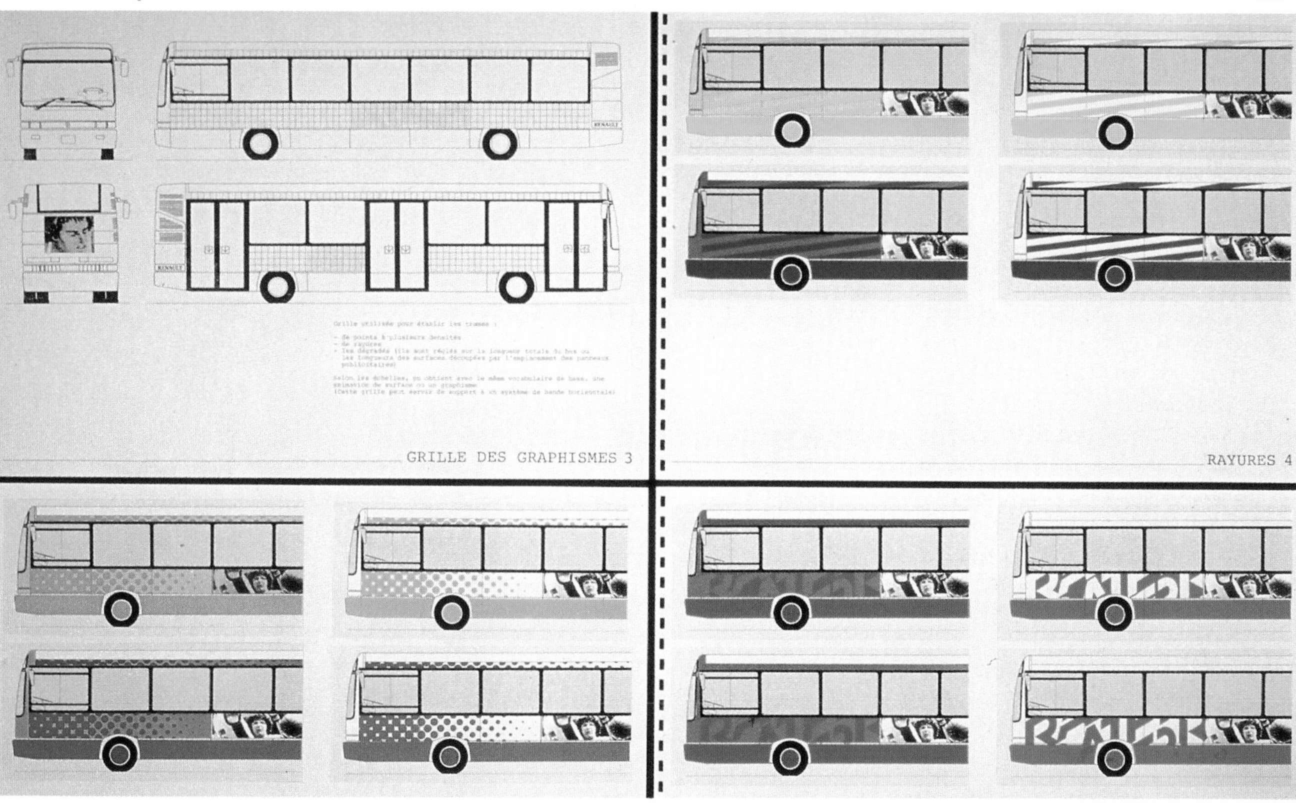

1980

Projet de couleurs des carrosseries des autobus R312, 1983-84. (Diffuseur : Renault Véhicules industriels).
Document Jean-Philippe Lenclos.

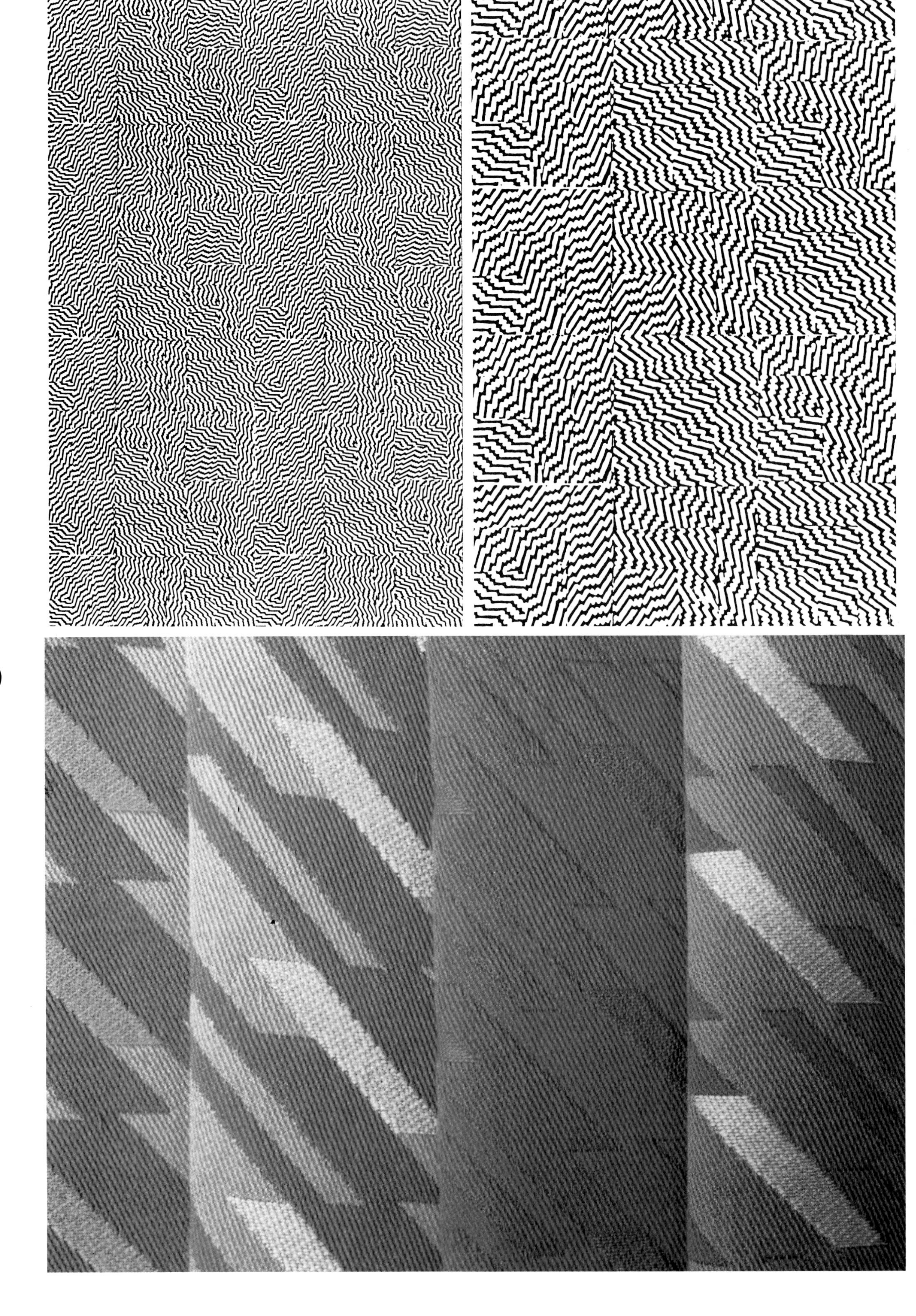

160

Gamme de tissus pour les sièges des autobus R312, 1983-84. (Diffuseur: Renault Véhicules industriels).
Document Jean-Philippe Lenclos.

Dessins préparatoires (crayons de couleur) pour tissus, 1986. (Fabricant: Mira X)
Document Jean-Philippe Lenclos.

« Mira Jaya », 1986. Tissus. (Fabricant: Mira X).
Document Jean-Philippe Lenclos.

Alain LE QUERNEC

Né en 1944 à Faouët (Morbihan). Études de dessin à Paris et à Strasbourg de 1961 à 1965. Il enseigne les arts plastiques à Metz de 1965 à 1967.
A partir de 1969, il commence à produire des affiches publicitaires (Galeries réunies à Metz, série d'affiches de jazz). En 1971, il fait un stage aux Beaux-Arts de Varsovie dans l'atelier de Tomaszewski. A son retour, en 1972, il est nommé professeur d'arts plastiques à Quimper. C'est avec son affiche « Espoir » pour le PS du Finistère que débute une longue collaboration avec ce parti. Il travaille également pour le PC, le PSU, Amnesty International, la CGT, et divers centres culturels, café-théâtres.
En 1978, il fait don de sa production depuis 1962 (environ 500 affiches, collection qu'il enrichit au fil des années) au musée du Château des Ducs de Bretagne à Nantes. C'est également à ce musée qu'il fait don, en 1981, de 1 500 affiches culturelles polonaises des années 1969-1980.

Born in 1944, in Faouët (Brittany). Follows drawing classes in Paris and Strasbourg from 1961 to 1965. Teaches art at Metz from 1965 to 1967.
His production of posters for advertising begins in 1969 (Galeries Réunies in Metz and a series of jazz posters). In 1971, he makes a trip to the Warsaw Academy of Fine Arts to attend Tomaszewski's workshop. Upon his return in 1972, he is appointed professor of art in Quimper. His «Espoir» poster for the Finistère Socialist Party hails the start of a long association with the Socialist Party, the P.S.U., Amnesty International, the C.G.T. and various cultural centres and theatre workshops.
In 1978, he donates his production of posters since 1962 (numbering about 500 but constantly updated) to the musée du Château des Ducs de Bretagne in Nantes. He also donates, in 1981, to this same museum a collection of 1,500 Polish cultural posters produced from 1969 to 1980.

«La famille TOT», 1981. Affiche pour le Théâtre de l'Instant.
Document Musée départemental breton / Quimper.

«Bal antillais», 1981. Affiche pour la maison des Jeunes et de la Culture de Douarnenez.
Document Musée départemental breton / Quimper.

«Les jeudis de la marionnette», 1983. Affiche pour la maison de la Culture de Brest.
Document Musée départemental breton / Quimper.

«Festival du livre en Bretagne», 1987. Affiche pour le Festival du livre de Saint-Brieuc.
Document Musée départemental breton / Quimper.

THEATRE DE L'INSTANT
la famille Tot
mise en scène Bernard Lotti
de Istvan Örkeny

DOUDOUARNENEZ. SAM 21 FEVRIER 81
salle des fêtes 23h
entrée 25f 30f
BAL ANTILLAIS
ORCHESTRE SALSA HENRI GUEDON
organisé par la MJC et l'ATAF

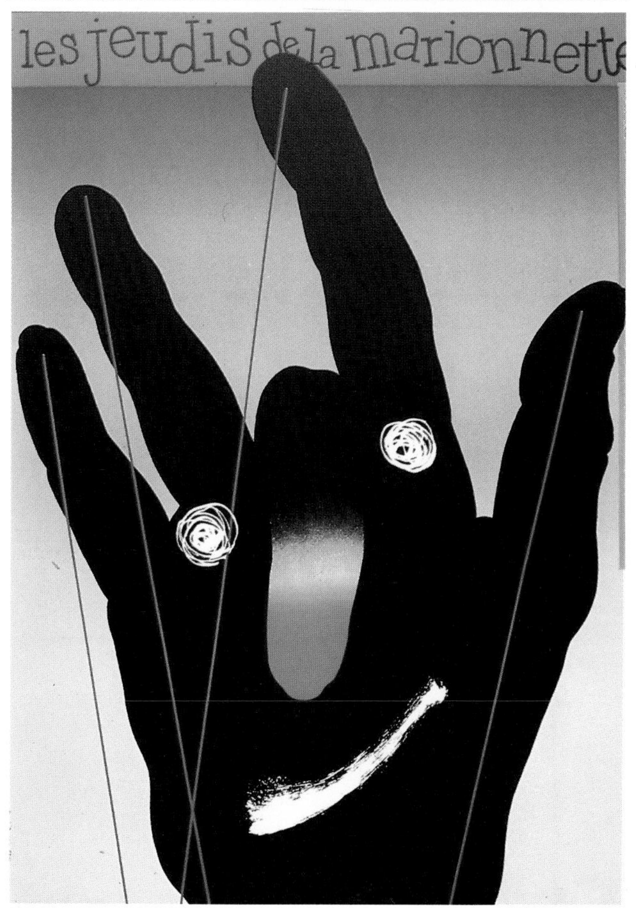
les jeudis de la marionnette

7eme FESTIVAL DU LIVRE
EN BRETAGNE
3-4-5 AVRIL 1987 . C.A.C St BRIEUC
Les mots et les sons.

MAFIA

Initiales de Maïmé, Arnodin, Fayolle, International, Associés. Agence de conseil et de publicité en stylisme, design, packaging, édition et relations publiques, créée en 1968 par Maïmé Arnodin et Denise Fayolle déjà connues pour leur travail de création et d'avant-garde.
Leur premier client est le groupe textile Du Pont de Nemours, puis Yves Saint Laurent, Absorba, Kodak, Minolta, Klopmann Mills, Texunion, les boutiques Shell et surtout Prisunic dont Denise Fayolle avait dirigé le service de création dans les années 50. En 1968, Jacques Lavaux devient directeur artistique de Prisunic après un stage à MAFIA. L'agence fait appel dès le début à des talents confirmés comme Roman Cieslewicz, directeur artistique en 1969-1970, Antoine Kieffer ou Michel Haberland.
Dans les années 80, MAFIA n'édite plus de cahiers de tendances mais continue de conseiller Well, Scandale, Absorba, Liberty et les Trois Suisses pour lesquels elle lance l'opération créateurs de mode, puis fait appel à des grands noms du design de mobilier regroupés sous la marque Tertio (P. Boisselier, G. Aulenti, A. Chauvel, P. Starck, A. Putman). MAFIA s'associe à l'agence de publicité BDDP puis, en 1987, change de nom et devient NOMAD (Nouvelle Organisation Maïmé And Denise).

MAFIA stands for Maïmé Arnodin Fayolle International Associés. Advertising and consulting agency specialized in design, packaging, publishing and public relations. It was set up in 1968 by Maïmé Arnodin and Denise Fayolle who were already known for their creative, pioneer work.
Their first client was the Dupont de Nemours textile group, followed by Yves Saint-Laurent, Absorba, Kodak, Minolta, Klopmann Mills, Texunion, the Shell boutiques and, more importantly, Prisunic, whose design studio Denise Fayolle had run in the 50s. In 1968, after a spell with MAFIA, Jacques Lavaux was appointed art director at Prisunic. From the outset, the agency called upon such talented designers as Roman Cieslewicz (its art director in 1969-70), Antoine Kieffer and Michel Haberland.
During the 80s, MAFIA ceased to produce its «cahier de tendances», but continued to provide consulting services to Welle, Scandale, Absorba, Liberty and the 3 Suisses, on whose behalf they launched the «créateurs de mode» campaign before enroling well-known furniture designers under the trade mark Tertio (P. Boisselier, G. Aulenti, A. Chauvel, P. Starck, A. Putman). MAFIA became associated with BDDP advertising agency and, in 1987, changed its name to NOMAD (Nouvelle Organisation Maïmé and Denise).

1970

1980

Catalogue Prisunic, 1971.
(Créateur : F. Hauss).
Document CCI.DR.

Orientation produit/style et charte d'application pour Absorba, 1980-81.
Documents CCI/Planchet.

Affiche abribus pour Absorba, 1980-81.

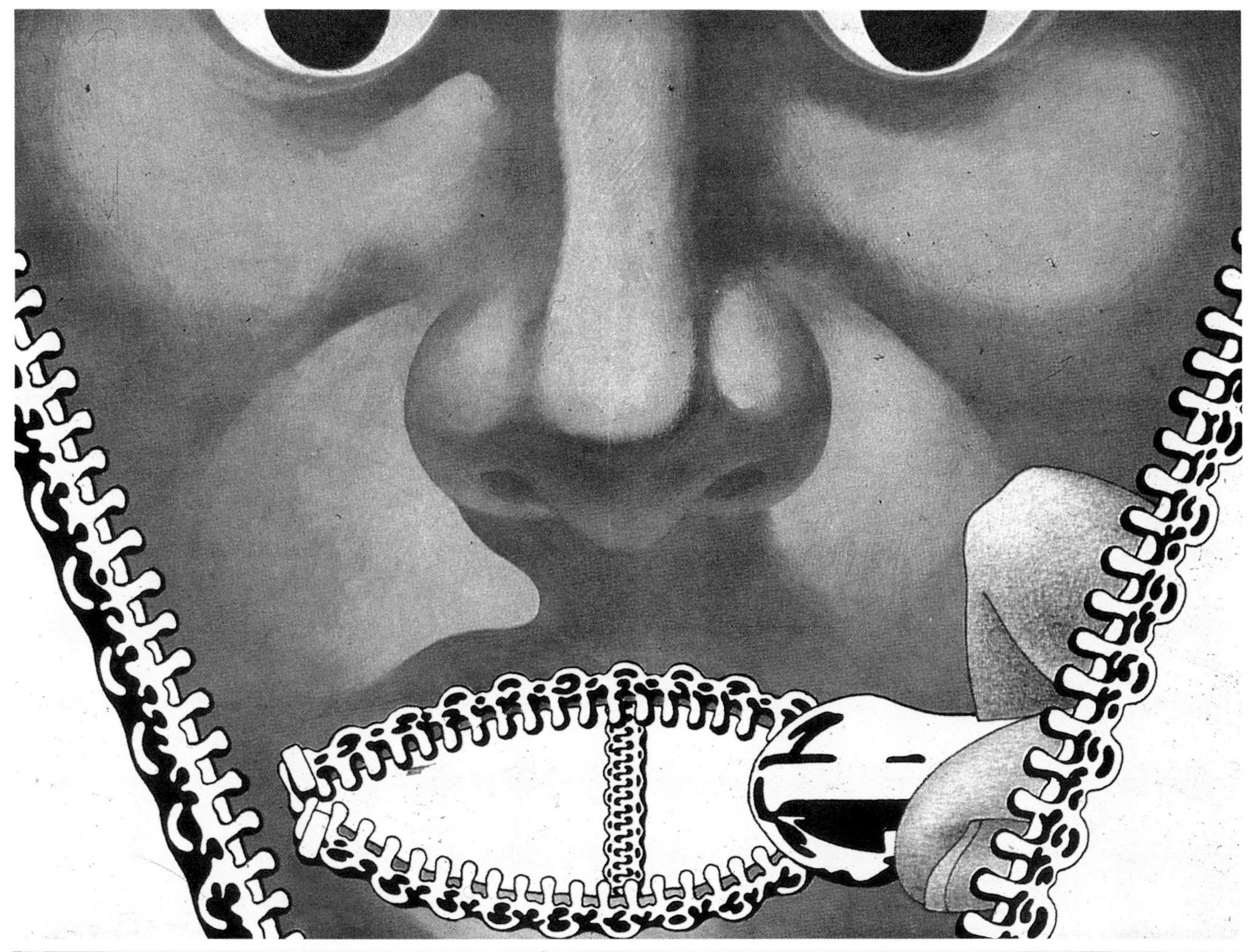

Campagne pour les fermetures «Éclair», illustrée par Michel Quarez, 1969.
Document CCI.

«Le Chouchou», 1983-84.
Campagne pour les Trois Suisses.
Document MAFIA.

MAGGIORI/ÉDITORIAL

Né en 1951, en Italie. Claude Maggiori s'intéresse à la peinture et passe une licence d'histoire. Militant maoïste au début des années 70, il participe à la fondation et au lancement de *Libération*, en 1973.
Directeur artistique de *Réalités* (1974), *Enfants magazine* et *Le Nouvel Économiste* (1977-1978). En 1979, il fonde Éditorial, agence de graphisme et de communication spécialisée dans la mutation des produits presse. Il conçoit la nouvelle formule et le nouveau graphisme de *Libération* (1981 et 1987), *Le Nouvel Observateur, L'Entreprise, Actua ciné, Photographies* et *VSD*. Il crée et assure la direction artistique ainsi que la rédaction en chef de l'*Écho des savanes* et de *Bazar*.
Depuis 1981, il assume la direction de la création à *Libération* et conçoit les « unes » spéciales du quotidien et numéros hors série (« Cocteau », « Vive la crise », « Comète de Halley », « Lycéens »...). Il dessine les logotypes de nombreux journaux et magazines *(Libération, Le Nouvel Observateur, Écho des savanes, Télérama, Sud-Ouest, La Croix, Photographies, Bazar, Agence vu, Libre Belgique, Actua ciné, SNES, Avant-Garde, Auto moto, Gault et Millau).*
Depuis novembre 1987, il conçoit et produit le magazine de faits divers « Chocs », sur TF1.

Born in Italy in 1951. Claude Maggiori was always very interested in painting but graduated in history. Maoist militant at the beginning of the 70s, he participated in the creation and launching of «Libération» in 1973.
Art Director for «Réalités» (1974), «Enfants Magazine» and «Le Nouvel Économiste» (1977-78). In 1978, he founded Editorial, a graphics and communication agency specialized in the redevelopment of press products. He conceived the new concept and the new graphics for «Libération» (1981 and 1987), «Le Nouvel Observateur», «L'Entreprise», «Actua Ciné», «Photographies» and «VSD». He was founder, art director and editor of the magazines «L'Écho des Savanes» and «Bazar».
Since 1981, he heads the creative department of «Libération» and puts together the front pages of the special issues («Cocteau», «Vive la Crise», «Halley's Comet», «Lycéens»...). He has designed logotypes for many newspapers and magazines (Libération, Le Nouvel Observateur, L'Écho des Savanes, Télérama, Sud-Ouest, La Croix, Photographies, Bazar, Agence Vu, Libre Belgique, Actua Ciné, SNES, Avant-Garde, Auto-Moto, Gault et Millau).
Since November 1987, he has conceived and produced «Chocs», a television news items program on TF1.

Maquette de la « une » de *Libération*, 1981.
Document Éditorial.

Ancienne « une » du journal *Sud-Ouest*, 1984.
Document J. Bayle.

Annonce pour « Le mois de la photo » dans le journal *Libération*, 1984-85.
Document Éditorial.

Étude de la nouvelle « une » du journal *Sud-Ouest*, 1984.
Document J. Bayle.

Libération

REAGAN REMET KADHAFI DANS LA LIGNE DE MIRE

SECONDE PARTIE

un homme dort pendant douze heur rien ne se passe sur la toile, si ce n'est la toile elle-même ou le cadre mer, c'est de l'eau bleue ; une glaç fond et les cerises confites qui tombent font un bruit assourdissant le feu est une flamme de gaz allumé ; un drame est fait de gestes et de mouvements mimiques ; un plancher est revêtu de carreaux qu'il faut constamment astiquer ; des tuyaux en Eternit superposés formant une pile. Voici la description d'un film de Warhol, d'une toile ou d'un tableau de Paolini, d'une sculpture de Pascali d'un film d'Andersen, d'une fle feu de Kounellis, d'un tex Grotowski ou de environneme sculpture d'air

REAGAN REMET K DANS LA LIGN

DANS LA LIGNE DE REAGAN REME

DANS LA LIG REMET KAD

REAGAN REMET KADHAFI

DANS LA LIGNE MIRE DE MIRE DANS LA LIGNE

MET KADHAFI DE MIRE REAGAN RE

LA LIGNE DE MIRE REAGAN RE

MET KADHAFI REAGAN REMET K

Charente-Maritime
Recul historique des accidents de la route

Pons
Une centaine de pneus crevés dans le centre ville

Inter-Hôtel de Chiberta
SÉMINAIRES - RÉUNIONS DE TRAVAIL
OUVERT TOUTE L'ANNÉE

MARDI 14 FÉVRIER 1984

SUD-OUEST

Grand Quotidien Republicain Regional d'Informations

Téléphone (56) 90.92.72

CHARENTE-MARITIME

3,20 F

TELEPHONEZ VOS PETITES ANNONCES (46) 41.37.37

Tchernenko
L'homme qui a su attendre

Folie meurtrière en Lot-et-Garonne
L'amie de la famille tue Céline, 8 ans

Le corps de Magali avait été jeté dans une fontaine

Le Géant des J.O.
Deux Américaines et... Perrine Pelen sur le podium

Tournoi à Paris-Bercy
Les Girondins et le football en salle

Une autre transition

Aéroports du Sud-Ouest
Quand le trafic augmente ...le déficit aussi

La bonne occase de J.-M. Le Pen

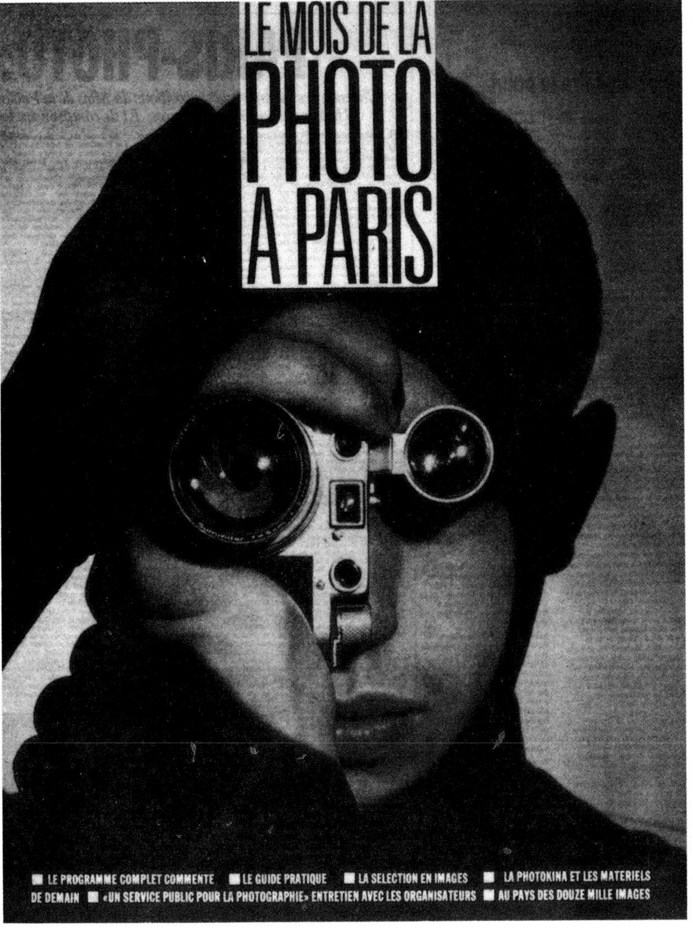

Jean

MASSIN

1960

Interprétation typographique du livre de Ionesco *La Cantatrice chauve* (Gallimard), 1964.
Document CCI / Planchet.

Né dans les années 20, Massin est un autodidacte. Il acquiert sa vocation de « graphiste » auprès d'un père graveur sur pierre. Dans les années 40, il vient à Paris et travaille comme rédacteur et directeur artistique. Son goût pour la « lettre « le conduit à s'intéresser à la typographie, à la réalisation de livres et à la mise en page. Il entre chez Gallimard où il travaille, dans les années 60 et 70, comme directeur artistique. Il prend une part importante dans la création de la collection de La Pléïade et crée la collection de poche Folio dont il choisit avec soin les illustrateurs.
Il reçoit, en 1970, le Prix des Graphistes pour son livre *La Lettre et l'image* (Gallimard). Parmi ses autres ouvrages, on peut citer *Zola photographe* (Denoël), en 1979, et *La Cantatrice chauve* (Gallimard), en 1964, publiés aux États-Unis et en Grande-Bretagne. En 1979, il collabore avec Hachette qui lui installe un Atelier Hachette/Massin où il réalise une collection de livres d'art *(Le Lit, Les Lunettes, Les Chaussures).*

Born in the 20s, Massin is a self-educated man. He acquired his vocation as a graphic artist from his father, a stone carver. In the 40s, he came to Paris and worked as an art director and writer. His taste for the world of «letters» led him to typography, art work and layouts. He joined the Gallimard publishing house where he worked in the 60s and 70s as an art director. He played an important role in the creation of the «La Pléïade» series and created the paperback series «Folio», carefully picking out its contributing illustrators.
In 1970, he was awarded the Prix des Graphistes for his book «La Lettre et l'image» (Gallimard). Among his other works, one can mention «Zola photographe» (Denoël, 1979), and «La Cantatrice chauve» (Gallimard), which came out in 1964 and was published in the United States and Great Britain. In 1979, he collaborated with Hachette and set up a Hachette/Massin Workshop where published a series of art books («Le Lit», «Les Lunettes», «Les Chaussures»).

suivie d'une scène inédite. Interprétations *typographique* de Massin et *photo-graphique* d'Henry Cohen d'après la mise en scène de Nicolas Bataille Éditions Gallimard

quelle cascade de cacades
quelle cascade de cacades
quelle cascade de cacades
quelle cascade de cacades
quelle cascade de cacades
quelle cascade de cacades
quelle cascade de cacades
quelle cascade de cacades

Guy

PEELLAERT

Né en 1934, à Bruxelles. Étudie aux Beaux-Arts puis débute dans le dessin publicitaire. Il réalise ensuite des bandes dessinées inspirées de l'esthétique « pop » : *Les Aventures de Jodelle*, publiées par Éric Losfeld en 1966, « Pravda la survireuse » qui paraît en feuilleton dans *Hara-Kiri* avant d'être publiée également par Losfeld en 1968. La même année, il conçoit une bande-collage, « The Game » *(Hara-Kiri)*, ainsi qu'un montage à base de photographies coloriées et retouchées, *She and the Greenhairs.* En 1969, il dessine « Karachi ! » pour *Hara-Kiri*, repris en 1974 dans *Charlie.*
Pendant cinq ans, il se consacre au théâtre et à la télévision avant de revenir à la bande dessinée avec *Rock Dreams*, en 1973. En 1980, il réalise l'affiche du film de Wim Wenders sur la mort de Nicholas Ray, *Nick's Movie, lightning over water.* Puis, en 1981, il dessine les planches que filme Claude Ventura pour le générique de l'émission d'Antenne 2, « Cinéma-Cinémas ». En 1988, il expose une série de « portraits américains », peints entre 1974 et 1986, au Centre national de la photographie à Paris.

Born in 1934, in Brussels. Studied at the Beaux-Arts then started working as an avertising illustrator. He published some comic strips inspired by the Pop Art movement: «Les Aventures de Jodelle», published by Eric Losfeld in 1966, «Pravda la Survireuse», which ran as a serial in Hara-Kiri magazine before also being published by Losfeld in 1968. The same year, he conceived a collage-strip, «The Game» (Hara-Kiri), as well as a montage based on tinted and touched-up photos: «She and the Greenhairs». In 1969, he drew «Karachi!» for Hara-Kiri, reprinted in 1974 in «Charlie».
For five years, he dedicated himself to the theater and to television before returning to comic strips with «Rock Dreams», in 1973. In 1980, he designed the poster for Wim Wenders' film on the death of Nicholas Ray, «Nick's Movie, lightning over water». Then in 1981, he designed the strips that Claude Ventura filmed for the trailer of the Antenne 2 show «Cinéma-Cinémas». In 1988, he showed a series of «American portraits», painted between 1974 and 1986, at the National Center of Photography in Paris.

1980

Générique de l'émission « Cinéma-Cinémas » pour Antenne 2, 1983.
Document Télé-Europe Cinéma-Cinémas.

Michel

QUAREZ

Né à Damas en 1938. Études de graphisme à l'ENSAD. Il part ensuite à Varsovie poursuivre sa formation dans l'atelier de Henryk Tomaszewski (1961-1962). En 1964, il entre comme directeur artistique à l'agence de publicité Snip à Paris. Puis, il séjourne à New York en 1966 où il travaille en « free lance ».
Il revient à Paris en 1967 et devient illustrateur indépendant pour des revues *(L'Expansion, Elle, La Nouvelle Critique, Le Nouvel Économiste, 7/7),* des agences publicitaires, ou des éditeurs (PUF, 1981).

Born in Damascus in 1938. He studied graphics at the ENSAD, then went to Warsaw to complete his training in the workshop of Henryk Tomaszewski (1961-62). In 1964, he became an art director at the Snep advertising agency in Paris, but decided to go to New York and work on a freelance basis in 1966.
After returning to Paris in 1967, he became a freelance illustrator for different publications (L'Expansion, Elle, La Nouvelle Critique, Le Nouvel Economiste, 7/7), *advertising agencies and publishers (PUF, 1981).*

196O

Bande dessinée pour la campagne Citroën, 1967.
Document Michel Quarez.

1980

Affiche pour la Journée de la Poésie, réalisée avec Michel Gaumitz sur Graph 8, 1985.
Document APCI/Ralph Delval.

Raymond SAVIGNAC

Né en 1907. Débute comme dessinateur-calqueur à la Compagnie des transports parisiens en 1922. En 1924, il entre chez Lortac comme concepteur de dessins publicitaires. Assistant de Cassandre, dans les années 30, il conçoit ses premières affiches. Son sens du gag s'aiguise en voyant les films de Chaplin et de Keaton. L'affiche « Monsavon », qu'il présente en 1949 à une exposition commune avec Villemot, lui apporte le succès.
Il crée dès lors de nombreuses affiches pour des sociétés (Perrier, Verigoud, Bic, Frigéco, Maggi, Citroën), des entreprises publiques (SNCF, Air France, RATP, Régie française des tabacs), des films et des manifestations culturelles. En 1964, il obtient le Grand Prix Martini pour l'affiche « Vite Aspro ». Il conçoit le décor et les costumes de *L'Avare* à la Comédie française en 1969. Il publie son autobiographie en 1975 et *Savignac de A à Z* en 1987.

Born in 1907. He started out as a tracer-sketcher at the Compagnie des transports parisiens in 1922. Two years later, he joined Lortac as an idea-man for advertising drawings. As Cassandre's assistant, he created his first posters in the 30s. His comic sense was strongly inspired by the films of Chaplin and Keaton. The «Monsavon» poster, which he presented in 1949 at a joint exhibit with Villemot, was very successfull.
From then on, he created many posters for companies (Perrier, Verigoud, Bic, Frigéco, Maggi, Citroën), public utilities (SNCF, Air France, RATP, Régie française des tabacs), films and cultural events. In 1964, he won the Martini Prize for the «Vite Aspro» poster. He also conceived the decor and costumes for L'Avare *at the Comédie-Française in 1969. He published his autobiography in 1975 and* Savignac de A à Z *in 1987.*

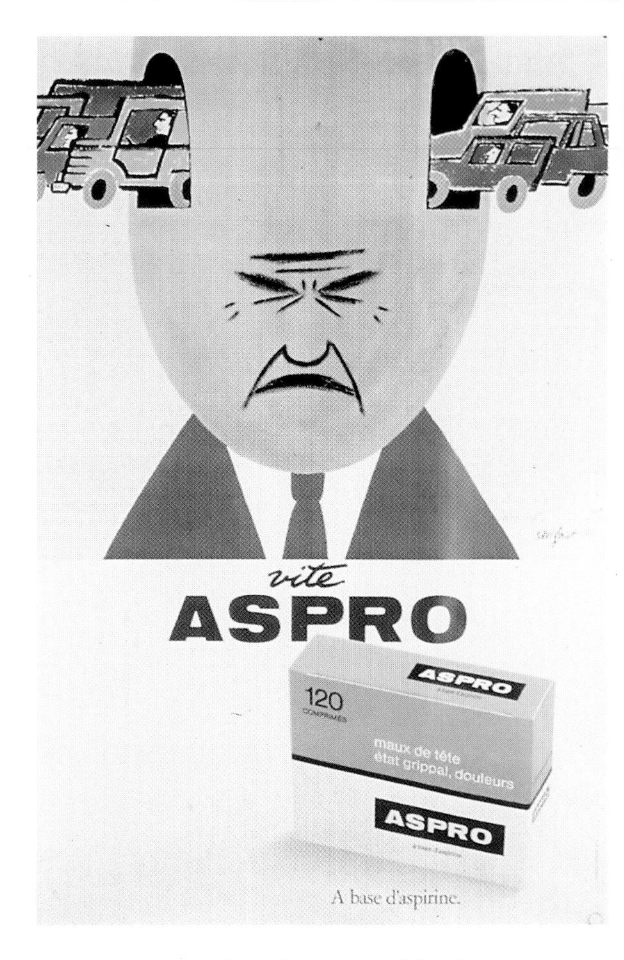

1960

Campagne publicitaire pour l'aspirine « Aspro », 1964.
Document musée de la Publicité, Paris.

Campagne publicitaire pour Citroën, 1981.
Document APCI.

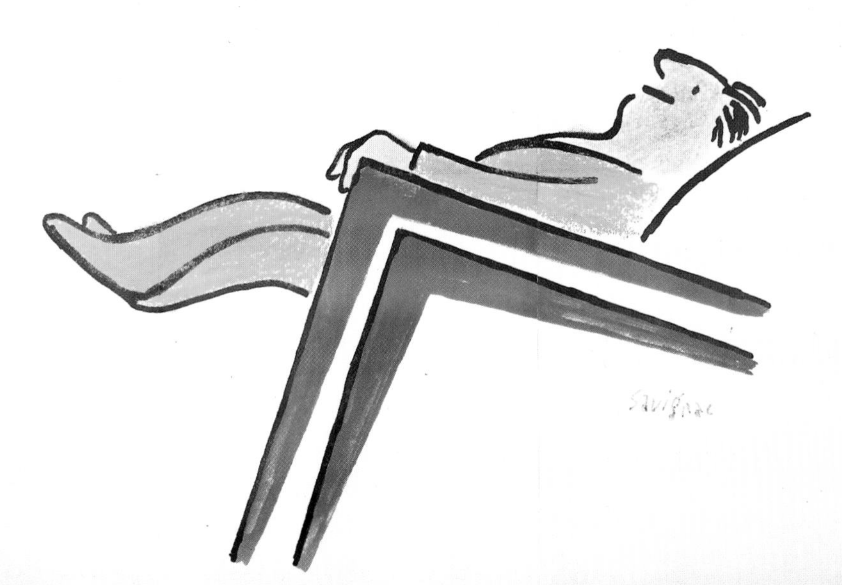
1981: en avant le confort.
En avant Citroën!

Roland

TOPOR

1960

Illustration pour *Opus International,* 1968.
Document R. Topor.

Né en 1938. Études à l'École nationale des beaux-arts à Paris de 1955 à 1964. Ses premiers dessins paraissent en 1958 dans *Bizarre* (J.-J. Pauvert).
Il publie *Les Masochistes* aux éditions Le Terrain vague, en 1960. C'est le début d'une œuvre abondante de textes, de dessins, d'illustrations d'œuvres de Tolstoï, Ferlinghetti, Arrabal, Marcel Aymé, Perrault, etc. Au début des années 60, il fonde le mouvement Panique avec Arrabal et Jodorowski. Il collabore à *Hara-kiri* de 1964 à 1968. En 1964, il publie *Le Locataire chimérique* porté à l'écran par Polanski (The Tenant). Il réalise des films d'animation dont *La Planète sauvage,* prix du Festival de Cannes en 1972. Il apparaît dans des films *(Qui êtes-vous Polly Magoo ?, Nosferatu le fantôme de la nuit),* écrit des scénarios (« Les malheurs d'Alfred », « La maladie de Hambourg », « La galette du roi »), réalise des affiches (« L'empire de la passion »), conçoit le générique de *Viva la muerte* d'Arrabal. En 1978, sa pièce *Vinci avait raison,* fait scandale.
En 1980, il obtient le Prix Honoré et réalise des affiches pour Amnesty International. Il réalise des séries d'émissions pour enfants pour la télévision, « Télé chat » et « Merci Bernard ». En 1986, exposition rétrospective aux Beaux-Arts et ouvrage chez Albin Michel. Il vient de publier *Taxi Stories* et *L'Équation du bonheur,* avec Henri Rubinstein (1987).

Born in 1938, he studied at the École nationale des beaux-arts in Paris from 1955 to 1964. His first drawings were published in 1958 in «Bizarre» (J.J. Pauvert). Then, he published «Les Masochistes» with Le Terrain Vague publishing house in 1960. It was the beginning of a very important opus of texts, or drawings and illustrations to go along with the works of Tolstoï, Ferlinghetti, Arrabal, Marcel Aymé, Perrault, etc. At the beginning of the 60s, he founded the Panique movement with Arrabal and Jodorowski. He collaborated to «Hara-Kiri» magazine from 1964 to 1968. In 1964, he published the «Locataire chimérique», which Polanski turned into a film («The Tenant»). He directed a number of animated films, such as «The Wild Planet», which won a prize at the 1972 Cannes Film Festival. He also played some film parts («Who are you Polly-Magoo?», «Nosferatu»), wrote some scripts («les Malheurs d'Alfred», «La Maladie de Hambourg», «La Galette du roi»), designed some posters («L'Empire de la Passion»), the credits of «Viva la Muerte» by Arrabal. In 1978, his play «Vinci avait raison» was considered quite scandalous.
He produced a number of children's television shows, «Télé Chat» and «Merci Bernard». In 1986, the Beaux-Arts organized a big retrospective exhibit and Albin Michel published a book about him. He has just published «Taxi Stories» and «L'Equation du bonheur» with Henri Rubenstein (1987).

7/68

opus INTERNATIONAL

7,50 F

7

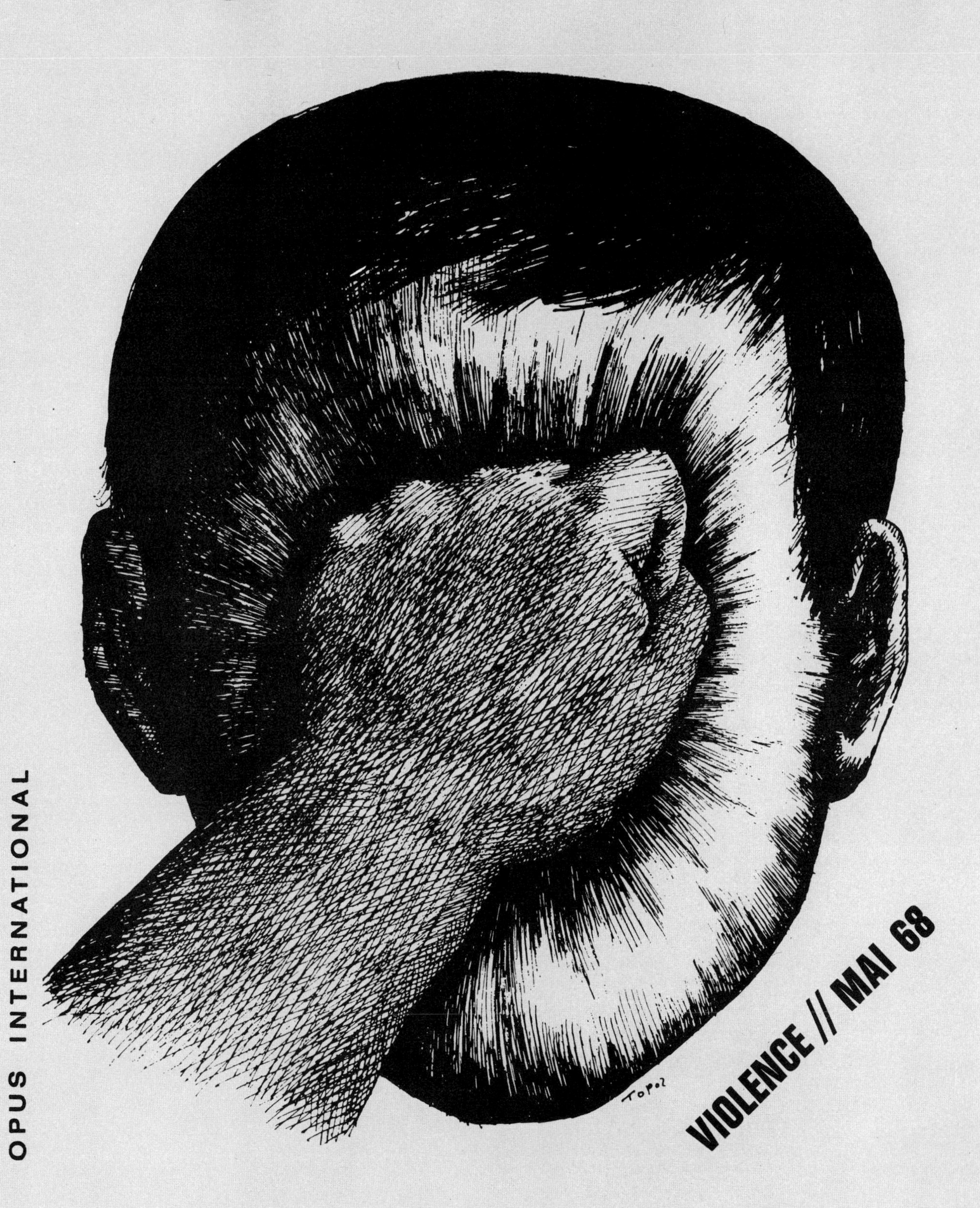

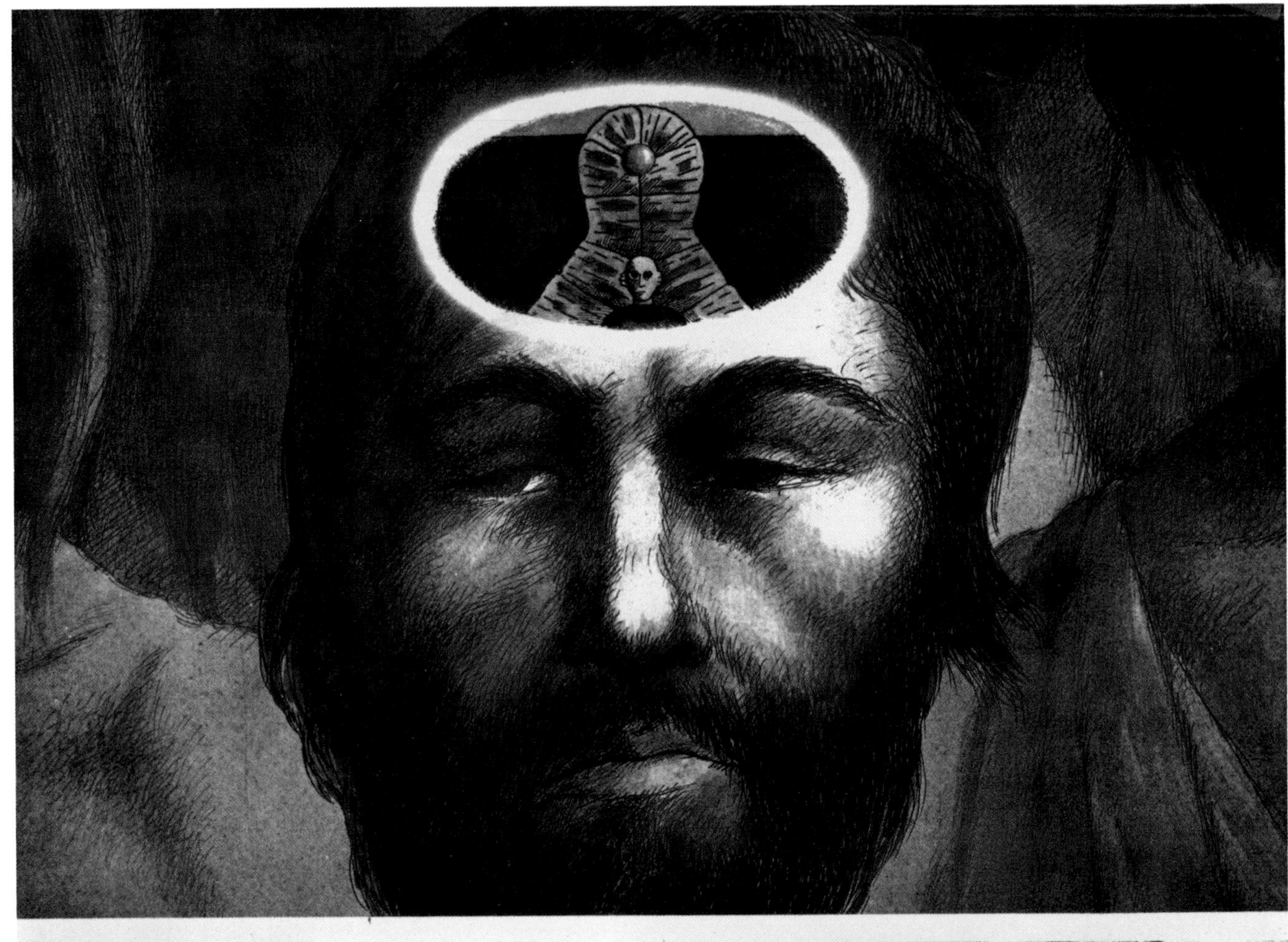

« La planète sauvage », 1973. Dessin animé long métrage. Prix spécial du Festival international du Film (Cannes, 1973).
Document R. Topor.

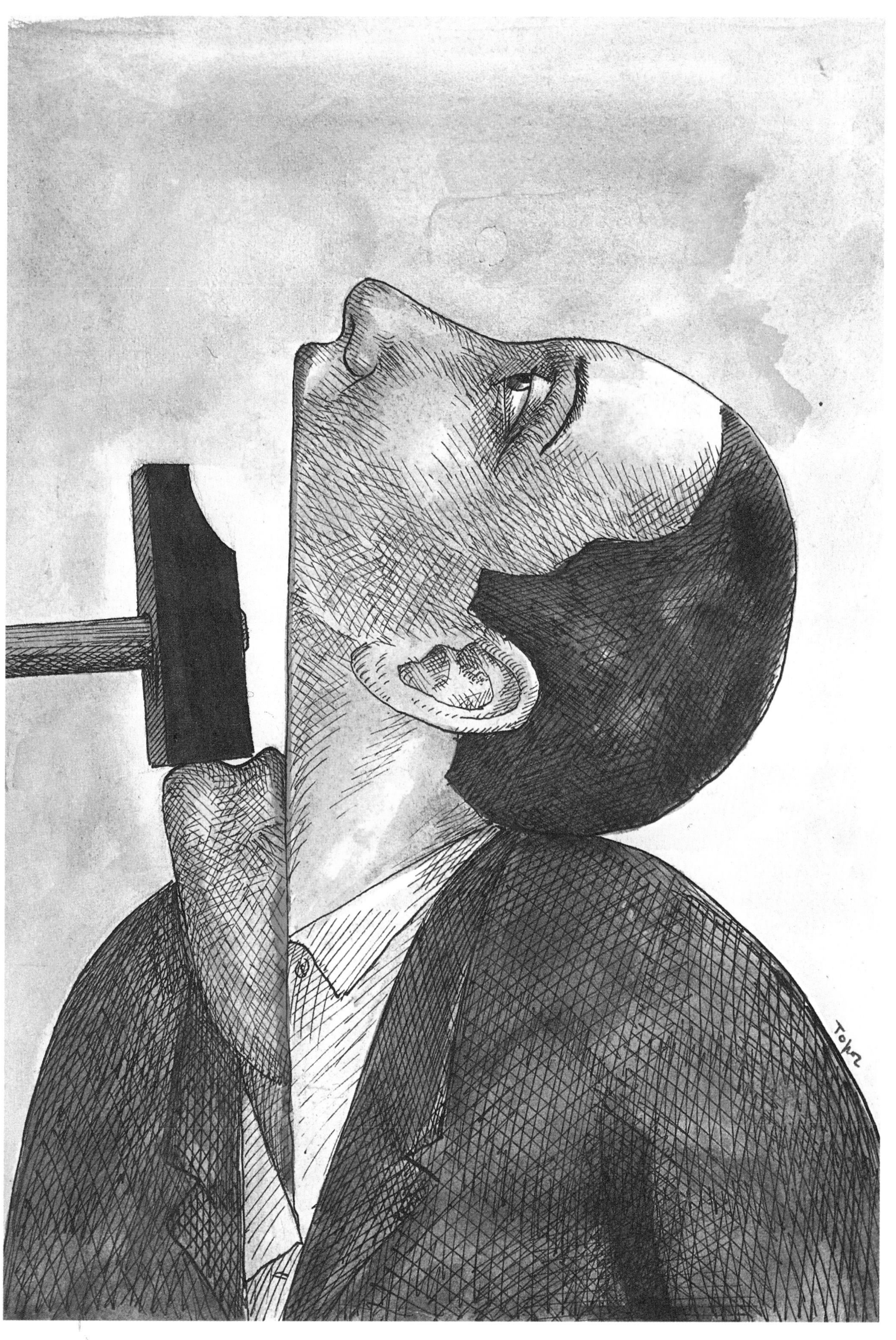

Affiche pour Amnesty International,
1977.
Document CCI / Planchet.

Bernard VILLEMOT

Né en 1911. Cours à l'Académie Julian puis à l'École Paul Colin de 1932 à 1934. Il fonde ensuite l'Atelier à Paris.

Dans les années 30, il conçoit des affiches de cinéma et participe à l'Exposition de 1937. Puis, dans les années 40, il réalise des affiches d'intérêt collectif : la première affiche Perrier en 1954 ; en 1968, l'affiche Bally reçoit la médaille d'or du Grand Prix Martini. Dans les années 70, il réalise des affiches pour Bally, Vichy Saint-Yorre, la SNCF, Orangina, Perrier.

En 1972, il organise l'exposition « Têtes d'affiches » à l'Hôtel de la Monnaie à Paris. Les années 80 seront celles de la consécration. Ses affiches, d'inspiration presque exclusivement féminine, figurent régulièrement au palmarès du Grand Prix de l'Affiche française (Perrier, Bally, Orangina). En 1981, une grande exposition rétrospective lui est consacrée à la Bibliothèque nationale. En 1984, il se présente à la section peinture de l'Académie des beaux-arts.

Born in 1911. First follows classes at the Académie Julian and later at the École Paul Colin from 1932 to 1934. Soon after he sets up the Atelier in Paris.

During the 30s, he designs posters for cinema and takes part in the 1937 World Fair in Paris. In the 40s, his posters are mainly for public bodies. His first Perrier poster comes out in 1954 and, in 1968, his poster for Bally earns him the Grand Prix Martini gold medal. In the 70s his clients include Bally, Vichy Saint-Yorre, the SNCF, Orangina and Perrier.

He organizes in 1972 « Têtes d'affiches », an exhibition at the Mint in Paris. By the 80s his work is widely celebrated and his posters, which are almost exclusively woman-inspired, feature among the prize-winners of the Grand Prix de l'Affiche française (Perrier, Bally, Orangina). In 1981, a major retrospective of his work is shown at the Bibliothèque nationale. In 1984, he enrols in the painting department of the Académie des beaux-arts.

1970

Affiche pour Orangina, 1970.
Document APCI / Ralph Delval.

Affiche pour les chaussures Bally, 1973.
Document Bernard Villemot.

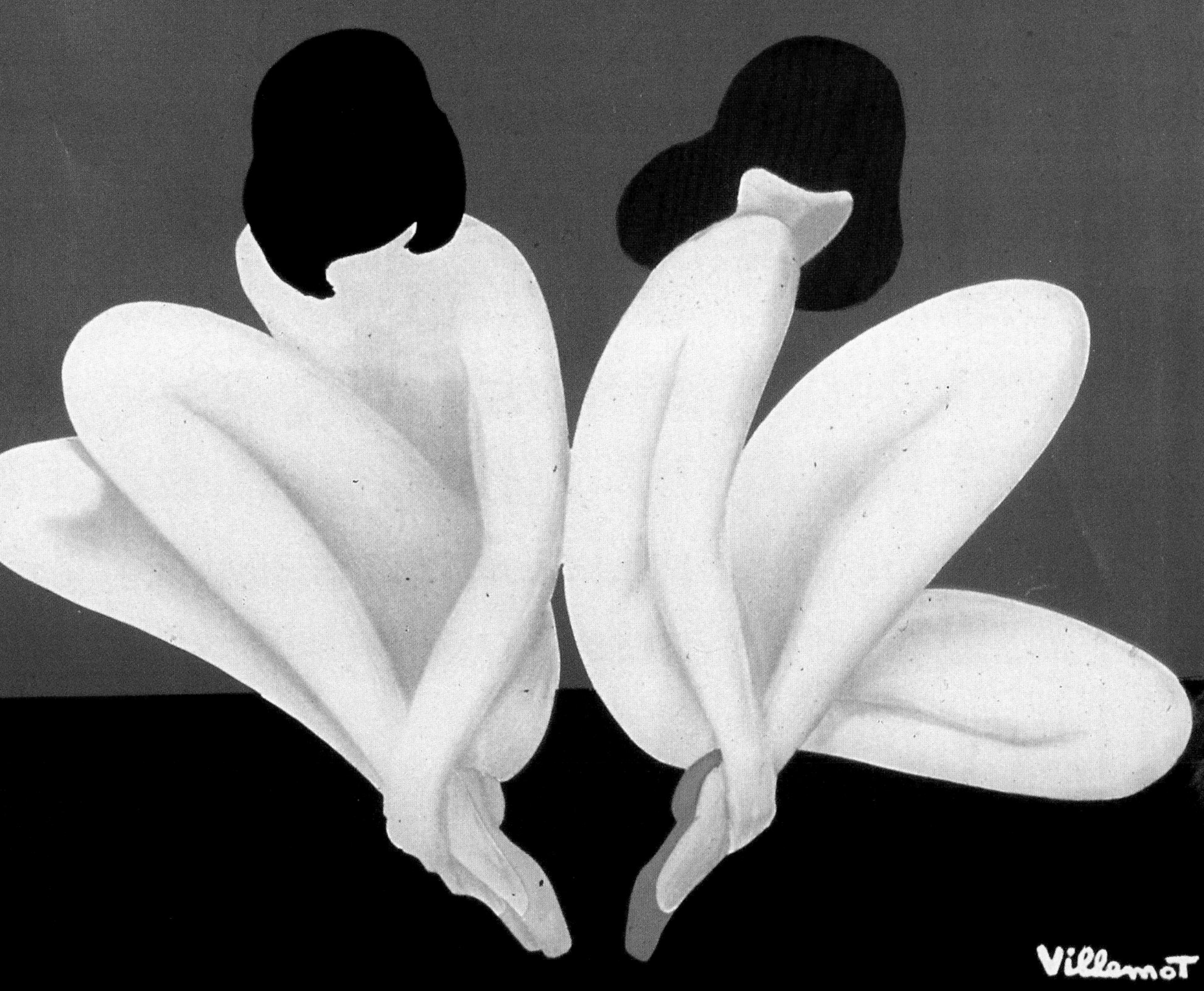
BALLY
Villemot

Jean WIDMER

Né en Suisse en 1929, il est élève de Johannes Itten à la Kunstgewerbeschule de Zurich de 1945 à 1950. En 1952, études à l'École nationale des beaux-arts de Paris. De 1955 à 1970, il est directeur artistique de l'agence de publicité SNIP, des Galeries Lafayette puis du *Jardin des Modes.* Il devient professeur à l'ENSAD en 1970 et crée son agence : Visuel Design. De 1970 à 1974, il est chargé de l'image de marque du Centre de création industrielle (logo, affiches). Spécialisé dans l'identité visuelle des musées, il remporte plusieurs concours : Centre Georges Pompidou (1974-1975), musée national d'Art moderne et CCI (1985-1987), musée d'Orsay avec Bruno Monguzzi (1983-1987). Il conçoit la signalétique du château de Versailles, du musée du Louvre.
De 1970 à 1982, il élabore un concept d'animation touristique sur les autoroutes et entreprend une recherche sur un nouveau système réglementaire de signalisation nationale. Récemment, il conçoit l'identité visuelle de ASF, Autoroutes du Sud de la France, de la Macif, du Théâtre de la Colline et de l'Institut du monde arabe.

Born in Switzerland in 1929, he studied with Johannes Itten at the Kunstgewerbeschule in Zürich from 1945 to 1950. In 1952, he took courses at the École nationale des beaux-arts in Paris. From 1955 to 1970, he was art director for the SNIP advertising agency, the Galeries Lafayette and Jardin des Modes *magazine. He became a teacher at the ENSAD in 1970 and created his own agency: Visuel Design. From 1970 to 1974, he was in charge of the corporate image of the Centre de création industrielle (logos, posters). Specialized in the visual identity of museums, he won several contests: Centre Georges Pompidou (1974-75), Musée national d'art moderne and CCI (1985-87), Musée d'Orsay with Bruno Monguzzi (1983-87). He conceived all the sign systems for the Château de Versailles and the Louvre Museum.*
From 1970 to 1982, he imagined a concept of touristic animation on the highways and began studying a new system for national road signs. Recently, he conceived the visual identity of the AST (France's Southern Highways), the Macif company, the Théâtre de la Colline and the Arab World Institute.

1969

Jean Widmer, affiche pour le Centre de Création Industrielle (CCI), 1969-1972.
Document Jean Widmer

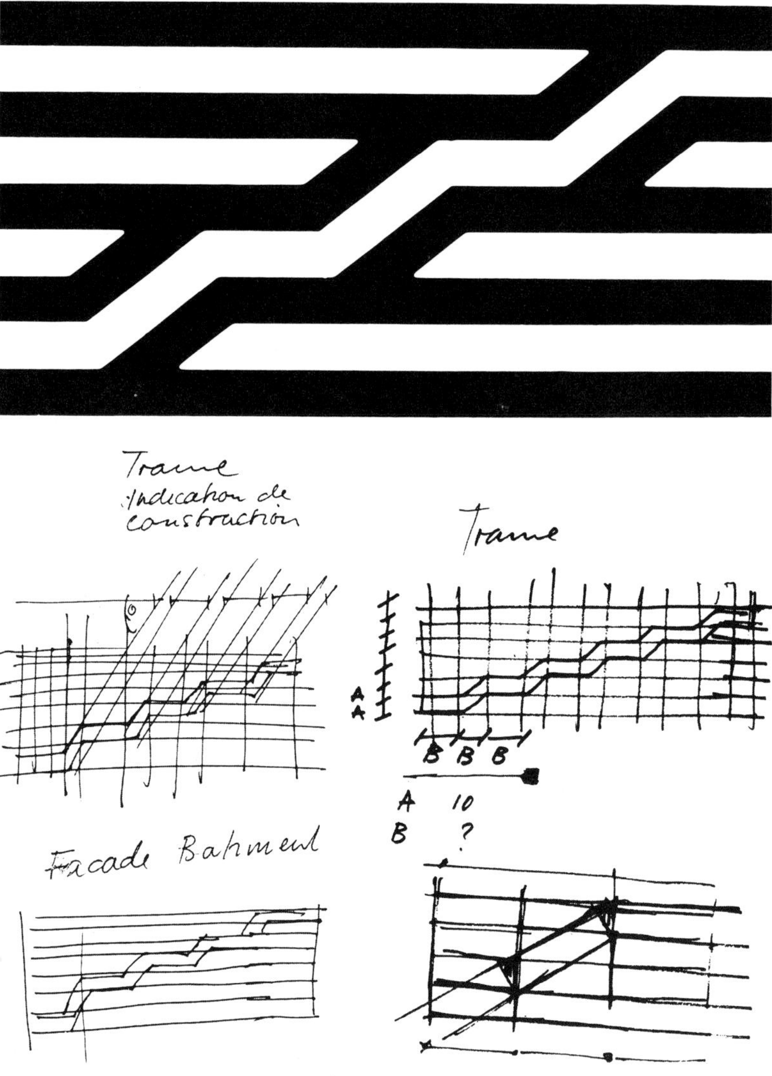

1970

Jean Widmer/Ernst Hiestand, identité graphique du Centre National d'Art et de Culture Georges Pompidou (CNACGP), 1974.
Document Jean Widmer.

le design

Centre de création
industrielle

Joe C. Colombo
Charles Eames
Fritz Eichler
Verner Panton
Roger Tallon

Pavillon de Marsan
Palais du Louvre
107 rue de Rivoli Paris
24 oct. – 31 déc. 69
Entrée gratuite

widmer

jean widmer
bienvenue
sur l'autoroute

Jean Widmer, signalisation culturelle pour les autoroutes du Sud de la France (ASF), 1973.
Document Jean Widmer.

Jean Widmer, affiches pour le Centre de Création Industrielle (CCI), 1969-75.
Document Jean Widmer.

la rue
centre de création industrielle
l'espace collectif, ses signes et son mobilier
halles de baltard
pavillon 10 paris 1
rez-de-chaussee
3 dec. 70 – 31 janv. 71

couleur
centre beaubourg
centre de création industrielle
andré lemonnier
8 janvier - 24 mars 75
entrée gratuite
pavillon de marsan
palais du louvre
107 rue de rivoli paris 1
jaune
orange
rouge
violet
bleu
vert

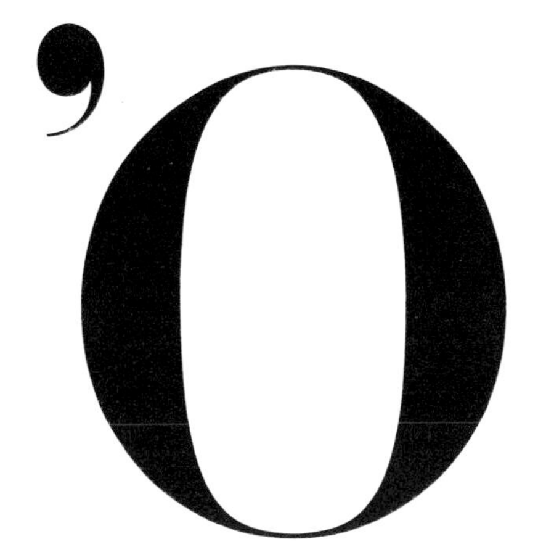

1980

Jean Widmer, image graphique du musée d'Orsay, 1983-87.
Document Jean Widmer.

Jean-Louis

BARRAULT

Né en 1938. Il commence sa carrière à la CEI-Raymond Loewy après des études à l'École nationale supérieure des beaux-arts. En 1963, il fonde sa propre agence et entreprend une collaboration avec Moulinex qui dure depuis 25 ans. Autres réalisations : une ligne de cuisinières Chappée de 1964 à 1970, la Méhari Citroën (1967), les logos du Gaz de France (1969) et de la Loterie nationale (1972), les valises Delsey (1971), les briquets et présentoirs Silver Match (1972), les bidons Uniflo Esso (1972), etc. Nombreux prix, en particulier pour ses produits Moulinex : 1966, prix de la « British Home Exhibition » ; 1972, médailles d'or et de bronze de la SEAI ; 1974 et 1978, Labels français d'esthétique industrielle ; 1983, Oscar du design pour son mini-four. En matière de packaging, BARRAULT SA remporte deux Oscars de l'emballage en 1984 pour le bidon « Shell Puissance 7 » et la salière « Solsel » ainsi qu'un Oscar du design en 1985 pour un autre bidon Shell.
Parallèlement à son travail de concepteur, il a pris une part active à l'organisation et à la défense de sa profession. Il a été président de l'UFDI de 1986 à 1987.
Aujourd'hui, BARRAULT SA a pour activité le design de produit, le design prospectif et la signalétique. Elle travaille à 70 % avec l'étranger (Berkel depuis 21 ans, Prestige Group, Shell) et a créé une filiale américaine, BARRAULT Inc.

Born in 1938. His career began with the CEI-Raymond Loewy after studying at the École nationale supérieure des beaux-arts. In 1963, he creates his own design office and begins a long collaboration with Moulinex which has lasted more than 25 years. Other works include: a range of cookers for Chappée between 1964 and 1970, Citroën's Méhari in 1967, logotypes for Gaz de France (1969) and the Loterie nationale (1972), Silver Match lighters and display stands (1972) Uniflo Esso oil containers...
He has received numerous awards, particularly for his Moulinex products: «British Home Exhibition» award (1966); Gold and Bronze SEAI medals; the Label français d'esthétique industrielle in 1974 and 1978; Oscar du design in 1983 for his mini-oven. In the field of packaging, Barrault SA (Ltd) received two Oscars de l'emballage in 1984 for their «Shell Puissance 7» container and «Solsel» salt dispensor. Another container for Shell won them a further Oscar du design the following year.
Alongside his own design activities, he has taken an active part in the organisation and promotion of his profession and was President of UFDI from 1986 to 1987.
Barrault SA's principal activities today are in the areas of product design, prospective design and signage. 70 % of their work being for foreign clients such as Shell, the Prestige Group and Berkel (for 21 years), an American subsidiary, Barrault Inc., was created.

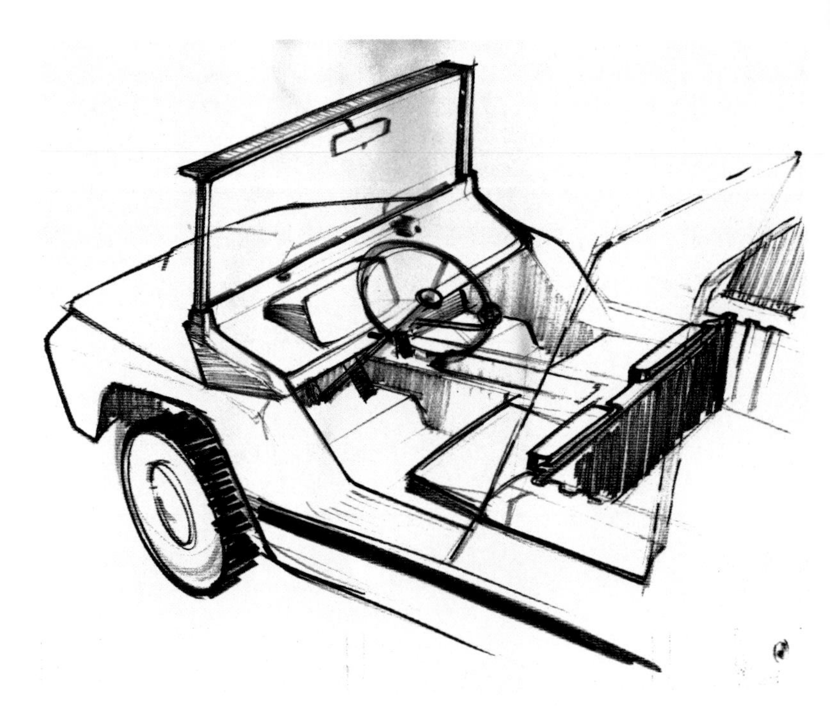

1960

Jean-Louis Barrault/SEAB, Méhari, 1968. Premier véhicule à coque plastique. (Fabricant : Citroën).
Document J.-L. Barrault.

1980

Jean-Louis Barrault,mini-four Moulinex, 1982. Four domestique d'appoint.
Document J.-L. Barrault.

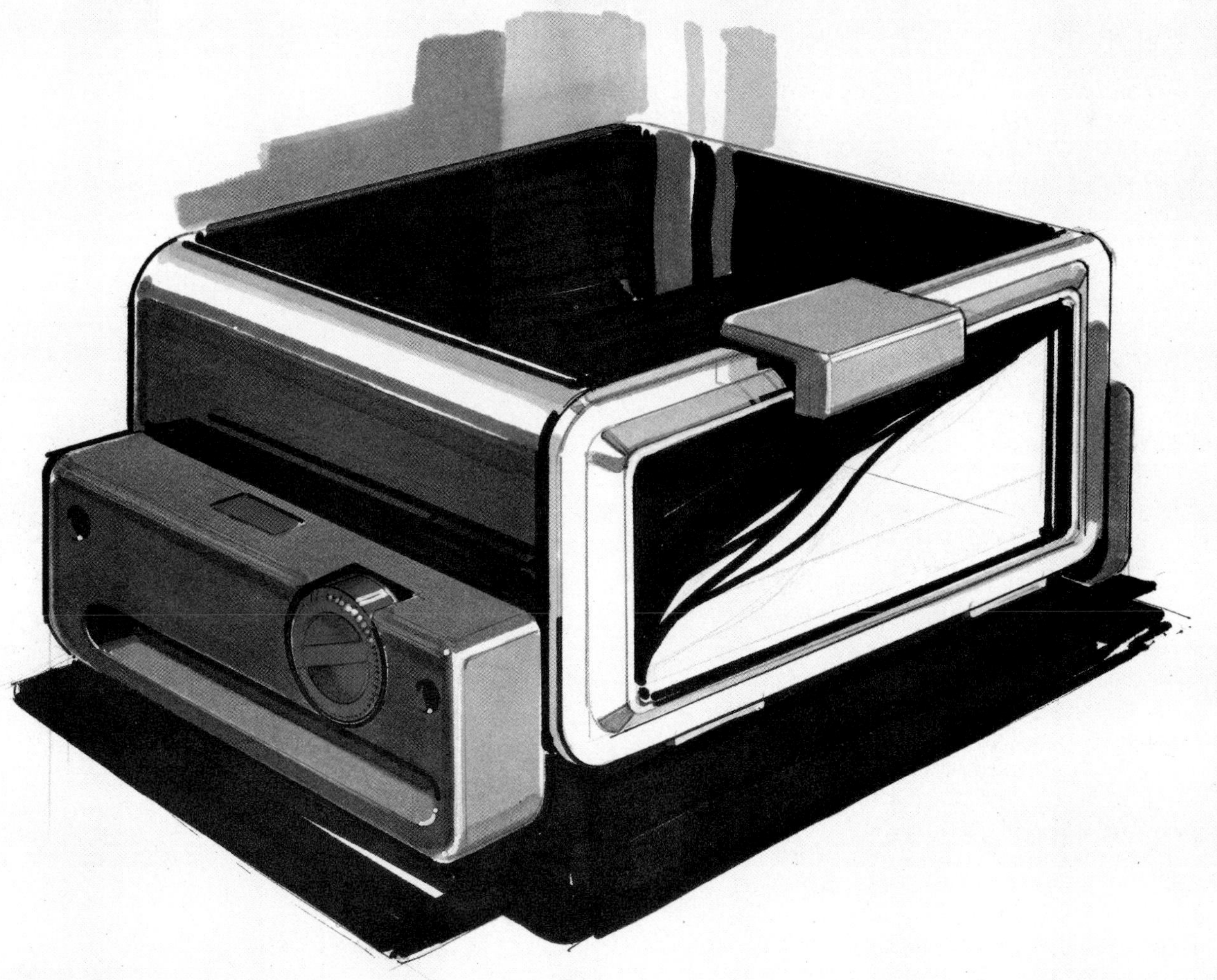

Martine

BEDIN

Née en 1957. Elle poursuit sa formation en Italie en 1978, après avoir obtenu son diplôme d'architecte à Paris. Elle collabore avec Superstudio puis Alchimia et entre, en 1981 dans le groupe Memphis à Milan. Dès 1982, elle crée des meubles, des luminaires et des accessoires pour différentes entreprises françaises et italiennes. Enseignante à l'École Camondo. Elle remporte en France plusieurs récompenses : le mitigeur « Skipper », sélectionné au concours Impex 1985, le 1er Prix du concours du Luminaire de bureau et Lampe d'Argent du Salon international du luminaire 1985 pour sa lampe « Gédéon » ainsi que le label VIA pour l'ensemble de sa collection de meubles. En 1986, elle devient directeur artistique du secteur Maison chez Hechter.
En 1987, elle conçoit une ligne de sacs-objets pour J. & F. Martell et une ligne de bagages pour Louis Vuitton. On lui confie également l'aménagement de la librairie de la Caisse des monuments historiques.

Born in 1957, she goes to further her apprenticeship in Italy in 1978 after qualifying as an architect in Paris. Works first with Superstudio, then Alchimia and in 1981 joins the Memphis Group in Milan. As early as 1982, she is designing furniture, lighting and various accessories for different French and Italian companies. She also teaches at the Camondo School in Paris.
In France, she has received a number of awards: «Skipper», a tap mixer, is selected at Impex in 1985, «Gédéon» a lamp, is awarded 1st prize for the Luminaire de bureau competition and the Lampe d'Argent at the 1985 Salon international du luminaire, and VIA recognises her furniture line by attributing her its own label. In 1986, she is appointed art director to Hechter's Home Department.
In 1987, she designs a range of bag-cum-objects on behalf of J & F Martell and a further range of luggage for Louis Vuitton. She is also redesigning the Caisse des monuments historiques' bookshop.

198C

« Gédéon », 1985. Lauréate du concours Lampe de bureau organisé par l'APCI et le ministère de la Culture. (Fabricant : Mégalit).
Document APCI.

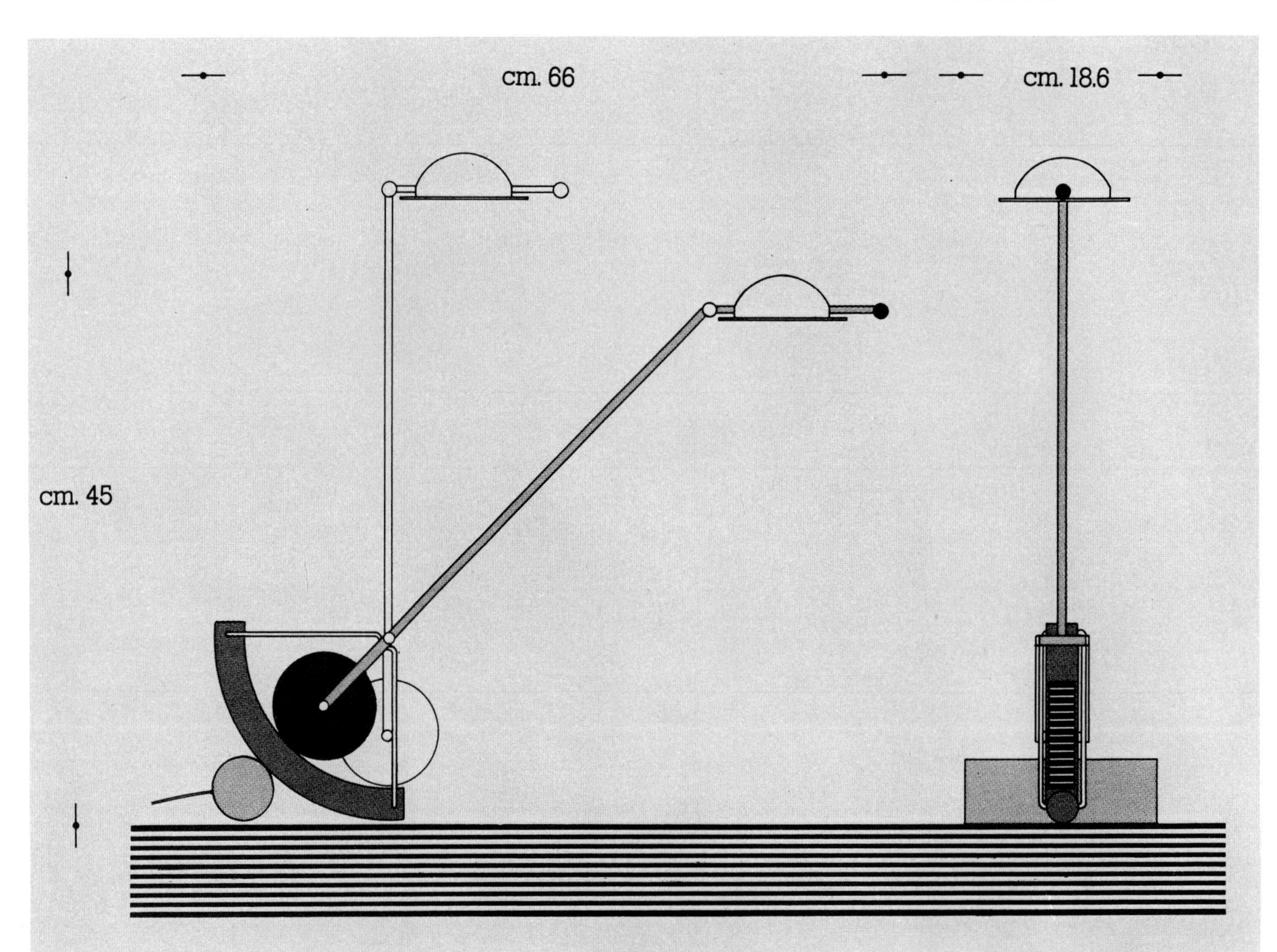

Skipper, 1985. Mitigeur conçu dans le cadre du concours IMPEX. (Fabricant: Jacob Delafon).
Document Claudie Adde R.P.

Marc BERTHIER

Né en 1935. Études à l'ENSAD de 1955 à 1959. En 1966, il travaille pour les Galeries Lafayette et crée le premier bureau de style intégré à un grand magasin. Il y organise des expositions pour populariser la création contemporaine ; « L'univers de la femme » en 1967, « Œil neuf sur la maison » et « Domus, formes italiennes » en 1968.
En 1970, il crée la collection de meubles en plastique, « OZOO », diffusée par Roche-Bobois. Puis il se tourne vers l'Italie et collabore avec Magisla Italarredo. Il entreprend également des recherches dans le domaine des techniques avancées aux États-Unis, chez Knoll.
En 1973, avec Daniel Pigeon et les architectes du groupe ED, il remporte le concours pour le réaménagement du drugstore des Champs-Élysées et en 1974, le concours de Mobilier scolaire qu'il présente avec Daniel Pigeon.
Actuellement, il enseigne à l'École nationale supérieure de création industrielle. En 1985, sa série de lampe « Exécutive » (Holight) reçoit une mention au concours du Luminaire de bureau. Il obtient, pour l'ensemble de son œuvre, le Grand Prix national de la création industrielle en 1986.

Born in 1935. Studies at ENSAD from 1955 to 1959. In 1966, working for the Galeries Lafayette, he creates the first in-house design studio in a department store. He organises a number of exhibitions aimed to promote and popularise contemporary design: «L'univers de la femme» (1967), «Œil neuf sur la maison», and «Domus, formes italiennes» (1968).
In 1970, he designs «OZOO», a range of plastic furniture marketed by Roche-Bobois, before turning to Italy where he collaborates with Magisla Italarredo. He has also researched in the field of advanced technologies with Knoll in the U.S.
In 1973, in association with Daniel Pigeon and architects from ED, he wins the competition to redesign the Champs-Élysées Drugstore, and in 1974 the school furniture competition (again with Daniel Pigeon).
Currently he teaches at the École nationale supérieure de création industrielle. In 1985, his «Executive» lamp for Holight receives a citation at the concours du Luminaire de bureau, and in overall recognition for his work he is awarded, in 1986, the Grand Prix national de la création industrielle.

1970

Minidesk « OZOO 700 », 1970. Bureaux de maternelle empilables. (Diffuseur : OZOO International et DAN).
Document Marc Berthier.

1980

« Magi's chair », 1985. Chaise conçue avec la CAO pour le travail informatique. (Éditeur : Magis).
Document Marc Berthier.

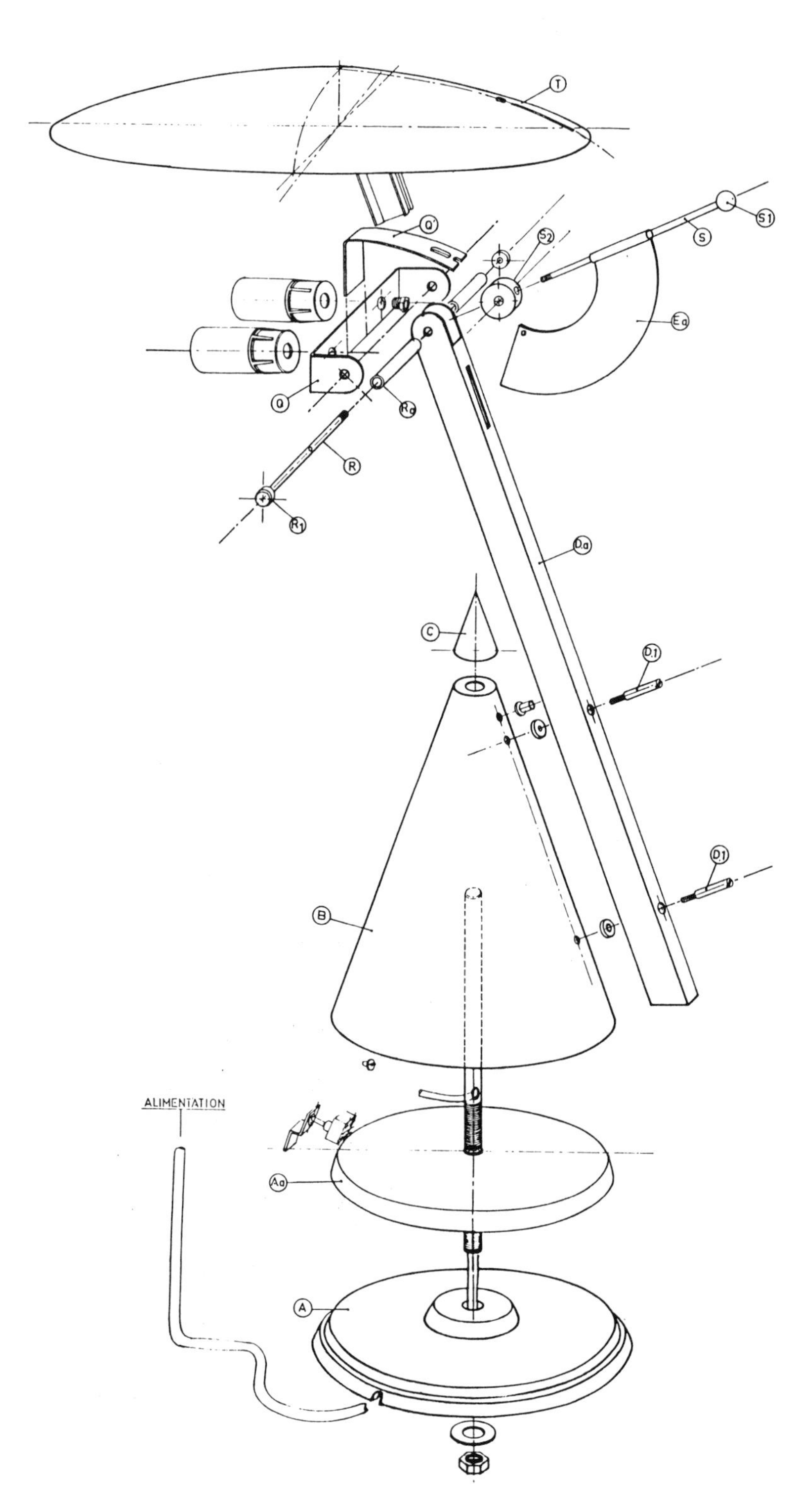

Lampe « Moebia », 1985. (Diffuseur : Holight).
Document Marc Berthier.

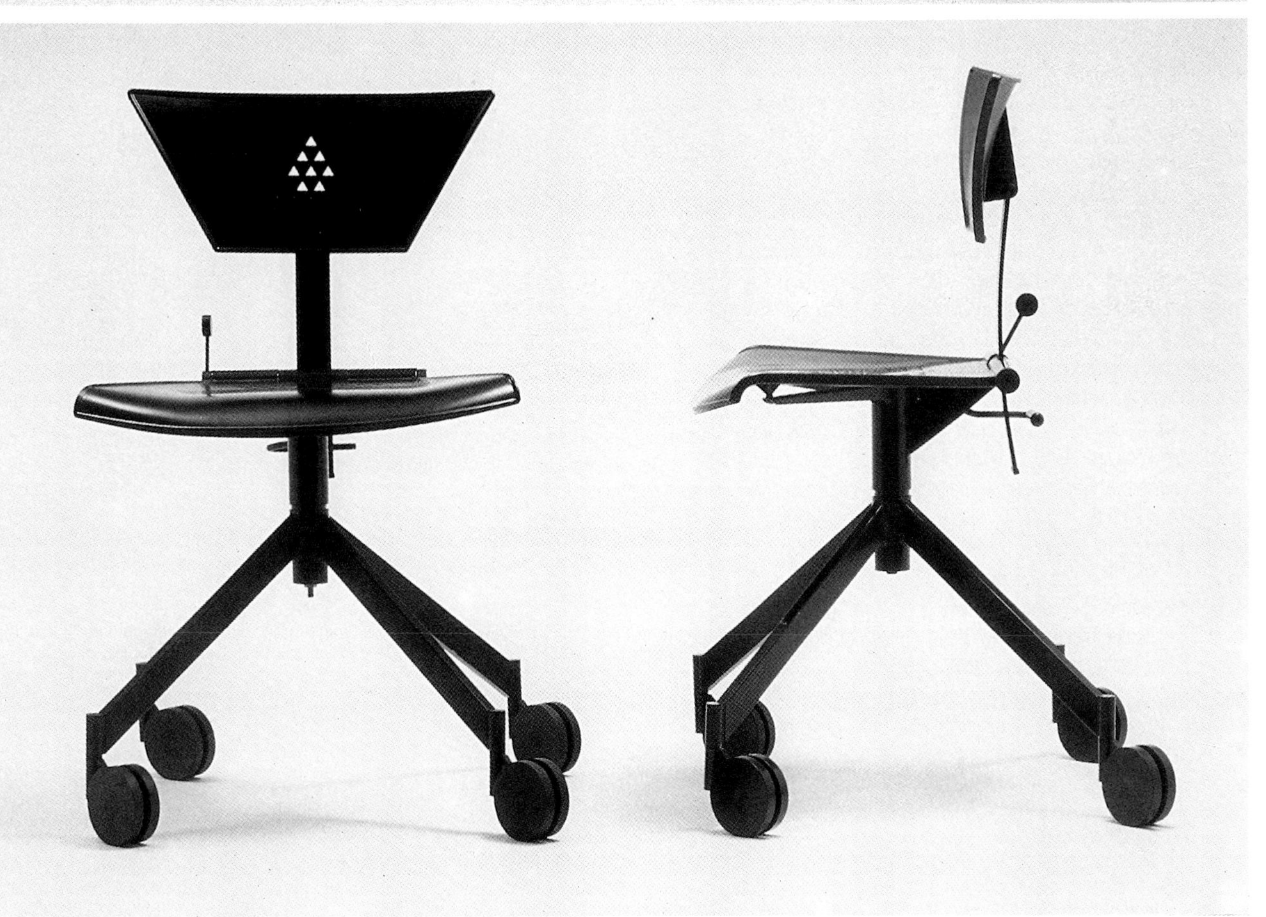

Guy
BOUCHER

Né en 1935. Études à l'École des métiers d'art, au cours supérieur d'Esthétique industrielle en 1959, et au Conservatoire des arts et métiers avec Jean Prouvé. De 1962 à 1967, il est directeur du département Recherches de formes chez Harold Barnett et fonde sa propre agence en 1968.
Depuis lors, il collabore avec Télémécanique pour la conception de produits qui ont reçu plusieurs fois le Label français d'esthétique industrielle. Il crée le boîtier de lampe de poche « BCP Leclanché » pour Saft Mazda (1971), un dévidoir de ruban adhésif pour Novacel (Label 1973), des lunettes de ski pour Arpa Vision (Label 1975), etc. En 1986, il obtient deux Janus de l'Industrie pour une machine à polir le granit et le marbre et une machine de pose de sleeve.
Il reçoit en 1969 le 1er Prix du Meilleur Design européen pour Tétrapak. Ses créations reçoivent à plusieurs reprises le Label français d'esthétique industrielle : ligne de conditionnement pour les produits de beauté des Nouvelles Galeries en 1970, jerrican d'essence en 1971, une bouteille pour la Verrerie ouvrière d'Albi en 1972.
Il crée en 1968 un service de verres pour Duralex-Saint-Gobain et, en 1983, un service pour Daum. En 1986, son service de vaisselle est retenu par le jury de la consultation sur les Arts de la table à destination des collectivités, organisée par l'APCI.

Born in 1935. Attended the advanced class of industrial design at the Ecole des métiers d'art in 1959 and Jean Prouvé's lectures at the Conservatoire national des arts et métiers. From 1962 through 1967, heads Harold Barnett's department of research into form before setting up his own agency in 1968.
Since then he has worked with Télémécanique on the design of their products, many of which received the Label français d'esthétique industrielle. He designed the body of the «BCP Leclanché» hand-torch for Saft Mazda in 1971, an adhesive tape dispensor for Novacel (Label 1973), ski goggles for Arpa Vision (Label 1975), etc. In 1986, he was twice awarded a Janus de l'Industrie, one for a granite and marble polishing machine and another for a sleeving machine.
In 1969 his Tétrapak packaging earns him a first prize for best European design. His designs are frequently awarded the Label français d'esthétique industrielle, namely for a range of packaging for cosmetics sold at the Nouvelles Galeries (1970), a petrol jerrycan (1971), a bottle on behalf of the Verrerie ouvrière in Albi (1972). In 1968, he designs a set of glasses for Duralex-Saint-Gobain and in 1983 a further set for Daum. In 1986, his ceramic plates are selected by the jury of the tableware for public establishments competition organized by the APCI.

« Saft B 12 », 1971. Première lampe de poche fabriquée en polypropylène monobloc, incassable et indéformable. (Fabricant : Mazda Éclairage).
Document APCI.

1980

Plateau-repas lauréat de la consultation « Les arts de la table pour collectivités » organisée en 1985 par l'APCI, 1988. (Fabricant : Deshoulières Apilco / Tarrerias Bonjean / Melform).
Document APCI.

193

CANAL

L'atelier d'architecture CANAL est dirigé par trois jeunes architectes, tous nés dans les années 50. Patrick et Daniel Rubin, Annie Le Bot. Patrick Rubin, formé à l'École Camondo, se lance dans l'architecture intérieure, le colorisme et les animations urbaines dans les années 70. En 1978, Daniel Rubin, diplômé d'UP5, le rejoint. En 1981, il font appel à Annie Le Bot qui est l'élève de Patrick Rubin à Camondo, pour le chantier d'*Actuel* terminé en 1983. Puis, à la suite de concours, ils sont choisis pour l'aménagement du Centre national des lettres (1984) et de la Bibliothèque Tolbiac (1985-1986). De 1985 à 1987, ils aménagent un salon privé du ministère de la Culture, le sous-sol du Palais du Festival à Cannes, les boutiques de Claude Montana à Paris, Tokyo, Osaka, Hong-Kong et Los Angeles, les nouveaux locaux de *Libération.*

The architectural firm CANAL is headed by three young architects, all born in the 50s: Patrick and Daniel Rubin, Annie Le Bot. Having studied at the Camondo School in Paris, Patrick Rubin ventured into interior design, color scheming and urban displays in the 70s. In 1978, Daniel Rubin, with his UP5 diploma, joined him. In 1981, they asked Annie Le Bot, who has been Patrick Rubin's student at Camondo, to team up with them for the construction of the Actuel building, finished in 1983. Then, having entered a contest, they were chosen to style the Centre national de lettres (1984) and the Tolbiac Library (1985-86). From 1985 to 1987 they did the decoration of a private reception room at the Ministry of Culture, the basement of the Film Festival building in Cannes, Claude Montana's shops in Paris, Tokyo, Osaka, Hong Kong and Los Angeles, as well as the new offices of Libération.

Aménagement du Salon d'attente du ministère de la Culture, 1984.
Document Stéphane Couturier.

Aménagement du Centre national des lettres, Paris, 1986.
Document Stéphane Couturier.

Alain
CARRÉ

Né en 1945. Études à l'ENSAD. En 1968, 1er Prix ex-aequo du Prix Jean Viénot et, un an plus tard, lauréat de la Fondation de la Vocation.
En 1970, il crée sa propre agence tout en assurant la direction du design chez Pierre Cardin de 1971 à 1976. Dans les années 70, il conçoit l'aménagement intérieur de magasins et de restaurants, le design graphique de Waterman, Setton, Bouygues, Verlande, Pierre Cardin, Flaminaire et Orangina, des emballages pour Orangina, Verlande, Gervillage, Rémy Martin, Ferembal, ainsi que des produits : stylos et montres Waterman, distributeurs automatiques pour le Crédit Agricole, etc.
En 1986, l'agence d'Alain Carré est l'une des quatre premières sociétés de design en France. Elle constitue un groupe de cinq sociétés qui couvrent tous les secteurs du design.
Dans les années 80, le groupe Alain Carré a réalisé des emballages pour Saint-Gobain Emballage, Ferembal, BSN Pharmacie, Mamie Nova, Waterman, Henkel (ligne « City »), la signalétique du siège social de Bouygues (Challenger), des magasins (FNAC Montpellier, Photo Fast, Photo Service, Cacharel, Lacoste, etc.), les sièges « Shogun » et « Mikado », des motos pour Suzuki et Kawasaki.
En 1987, il reçoit le SAD d'Argent pour la moto « Squale » (Suzuki).

Born in 1945. Studied at ENSAD. Shares the Prix Jean Viénot 1st Prize in 1968 and the following year is a prize-winner of the Fondation de la Vocation.
In 1970, he opens his own agency and heads Pierre Cardin's design department between 1971 and 1976. During the 70s, he styles a number of shops and restaurants, producing graphic designs for Waterman, Setton, Bouygues, Verlande, Pierre Cardin, Flaminaire and Orangina, packagings for Orangina, Verlande, Gervillage, Rémy Martin, Ferembal, including some products such as pens and watches for Waterman and automatic cash distributors for Crédit Agricole.
By 1986, Alain Carre's agency is ranked among the top four design companies in France. It is made up of five companies covering all areas of design.
In the 80s, the group designs packages for Saint-Gobain Emballage, Ferembal, BSN Pharmacie, Mamie Nova, Waterman, Henkel (the «City» line), signage for Bouygues head office (Challenger), and several shops including the F.N.A.C. in Montpellier, Photo Fast, Photo Service, Cacharel, Lacoste, etc. Also the «Shogun» and «Mikado» seats, and motorbikes for Suzuki and Kawasaki.
In 1987, he is awarded the SAD d'Argent for the «Squale» motorbike (Suzuki).

Esquisses du stylo « Forum », 1986-87. (Fabricant : Waterman).
Document A. Carré.

« Accelero Damper », 1986. Amortisseur de vibrations pour raquettes de tennis. (Fabricant : Lacoste).
Document A. Carré.

Flaconnage de l'eau de toilette pour homme, 1985. (Fabricant : Lacoste).
Document A. Carré.

« Squale », 1987-88. Maquette de la moto. (Fabricant : Suzuki).
Document A. Carré.

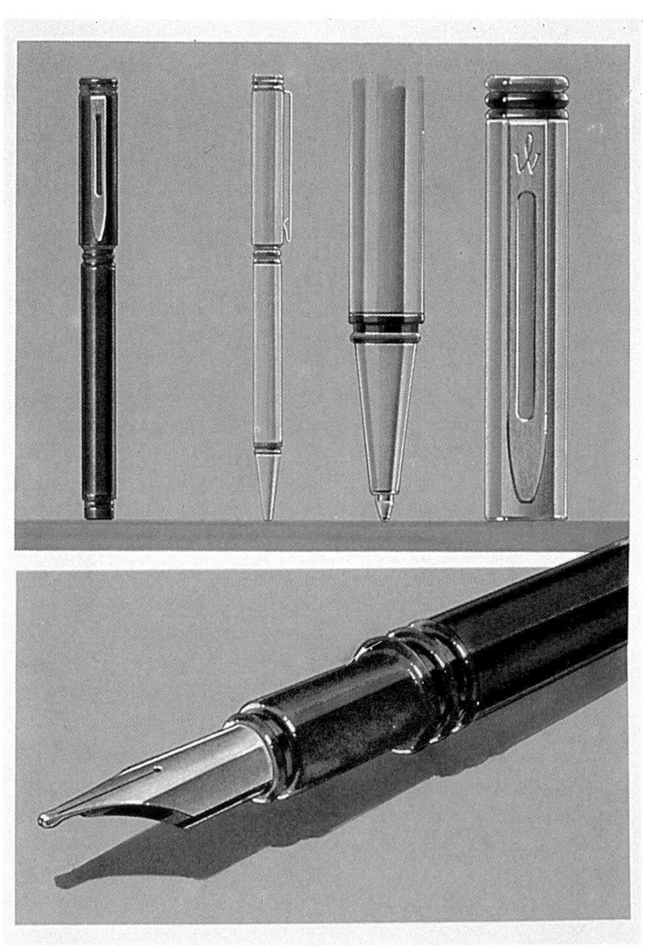

LACOSTE

197

SUZUKI SQUALE 1300 ADS. DESIGN ALAIN CARRE

Jean-Charles de

CASTELBAJAC

Né en 1949. Il suit des cours dans une école de gestion à Paris. Il revient à Limoges en 1968 et dessine une collection pour l'entreprise de confection familiale. Il lance la marque « Ko and Co » qui remporte un grand succès au Salon du prêt-à-porter féminin en 1969. Il devient l'assistant de Zia Pianco chez Pierre d'Alby où il découvre les matières brutes. En 1971, il travaille avec Kenzo et Chantal Thomass. Il entre alors dans le groupe des Créateurs industriels où il imagine l'emploi de matières détournées de leur usage initial (couvertures, serpillères, gaze médicale, raphia, toile de jute). Il s'intéresse également aux relations entre la mode et les arts plastiques. Ses finals de défilés se composent de robes-tableaux (Ben, di Rosa, Jean-Charles Blais).
En 1976, il ouvre des boutiques à Paris, Tokyo et New York. En 1978, il crée sa propre société à Paris et en 1979, lance son premier parfum « Première » suivi, en 1982, de « Jean-Charles ».
Il conçoit aussi des services de porcelaine, des meubles et des luminaires. Il est enseignant à la Hochschule für Angewandterkunst de Vienne. Il participe depuis 1987 à l'aménagement d'une zone industrielle près de Lyon comme consultant.

Born in 1949. Attends a business management course in Paris before returning to Limoges in 1968 to design a collection of clothes for the family firm. His «Ko and Co» label is an immediate success at the 1969 Ladies' Wear Show. He discovers natural materials and fabrics while working as Zia Pianco's assistant at Pierre d'Alby's. In 1971, he works with Kenzo and Chantal Thomass. He joins the Créateurs industriels and seeks to find new applications for existing material such as blankets, mops, medical gauze, raphia matting and jute. He is also interested in the relationship between fashion and the visual arts, and the finales of his shows are often made-up of dresses-cum-paintings (Ben, Di Rosa, Jean-Charles Blais).
In 1976, he opens boutiques in Paris, Tokyo and New York, sets up his own Paris company in 1979 and launches «Première», a perfume, to be followed up in 1982 with another, the «Jean-Charles».
He also designs porcelain tableware, furniture and lightings, teaches at the Hoschschule für Angewandterkunst in Vienna, and has been a consultant on the development of an industrial zone near Lyons since 1987.

1980

Housse de couette, 1982. Reprise d'un poème de Stéphane Mallarmé sur divers modèles de linge de maison. (Fabricant: Alpac.)
Document J.-Ch. de Castelbajac.

Robe-tableau cruciforme peinte par Ben Vautier, 1984-85.
Document Gamma / Daniel Simon.

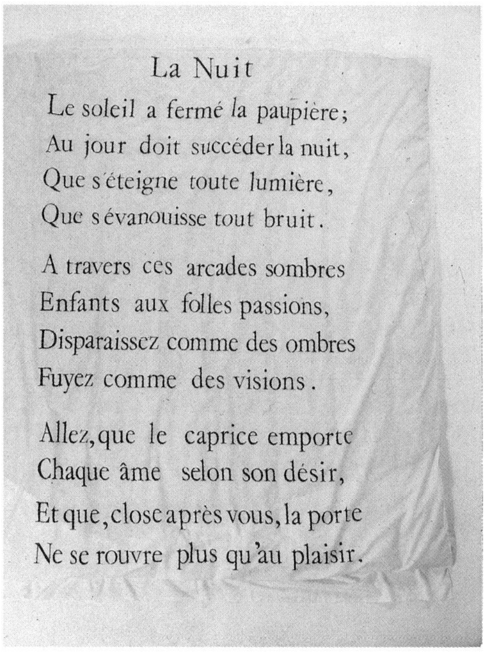

La Nuit
Le soleil a fermé la paupière;
Au jour doit succéder la nuit,
Que s'éteigne toute lumière,
Que s'évanouisse tout bruit.

A travers ces arcades sombres
Enfants aux folles passions,
Disparaissez comme des ombres
Fuyez comme des visions.

Allez, que le caprice emporte
Chaque âme selon son désir,
Et que, close après vous, la porte
Ne se rouvre plus qu'au plaisir.

Je
suis
toute
nue
en

CEI PARIS

Compagnie d'Esthétique Industrielle, fondée en France par Raymond Loewy en 1952. Harold Barnett, puis, de 1958 à 1975, Ever Endt ont dirigé l'agence. Les trois branches sont : le graphisme, le design de produit et l'architecture intérieure.
Dans les années 60, réalisation des logotypes Javel La Croix, Newman, images de marque COOP, Shell, SPAR. En 1968, conception de la machine à coudre « Elna Lotus », cône d'argent « DYBS » (Suisse), 1969. Dans les années 70, début d'une collaboration suivie avec De Dietrich, architecture intérieure de centres commerciaux. 1974, réalisation du RER néerlandais, le « Sprinter ». Aménagement intérieur et matériel de bord du Concorde. En 1974, la CEI signe un contrat avec l'Institut de recherches d'esthétique industrielle soviétique pour le développement de produits. En 1986, la CEI-Raymond Loewy devient la Nouvelle CEI. En 1987, elle reçoit l'Oscar du design politique de gamme pour les chaudières eutectides de De Dietrich.

An industrial design company created by Raymond Loewy in France in 1952, directed initially by Harold Barnett and later by Ever Endt from 1958 to 1975. Its three main activities are graphic, product and interior design.
Among their better-known designs of the 60s are logotypes for Javel La Croix and New Man, corporate images for COOP, Shell and SPAR. In 1968, they designed the «Elna Lotus» sewing machine, in 1969 the «DYBS» silver cone (Switzerland). In the 70s, they begin a long association with De Dietrich and design interiors of several commercial centres. In 1974, they design «Sprinter», the Dutch suburban railway, as well as the interior and on-board equipment for Concorde. Also in 1974, CEI signs a contract with the Soviet Institute of Industrial Research to develop a number of products. In 1986, CEI-Raymond Loewy is modified to become Nouvelle CEI. And in 1987, it is awarded an Oscar du design for the best overall approach to a range of eutectic boilers for De Dietrich.

CEI Paris, « Elna Lotus », 1967. Machine à coudre portative. (Fabricant : Tavaro SA ; diffuseur : Sté Exact).
Document CCI.

CEI Paris, meubles DF 2000, 1968. Gamme de meubles de séjour et de cuisine. (Fabricant : Doubinski Frères).
Document CCI.

1980

CEI Paris, maquette des sièges, 1980. Programme de matériel ferroviaire d'interconnexion des réseaux SNCF/RATP.
Document M. Buffet.

CEI Paris, études de wagons, 1980. Programme de matériel ferroviaire d'interconnexion des réseaux SNCF/RATP.
Document M. Buffet.

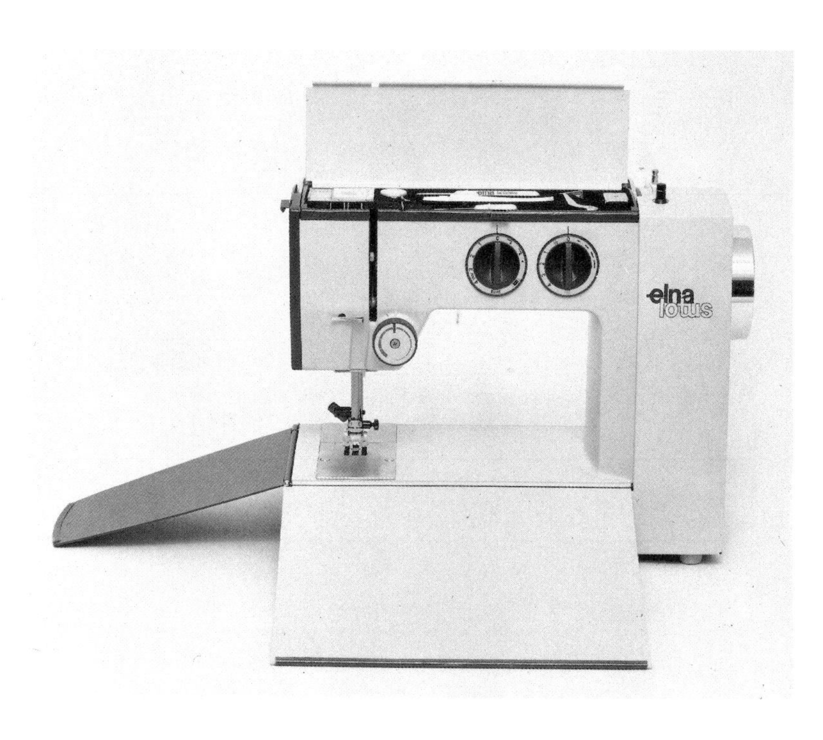

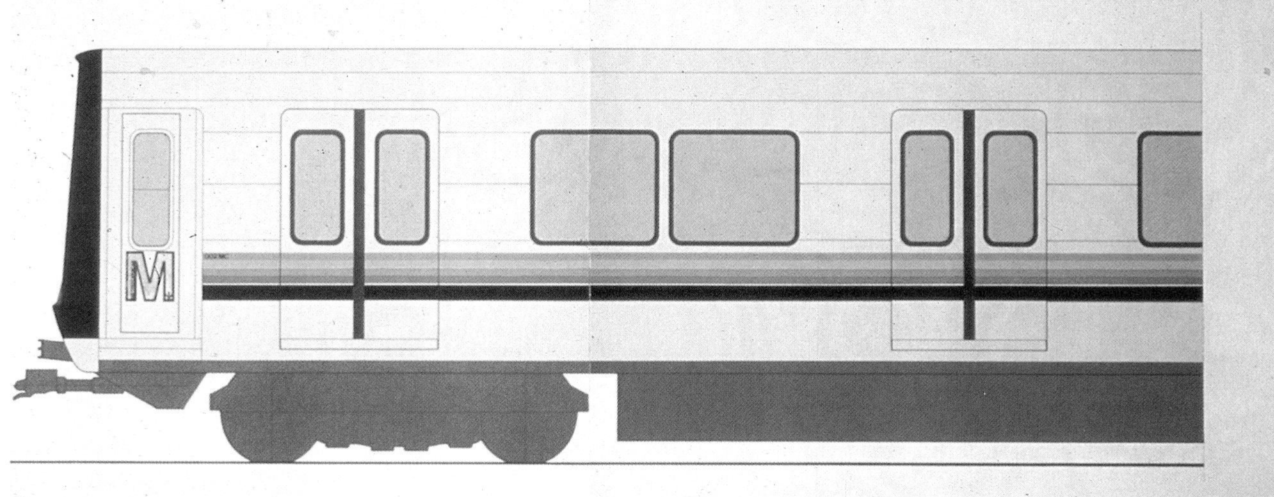
M
cei

André COURRÈGES

« Lunettes », 1965.
Document Courrèges.

Collection Été 65.
Document Courrèges.

Né en 1923. En 1945, il arrive à Paris pour être dessinateur de mode et entre à l'École supérieure du vêtement tout en suivant des cours à l'École des ponts et chaussées où il découvre l'architecture.
En 1950, il débute comme coupeur chez Balenciaga puis, en 1961, il ouvre son atelier, rue François Ier.
En 1965, il organise son premier défilé-spectacle. Sa collection fait la « une » des journaux. Y apparaissent la mini-jupe, le pantalon, le vêtement de style « futuriste ». La couleur dominante est le blanc ou les tons pastel.
En 1967, il présente les premières combinaisons puis, en 1968, les combinaisons de laine blanche avec des perruques de soie aux couleurs éclatantes. Il se fait le défenseur d'une mode fonctionnelle et décontractée qui permet la liberté de mouvement.
En dehors de la couture, il s'intéresse à l'architecture intérieure et au design de produit. Il conçoit son domicile et son usine de Pau, ainsi qu'un village pour loger son personnel, une automobile, la Matra Bagheera Courrèges, des planches à voile.
En 1987, il crée un bureau d'architecture et de design qui réalise un ensemble d'immeubles à Suresnes, les Perspectives Courrèges.

Born in 1923. Came to Paris in 1945 to study fashion design at the École supérieure du vêtement. Discovered architecture at the École des ponts et chaussées while also attending lectures there.
Began his career in 1950 as a cutter with Balenciaga and, in 1961, sets up his own workshop in the rue François Ier.
He puts on his first show-performance in 1965; his collection hits the headlines, the mini-skirt, trousers and futurist-looking clothes all making their appearance. White and pastel shades are the dominant colours.
He presents his first dungarees in 1967 and the following year proposes them in white wool assorted with vivid coloured silk wigs. Establishes himself as the promoter of a functional and relaxed style of fashion which allows for freedom of movement.
His other interests lie in interior and product design, having designed his own home, his factory in Pau (including a village to accomodate his staff), the Matra Bagheera Courrèges car and some windsurf boards.
In 1987, he sets up an architecture and design office which has completed a group of high-rise buildings in Suresnes known as Perspectives Courrèges.

Collection Hiver 67-68.
Document Courrèges.

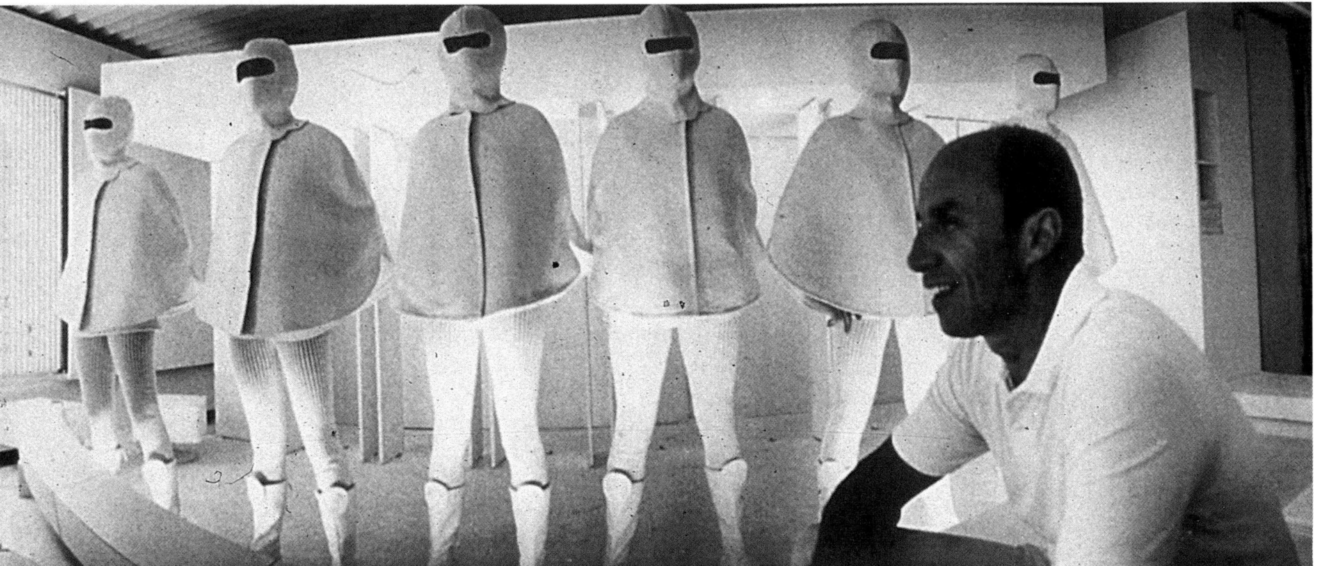

1970

Collection Hiver 68-69.
Document Courrèges.

CREATIVE BUSINESS SOPHA

Filiale française de l'ensemble Creative Business, créée en 1981 et « Meilleure Agence de communication globale de l'année », Grand Prix EMP 1987. Creative Business Sopha intervient dans trois secteurs :
Le design graphique : conception de l'identité visuelle de EDF-GDF, Citroën, Crédit du Nord, Aéroports de Paris, PMU ; des packagings de Tricostéril, Klorane, Yves Rocher, Système U, Olida, Wonder, Mazda, O'Cedar, Woolite, Pernod Ricard ; des éditions Louis Vuitton (Premier Prix Stratégies 1987).
Le design d'environnement : aménagement de points de vente, de magasins, de systèmes de présentation et de stands d'exposition en France et à l'étranger pour Louis Vuitton, Christian Dior, Sonia Rykiel, Weston, La Sweaterie, Berger du Nord, Séducta, Geneviève Lethu.
Le design de produit : produits de grande consommation, d'équipements industriels et systèmes signalétiques pour SEB, Look, Mitchell, Time, Ifremer, GPA. Creative Business Sopha obtient le Label français d'esthétique industrielle pour les fixations de ski « Look » en 1985, le Janus de l'industrie 1985 pour le moulinet « Mitchell Full Control », le Janus de l'industrie en 1987 pour des chaussures et des cale-pieds de cycliste « Time » ainsi que plusieurs premiers prix au Grand Prix Stratégies 1987.

This French affiliate of the Creative Business group was created in 1981 and awarded « The Year's Best Agency for Global Communication » EMP Prize in 1987.
Creative Business Sopha operates in three areas: in the graphic design area, they have handled the visual corporate identity of EDF-GDF, Citroën, Crédit du Nord, Aéroports de Paris, and the PMU. They have also conceived the packaging for Triscotéril, Klorane, Yves Rocher, Système U, Olida, Wonder, Mazda, O' Cedar, Woolite, Pernod Ricard, Louis Vuitton (First Prize from Stratégies in 1987).
In environmental design, they have installed shops and big department stores as well as display systems and exhibit stands in France and abroad for Louis Vuitton, Christian Dior, Sonia Rykiel, Weston, La Sweaterie, Berger du Nord, Séducta, Geneviève Lethu.
In the field of product design: consumer goods, industrial equipments and symbols for SEB, Look, Mitchell, Time, Ifremer, GPA. Creative Business Sopha was awarded the Label français d'esthétique industrielle for the «Look» ski bindings in 1985; the 1985 Janus de l'industrie for the «Mitchell Full Control» reel; the 1987 Janus de l'industrie for the « Time » cyclers shoes and toeclips as well as many first prizes at the 1987 Stratégies Grand Prix.

1980

« Full-Control », 1985. Moulinet de pêche ambidextre. (Fabricant : Mitchell).
Document Créative Business Sopha.

« Nautile et Robin », 1986. Submersible conçu pour l'observation et l'intervention (jusqu'à 6 000 m), muni d'un robot d'observation et de prise de vue. (Fabricant : Ifremer et DTCN).
Document Créative Business Sopha.

TRIGGER DRAG pat. p.
GRAPHITE
FULL CONTROL
MITCHELL
BALL BEARING

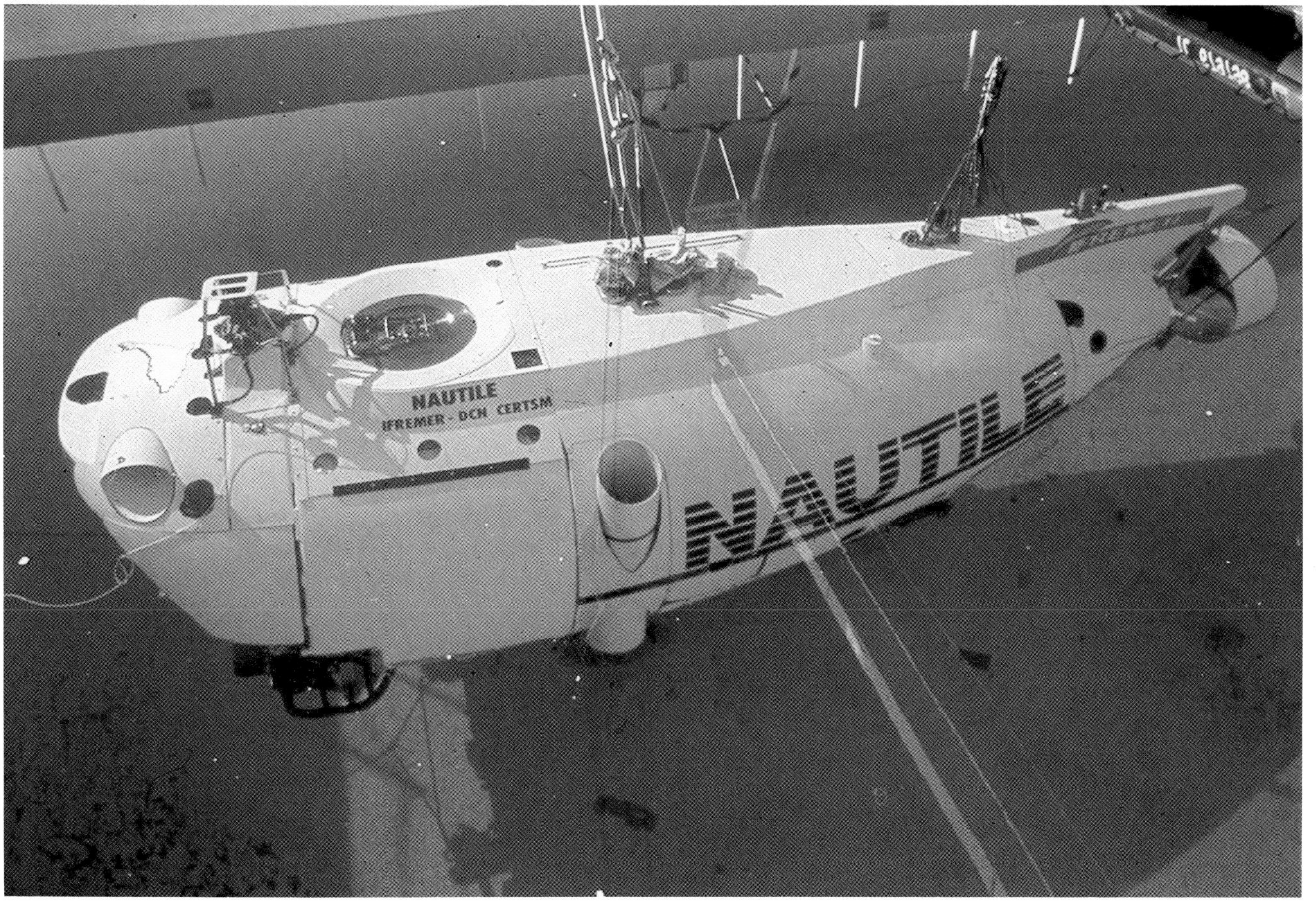
NAUTILE
IFREMER - DCN CERTSM
NAUTILE
NAUTILE

Jean-Claude

DECAUX

Né en 1937. En 1955, il fonde une entreprise d'affichage routier, mais la loi de 1964, taxant sévèrement ce type d'affichage, il se convertit dans l'affichage urbain. Il met au point l'abribus qu'il expérimente avec l'accord du maire de Lyon. D'autres villes suivent : Grenoble, Poitiers, Angers mais les annonceurs restent sceptiques à cause de la petite taille des affiches.

Au début des années 70, il réussit sa percée. De 1968 à 1972, ses effectifs passent de 70 à 317 personnes.

En 1972, il crée le MUPI (Mobilier Urbain Pour l'Information) et, en 1976, le PISA (Point d'Information Service Animé). En 1977-1978, il s'implante à Paris. Pour obtenir les marchés, il propose du matériel de signalisation gratuit aux municipalités en échange de l'implantation d'abribus et de MUPI.

Ses produits deviennent très diversifiés : colonnes d'affichage, plaques, panneaux, éclairage, sanisette, etc. En 1981, le premier journal lumineux est implanté à Boulogne-Billancourt. A partir de 1982, il vise les marchés étrangers (RFA, Pays-Bas, Portugal, Grande-Bretagne, Finlande). En 1987, il emploie 2300 personnes.

Born in 1937. In 1955, he sets up a company to deal in highway advertising. However, a law passed in 1964 imposes such heavy taxes on this form of advertising that he decides to turn his attention to urban street advertising. He then develops and tests a bus shelter in Lyons with the approval of the city's mayor. Other cities like Grenoble, Poitiers and Angers soon follow, but the buyers of advertising space are hard to convince on account of the relatively small poster size.

By the early 70s, his idea has caught on and his staff shoots up from 70 in 1968 to 317 in 1972.

He creates MUPI (Mobilier Urbain Pour l'Information) in 1972 and PISA (Point d'Information Service Animé) in 1976. He moves in on Paris during 1977 and 1978. In order to obtain contracts, he offers the local authorities free street information displays in exchange for a right to place MUPI and his shelters.

His products have since been considerably diversified and now include information columns, panels, lighting and public toilets... In 1981, the first illuminated news board is erected in Boulogne-Billancourt. Since 1982, he has begun to expand his market to West Germany, the Netherlands, Portugal, Great-Britain and Finland. In 1987, he has a staff of 2,300.

Abribus standard, 1971.
Document J.-Cl. Decaux.

« Mupi Medium », 1988. Ce mobilier urbain permet aux villes d'apposer leurs informations municipales. Il est protégé par une glace pour éviter l'affichage sauvage.
Document J.-Cl. Decaux.

1970

ABRIBUS STANDARD

DIMENSIONS

Dimensions au toit
longueur .... 4.000 mm
largeur .... 1.600 ou 1.300 mm
hauteur (par rapport au sol) .... 2.330 mm

Dimensions au sol
longueur .... 3.560 mm
largeur .... 1.300 mm

ÉLÉMENTS CONSTITUTIFS :

Structure :
Fourreaux à sceller en acier galvanisé.
Montants supports du toit, en acier galvanisé pour la mise en place des alimentations EDF et évacuation des eaux pluviales.
Montant équerre support du toit, en acier galvanisé laqué.

Toiture :
La toiture en polyester est constituée par :
– Une peau inférieure renforcée avec bossage pour appareil d'éclairage encastré.
– Une peau supérieure réceptacle d'eaux pluviales avec tubulure d'évacuation.
– Une moulure périphérique en profilé tôle galvanisée laquée au four.

Glaces :
– Cloison arrière de l'abri en glaces Sécurit 10 mm, imprimées Durlux ou transparentes.
– Pattes de fixation au sol et en toiture en acier inox.

Caissons d'affichage :
Dimensions hors tout .... 1.850 x 1.300 mm
Surface d'affichage visible . 1.710 x 1.160 mm

Le caisson est constitué par :
– Un élément fixe et deux éléments ouvrants en profilé d'aluminium filé laqué.
– Des glaces de protection des surfaces d'affichage en Sécurit 10 mm.
– Des plaques de méthacrylate supportant l'affiche.
– Des accessoires : paumelles, serrure, support d'affichage, etc.

Équipement électrique :
– Éclairage du caisson par 3 tubes fluorescents 58 Watts.
– Éclairage dans le toit par un tube fluorescent 36 Watts.
– Appareillage d'alimentation, de raccordement et de protection normalisé (interrupteur différentiel).

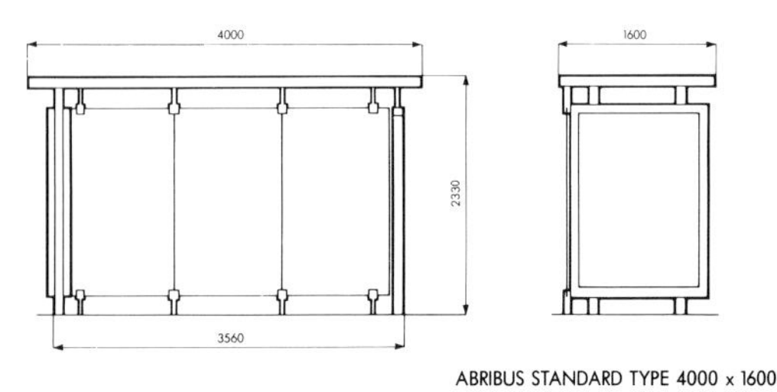

ABRIBUS STANDARD TYPE 4000 x 1600

« SPEA », 1980. Sanitaire public à entretien automatique.
Document J.-Cl. Decaux.

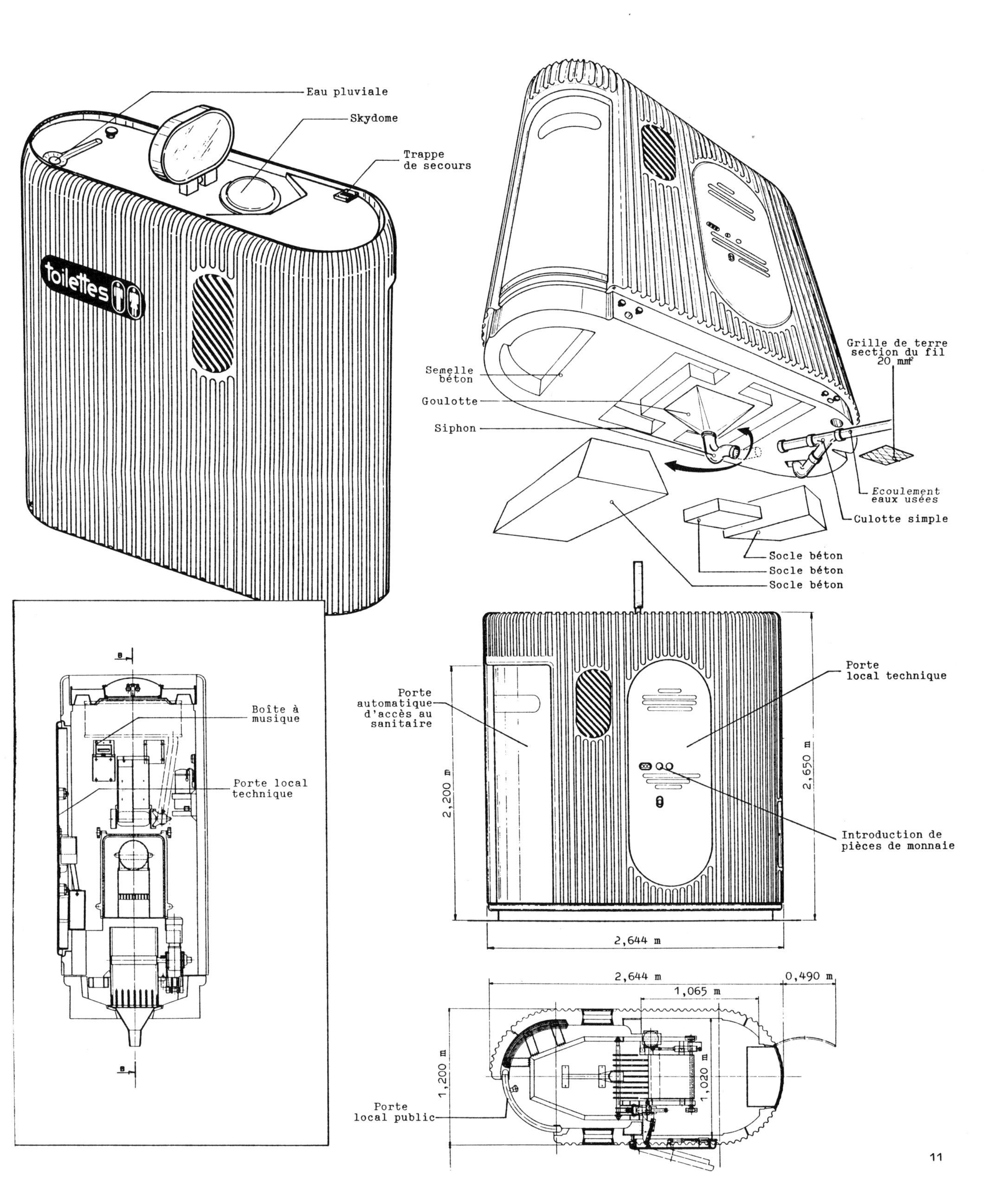

Pierre-François

DINAND

Né en 1931. Études d'architecte à l'École nationale des beaux-arts, puis en Indochine. Depuis 1960, où il crée son premier flacon de parfum pour « Madame Rochas », il conçoit plus de 150 lignes de flacons pour les plus grands noms de la haute couture. En 1968, il réalise le premier flacon avec un conditionnement en matière plastique pour « Calandre » de Paco Rabanne puis « Givenchy III », en 1970.
C'est à lui que nous devons « Eau sauvage » de Christian Dior, « Opium » et « Rive gauche » de Yves Saint Laurent, « Obsession » de Calvin Klein. En 1987-1988, les Ateliers Dinand sont chargés de la conception du flaconnage de l'eau de toilette Francesco Smalto et du parfum « Tiffany » pour son 150e anniversaire.
Il a des ateliers à Paris, New York et Tokyo.

Born in 1931. First studied architecture at the École nationale des beaux-arts and later in Indochina.
He has designed over 150 perfume bottle ranges for the most famous names in Haute-Couture since designing «Madame Rochas» back in 1961.
He introduces plastic into the bottling of perfumes in 1968 with «Calandre» for Paco Rabanne and in 1970 with «Givenchy III».
Christian Dior's «Eau Sauvage», Yves Saint-Laurent's «Opium» and «Rive Gauche», Calvin Klein's «Obsession» are all off his drawing-board.
In 1987 and 1988, the Ateliers Dinand are asked to design a bottle for Francesco Smalto's toilet water and «Tiffany» perfume to celebrate his 150th anniversary.
He has workshops in Paris, New York and Tokyo.

1970

« Calandre », 1969. Flaconnage de parfum pour Paco Rabanne.
Document Atelier Dinand.

« Opium », 1977. Flaconnage de parfum pour Yves Saint Laurent.
Document Atelier Dinand.

1980

« Obsession », 1984. Flaconnage de parfum pour Calvin Klein.
Document Atelier Dinand.

209

Marie-Christine

DORNER

Née en 1960 à Strasbourg. Études aux Arts décoratifs à Paris. Elle travaille chez Canal tout en suivant les cours à l'École Camondo, puis entre chez Wilmotte en 1984.
En 1985, elle est lauréate du concours de la Fondation de la création des Galeries Lafayette pour sa table roulante. Elle part en Asie et reste un an à Tokyo. Elle y rencontre Kurosaki, directeur de la Cie des meubles Idée, et dessine une collection de 16 meubles dont la plupart seront édités. Elle réalise aussi pour Komatsu l'architecture intérieure de deux boutiques et d'un café à Tokyo.
Depuis, elle poursuit ses recherches, dessine une ligne d'assiettes pour Siècle, des meubles pour un éditeur italien, expose sa collection de meubles « Idée » au Designers' Saturday (1987), espace Cassina.

Born in 1960, in Strasbourg. Studied at the Arts décoratifs School in Paris. Works with Canal while following a course at Camondo School prior to joining Wilmotte in 1984.
In 1985, she is one of the prize-winners in the Fondation de la Création des Galeries Lafayette's competition with her trolley.
She spends a year in Tokyo where she meets Kurosaki, director of Idée furniture company, and designs a series of 16 items of furniture most of which are produced. She also designs two boutiques for Komatsu and a Café in Tokyo.
She has since been continuing her research, designed a series of plates for Siècle, furniture for an Italian manufacturer, and exhibited her furniture for Idée at «Designers' Saturday» (1987) in the Espace Cassina.

Chaise « Minus », 1986. Collection « Idée » de meubles pour le Japon.
Document M.-C. Dorner.

Collection « Idée », 1986. Collection de meubles pour le Japon (dessin d'ensemble).
Document M.-C. Dorner.

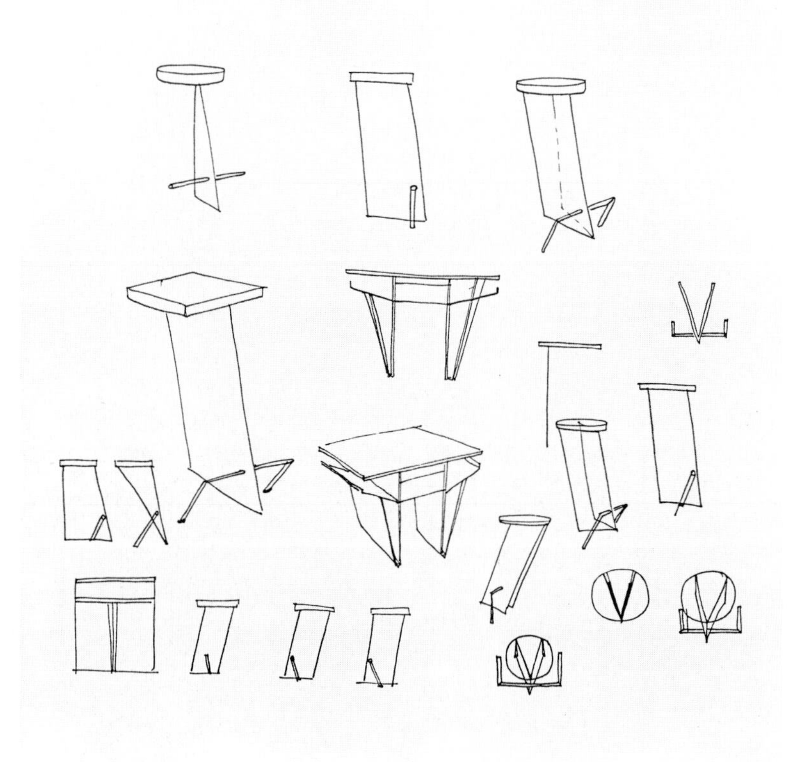

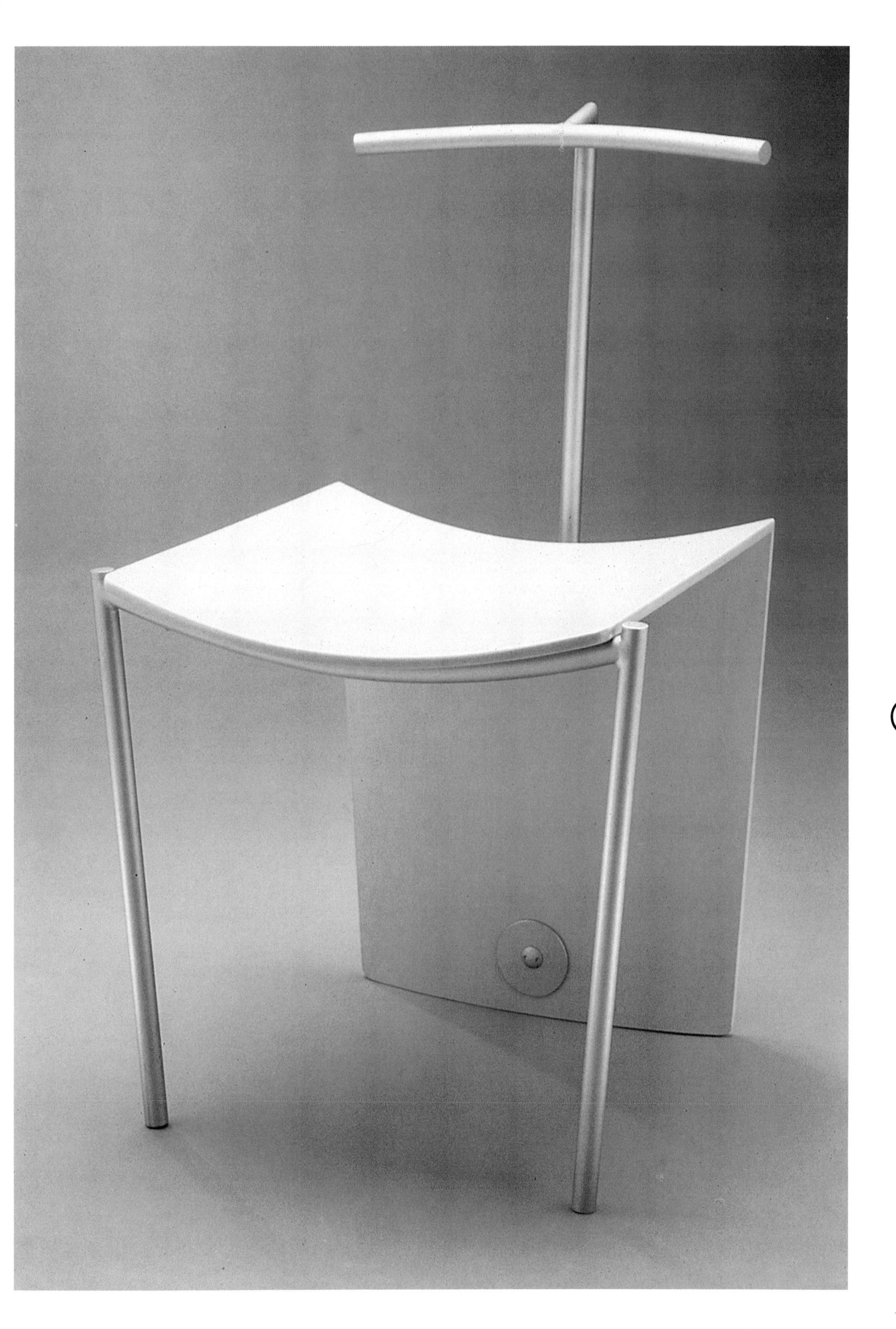

Sylvain

DUBUISSON

La quarantaine, diplômé de l'École supérieure d'architecture de Saint-Luc-en-Tournai (Belgique). Architecte d'intérieur, designer depuis 1980, il poursuit des recherches sur la lumière. Il est édité en petite série par Neotu et Ecart International pour la France, Montedison pour l'Italie et Kurosaki pour le Japon. Il accentue de plus en plus ses recherches vers un abaissement du coût de réalisation , en intégrant les technologies de pointe.
Lauréat du concours pour les lampes de bureau, en 1984, il crée de nombreuses lampes : « Tetractys », 1985, « Beaucoup de bruit pour rien », 1984, « 73 secondes », bougeoir autour duquel s'enroule la bande film de l'explosion de Challenger. Il se fait connaître également par l'aménagement et la scénographie d'expositions : salle du livre de l'exposition « Art et industrie » en 1985, exposition « Les années plastiques » à La Villette, « A table » au Centre Georges-Pompidou en 1986.
Fin 1986, il aménage l'espace d'accueil de Notre-Dame pour les Monuments historiques.

Now in his forties. Graduated at the École supérieure d'architecture in Saint-Luc-en-Tournai (Belgium). As an interior and product designer since 1980, he has been researching into light. Neotu and Ecart International produce small series of his conceptions for the French market, Montedison for Italy and Kurosaki for Japan. His work is increasingly geared to finding ways of reducing production costs through modern technology.
He is a prize-winner of the 1984 office lighting competition, has designed numerous lamps including «Tetractys» (1985), «Beaucoup de bruit pour rien» (1984), «73 Secondes», a candle-holder around which is wrapped a film-recording of the Challenger disaster. He has also been noted for his interior and exhibition designs, for example, the book room of the 1985 «Art et Industrie» exhibition, «Les années plastiques» exhibition at La Villette, «A table» at the Centre Georges Pompidou in 1986.
At the end of 1986, he designed the reception-area of Notre-Dame on behalf of the Monuments historiques.

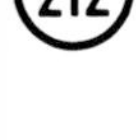

Lampe «Beaucoup de bruit pour rien», 1983. (Éditeur: Écart International).
Document S. Dubuisson.

Prototype de la lampe lauréate du concours Lampe de bureau, organisé par l'APCI, 1985. (Fabricant: Mazda Lita).
Document R. Jacques.

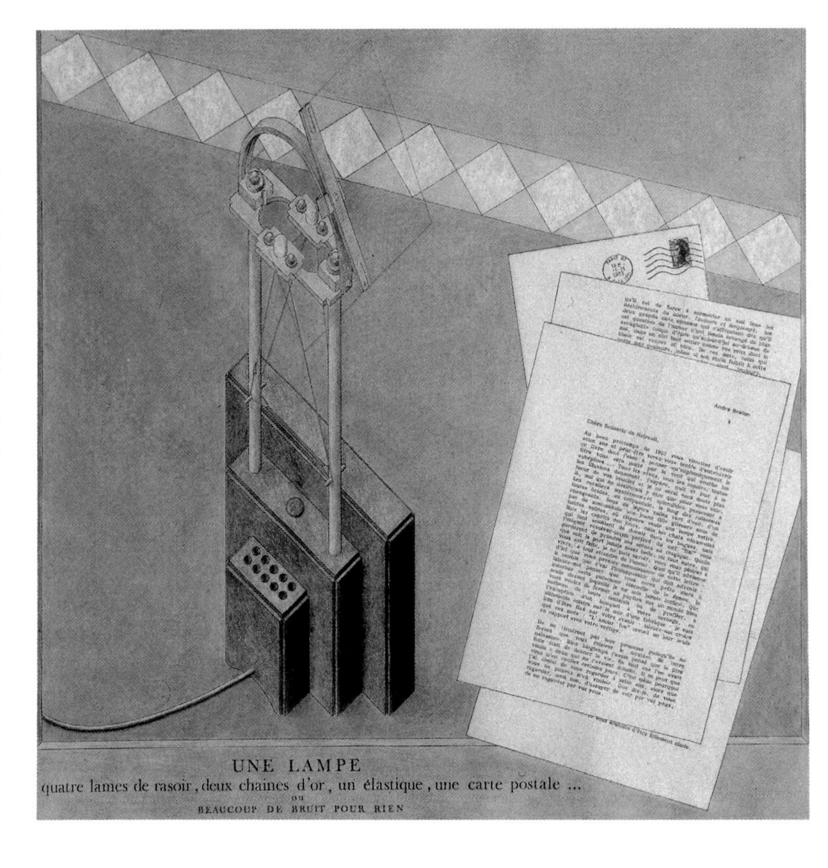

UNE LAMPE
quatre lames de rasoir, deux chaines d'or, un élastique, une carte postale ...
ou
BEAUCOUP DE BRUIT POUR RIEN

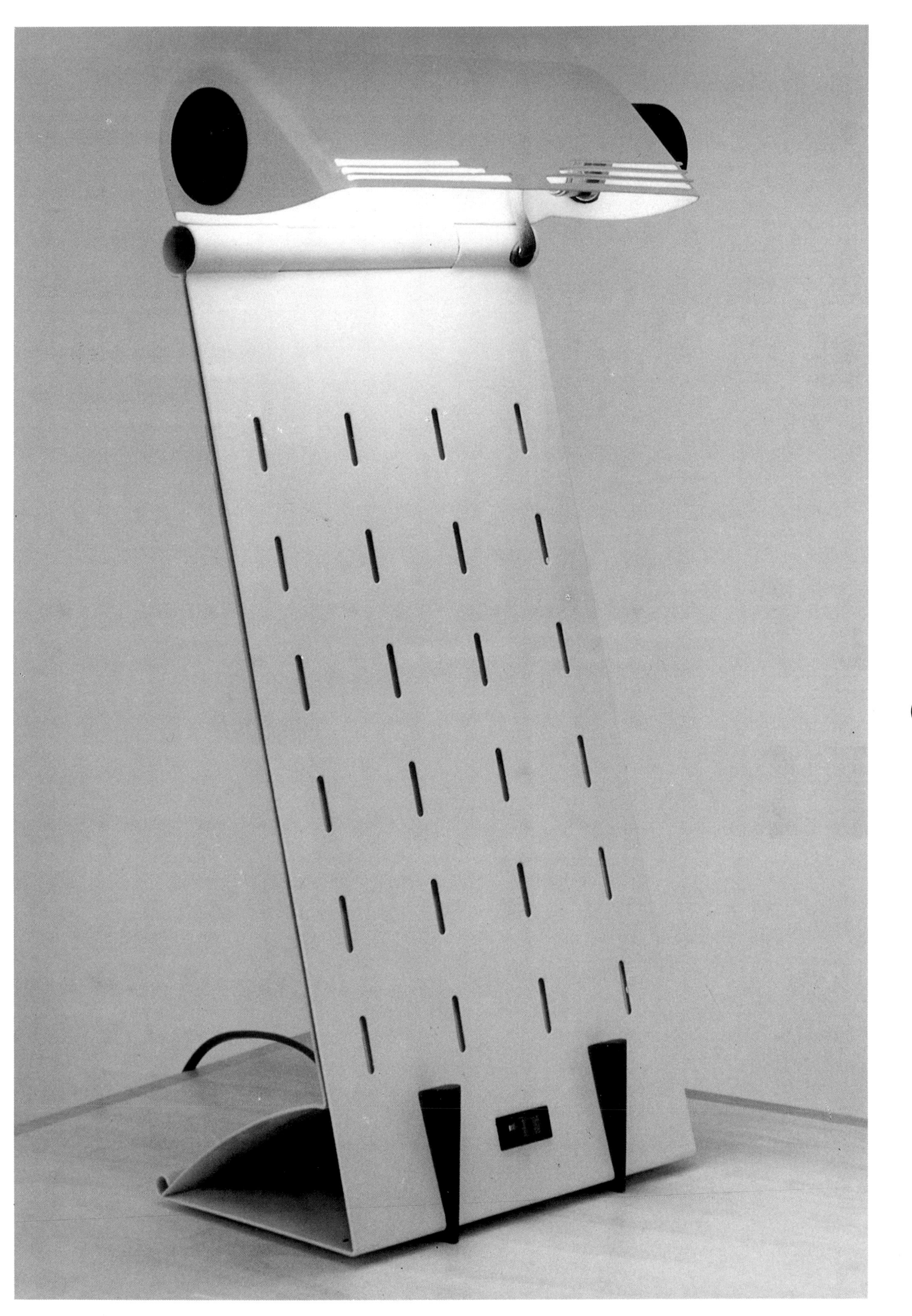

ENFI DESIGN

La société Esthétique Nouvelle de la Forme Industrielle est fondée en 1961 par Jacques Inguenaud qui en est toujours l'actuel PDG. Né en 1937, il fait ses études à l'École des arts appliqués puis au CSEI. Il devient professeur de dessin d'art dans des écoles techniques. En 1962, il quitte l'enseignement et travaille pour des entreprises comme Boussois et Vallourec.
Enfi Design intervient dans les domaines du design de produit, du colorisme, du graphisme, de l'architecture intérieure de magasins, des bâtiments industriels, des transports. Il est, en 1987, le premier groupe français en aménagement de l'espace tertiaire, en particulier pour la conception d'agences bancaires et de leur identité visuelle. Parmi ses très nombreuses créations, citons : le système de transport « Aramis » pour Matra, le mobilier de bureau « Atal », la signalisation de la Ville nouvelle d'Echirolles, les magasins « Mobis », la mise en couleur du télescope du Pic du Midi en 1975, l'hélicoptère civil « Écureuil » pour l'Aérospatiale en 1977, les magasins « Saint-Maclou » en 1982, le minitel de Télic-Alcatel et la salle des changes du Crédit Lyonnais en 1983, la litho-triteur « Technomed » en 1986. En 1987, création d'une filiale à Grenoble : Tertia Design.

The Esthétique Nouvelle de la Forme Industrielle company was founded in 1961 by Jacques Inguenaud, who has remained its President. Born in 1937, he studied at the École des arts appliqués then at the CSEI. He became a drawing teacher in technical schools. In 1962, he stopped teaching and began to work for companies such as Boussois and Vallourec.
ENFI Design operates in the fields of product design, colour schemes, graphics, interior design of stores and industrial buildings, and transportation. In 1987, it was the leading French group for developing tertiary industries space, particularly involved in the conception of bank branches and their visual identities. Among their many creations, let us mention the «Aramis» transportation system for MATRA, the «ATAL» office furniture, the city signposts of the new town of Echirolles, the «Mobis» stores, the coloration of the telescope at the Pic du Midi mountain in 1975, the civilian helicopter «Ecureuil» for the Aérospatiale in 1977, the Saint-Maclou stores in 1982, the Telic-Alcatel Minitel terminal, the currency room of the Crédit Lyonnais in 1983 and the «Technomed» lithotriptor in 1986.
Tertia-Design, a subsidiary firm in Grenoble, was created in 1987.

1970

Hélicoptère « Écureuil », 1977. Étude des instruments de bord. (Fabricant : Aérospatiale).
Document ENFI Design.

Hélicoptère « Écureuil », 1977. Étude du siège du pilote. (Fabricant : Aérospatiale).
Document ENFI Design.

1980

Minitel 1, 1984. Produit final. (Fabricant Telic Alcatel).
Document ENFI Design.

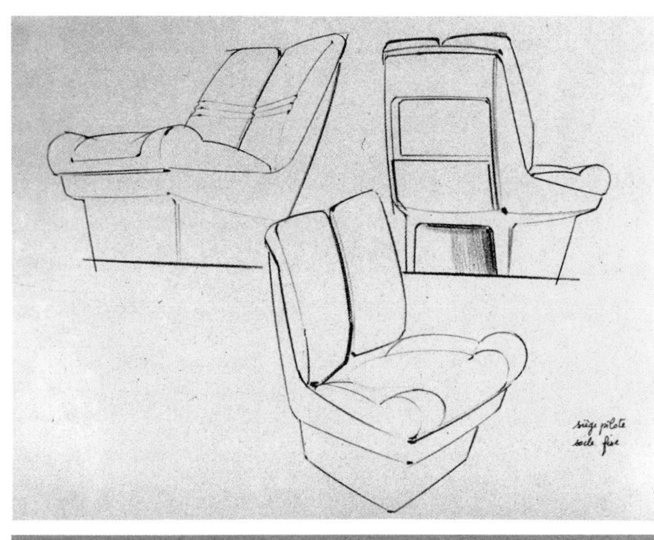
siège pilote
socle fixe

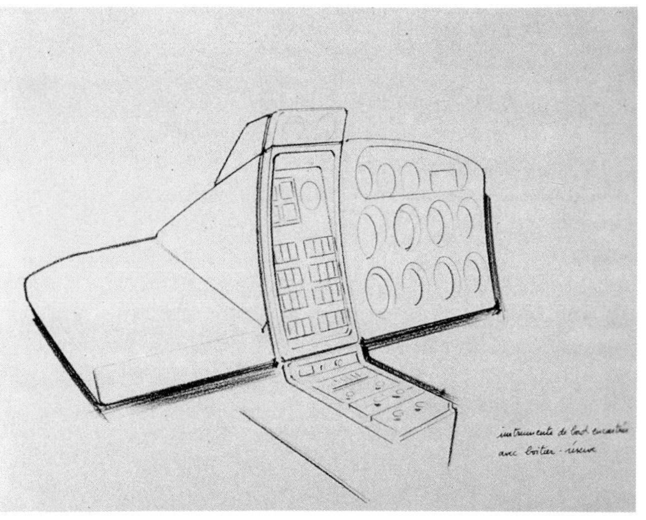
instruments de bord concentrés
avec boîtier-écran

Espace

GAROUSTE ET BONETTI

Née en 1949. Elisabeth Garouste suit des cours à l'École Camondo et à l'Atelier Charpentier. Puis elle crée des décors et des costumes de théâtre pour Arrabal et compose une pièce de théâtre pour enfants dont elle réalise les costumes.
Mattia Bonetti est né en 1953. Études en Italie, au Centro scolastico per l'industria artistica où il s'intéresse surtout au textile. Rentré à Paris, il est conseil en couleurs chez Rhône-Poulenc, styliste avec Marie Beltrani, collabore avec Andrée Putman, fait de la publicité, réalise des décors de théâtre et de cinéma, joue dans les pièces de David Rocheline.
Au début des années 80, Élisabeth Garouste et Mattia Bonetti se rencontrent autour du projet de décoration du restaurant Le Privilège, auquel est associé le peintre Gérard Garouste. C'est le début de leur association professionnelle. Ils mettent au point leur première collection d'objets « primitifs » et « barbares ». En 1984, ils créent la table « Zen » puis, en 1985, exposent à la Fondation Cartier (« Vivre en couleur ») et au Salon des artistes décorateurs. En 1987, décoration des salons et conception du mobilier du couturier Christian Lacroix et aménagement du restaurant Géopoly.

Elisabeth Garouste was born in 1949. She studied at Camondo School and later at Charpentier Workshop. She began by designing stage sets and costumes for Arrabal and she wrote a play for children for which she made the costumes.
Mattia Bonetti was born in 1953. He studied at the Centro scolastico per l'industria artistica, where he expressed a particular interest in textiles. In Paris, he becomes a colour consultant for Rhône-Poulenc, stylist with Marie Berani, collaborates with Andrée Putman, works in advertising, designs some stage sets for theatre and cinema, acts in David Rocheline's plays.
Elisabeth Garouste and Mattia Bonetti met in the early 80s around the decoration of the restaurant «Le Privilège», a project on which is involved Gérard Garouste, the painter. It marks the beginning of their professional association, which they launch with their first series of «Objets primitifs» and «Objets barbares».They design «Zen», a table, in 1984, and in the following year exhibit at the Fondation Cartier («Vivre en couleur») and at the Salon des Artistes Décorateurs. In 1987, they decorate a salon and design furniture for couturier Christian Lacroix, and decorate Géopoly, a restaurant.

Mobilier des salons du couturier Christian Lacroix, 1987.
Document Jean-Pierre Godeau.

Meuble tube et toile, 1988.
Collaboration entreprises/créateurs à l'initiative de la Ville de Romans et de la Chambre de commerce et d'industrie de Valence et de la Drôme. (Fabricant : Lafuma).
Document Garouste et Bonetti.

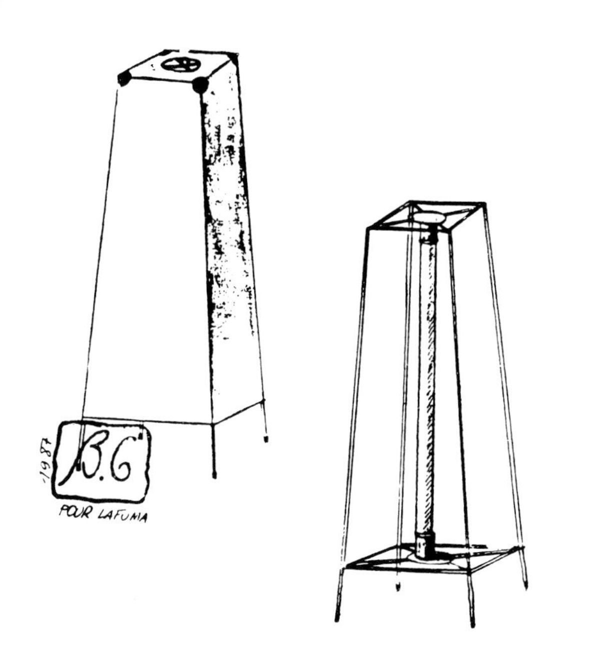

LAMPADAIRE (OU GRAND LAMPION)
EN ALU. ET TOILE-HOUSSE

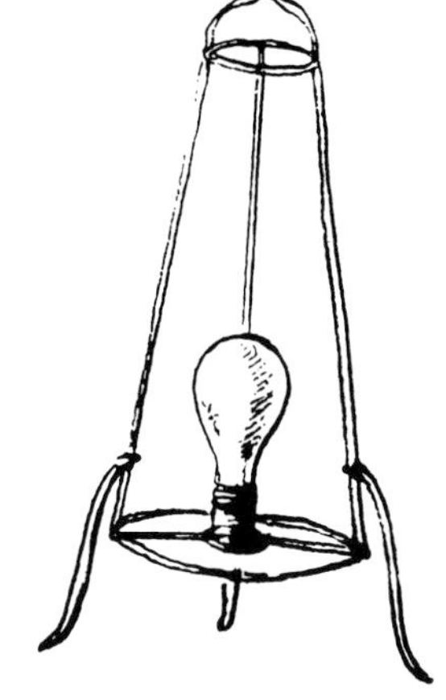

PETITE LAMPE (OU LAMPION)
DE CHEVET EN ALU. ET TOILE-HOUSSE

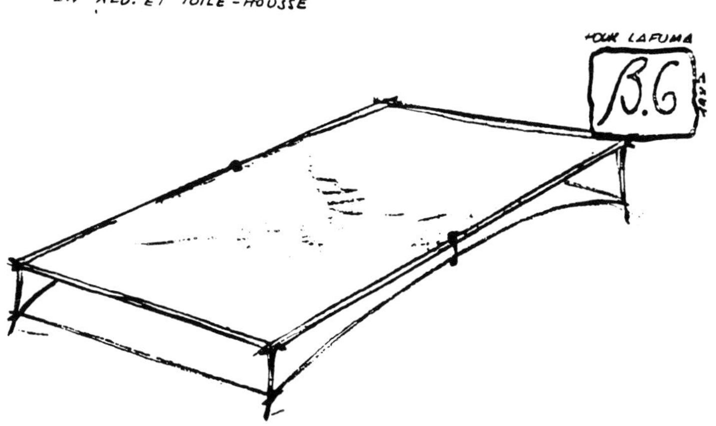

LIT DE REPOS POUR EXTERIEUR ET INTERIEUR
DEMONTABLE ALU + TOILE

PREVOIR UN COUSSIN ET UN SAC DE COUCHAGE - DUVET

FERMETURE ÉCLAIR OU VELCRO

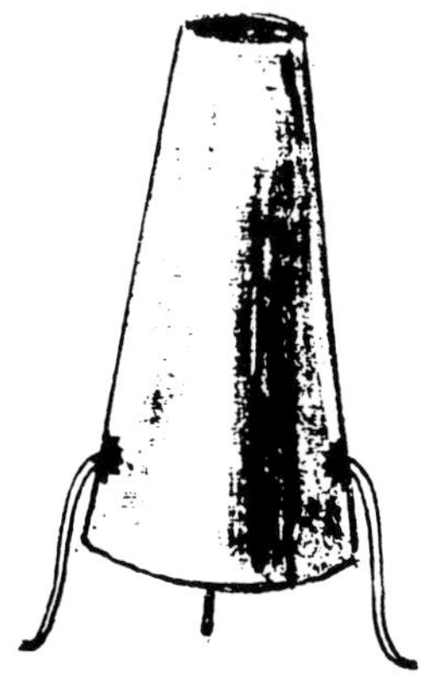

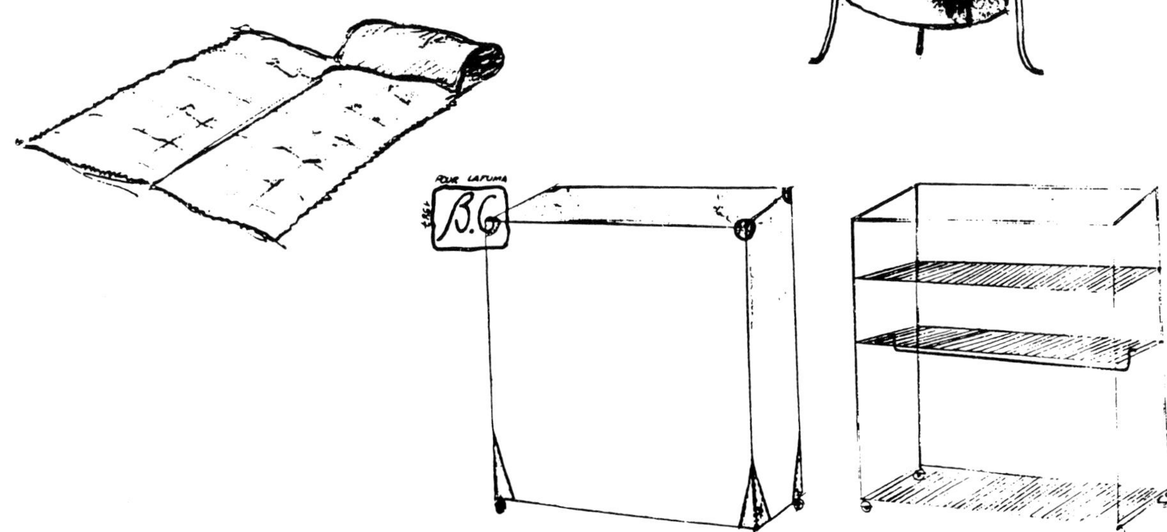

1 MODULE : ARMOIRE CARRÉE EN ALU.- HOUSSÉE ET ROULANTE

Pierre

GAUTIER-DELAYE

Né en 1923. Études à l'ENSAD de 1947 à 1951. De 1951 à 1958, il est responsable du département Interior Design à la CEI - Raymond Loewy.
En 1958, il crée son propre bureau d'études qui exerce ses activités dans trois secteurs :
— l'architecture et la décoration intérieures (agences Air France à travers le monde de 1960 à 1970, cabines des avions Air France en 1979, hôtels, notamment Sofitel Pharo à Marseille en 1976, station de métro de La Défense) ;
— le design de produit (appareils sanitaires pour la Société générale de fonderie Jacob Delafon, mobilier de série) ;
— le graphisme (conditionnements, palettes de coloris pour Formica, en 1971 et 1974.
Prix René Gabriel en 1956.

Born in 1923. Studied at ENSAD between 1947 and 1951. From 1951 to 1958, he heads the Interior Design department at the CEI-Raymond Loewy.
And in 1958, he sets up his own office to specialize in three areas:
- interior design (Air France offices throughout the world from 1960 to 1970, Air France aircraft passenger cabins in 1979, hotels such as the Sofitel Pharo in Marseilles in 1976, La Defense subway station),
- product design (sanitary appliances on behalf of the Jacob Delafon company, furniture for quantity production),
- graphics (packaging, colour schemes for Formica in 1971 and 1974).
Was awarded the René Gabriel Prize in 1956.

Architecture de l'agence Air France de Cannes, 1966.
Document Gautier-Delaye.

Fauteuil du Boeing 747, 1969.
Document Gautier-Delaye.

1970

Aménagement du Kennedy Airport International, salon d'attente des premières classes, 1971.
Document Gautier-Delaye.

Aménagement intérieur de l'agence Air France du Palais des Congrès, Paris, 1972.
Document Gautier-Delaye.

AIR FRANCE
AIR

Christian

GERMANAZ

Né en 1940. Études à l'École Boulle puis à l'ENSAD. Conseiller artistique de la Société DMU, il crée en 1966 la collection de mobilier de bureau « TT/4000 », en 1968, le siège « Half and Half » (Airborne). En 1970, il fonde son propre atelier.
Il conçoit des stands d'expositions, des aménagements intérieurs et du mobilier : expositions pour la *Maison de Marie Claire* et EDF (1972), aménagement du Centre des arts et des loisirs du Vésinet (1974-1975) et du musée de l'Assistance publique (1977), mobilier pour Prisunic (1972), sièges « Bali-seat » (1975), collection « Cadriligne » pour Chêne sauvage et « Catamaran » pour Baumann (1977), chauffeuse « Comedia » éditée par Roche-Bobois (1983).
Il crée également des meubles de bureau pour Négroni, en particulier la collection « Kit-system ». Dans les années 80, il aménage plusieurs musées et centres culturels et assure la mise en espace d'expositions.

Born in 1940. First studied at the École Boulle before going on to ENSAD. As artistic advisor to the DMU company he brings out, in 1966, «TT/4000», a range of office furniture. In 1968, he designs a seat, «Half and Half» (Airborne), and in 1970, sets up his own workshop. Designs exhibition stands, interiors and furniture, for example: exhibition for «La Maison de Marie-Claire» and EDF (1972), the interior of the Centre des arts et des loisirs in Le Vésinet (1974-75) and of the musée de l'Assistance publique (1977), furniture for Prisunic (1972), the «Bali-seat» (1975), the «Cadriligne» range for Chêne Sauvage and «Catamaran» for Baumann (1977), «Comedia» an armless chair marketed by Roche-Bobois (1983).
He also designs office furniture for Négroni, and more specifically the «Kit-System» range. In the 80s, he designs the interiors of several museums and cultural centres as well as some exhibitions.

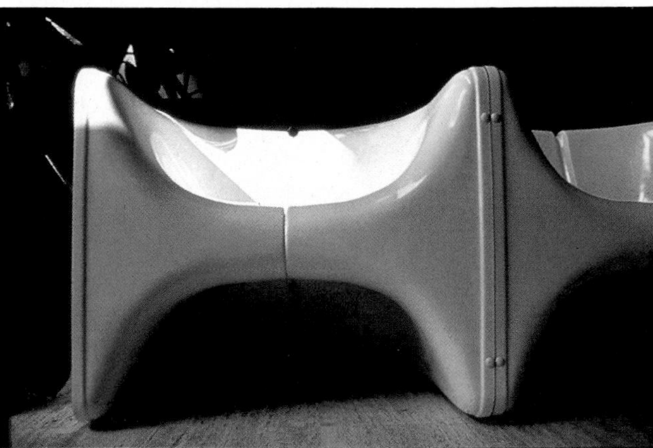

1960

Banc « Half and Half » pour Airborne, 1968. Modules assemblables et détails.
Document CCI.

1980

Fauteuil « Comedia », 1982. (Fabricant : Roche-Bobois ; éditeur : SAS).
Document Ch. Germanaz.

Boutique de la Manufacture nationale de Sèvres, 1986. Aménagement intérieur et conception du mobilier.
Document Ch. Germanaz.

MANUFACTURE NATIONALE DE SEVRES

Marc
HELD

Né à Paris en 1932. Il débute comme professeur d'éducation physique, commence des études de kinésithérapie tout en suivant des cours de théâtre. Depuis 1960, il dirige un bureau d'architecture intérieure et de design Archiform. Il ouvre, en 1965, un magasin « L'Echope » où sont vendues ses propres créations d'objets usuels. Il connaît un grand succès médiatique dans le monde : fauteuil « Culbuto » en 1967, premier siège français édité par Knoll International ; mobilier spécifique en plastique moulé pour les maisons de Candilis en 1969 et diffusées par Prisunic en 1970 ; nouvelle collection LIP en 1974.
Il réalise de nombreux travaux d'architecture intérieure : hôtel Les Dromonts, Avoriaz en 1966-1968 ; extension d'un hôtel en Californie en 1970. A partir de 1974, il commence sa carrière d'architecte indépendant sans arrêter pour autant son activité de designer et d'architecte d'intérieur : bâtiment pour IBM (architecture, jardins, mobilier), voiliers les « Windstars » en 1986.

Born in 1932, in Paris. Works initially as a physical education instructor, and embarks on a physiotherapy course while attending theatre classes. He has headed Archiform, an interior and product design office, since 1960. In 1965, he opens «L'Echoppe» as an outlet for everyday products of his own design. His notoriety is worldwide. Helped along by «Culbuto», the first French seat produced by Knoll International in 1967; plastic moulded furniture for Candilis' homes in 1969, later marketed by Prisunic (1970) and a new line for Lip in 1974.
He has a number of interior design products to his credit; these include hôtel Les Dromonts in Avoriaz (1966-68) and the extention of a Californian hotel (1970). From 1974 onwards, he pursues his architectural activities freelance without neglecting his interior and product design interests: of note are a building for IBM (achitecture, gardens and furniture), and the «Windstars» sailing boats (1986).

1960

Lit en fibre de verre polyester, tables de chevet incorporées, équipées de lampes, 1969. (Diffuseur: Prisunic).
Document CCI.

1970

« Culbuto », 1970. Fauteuil lesté, pivotant-basculant.
Document Jon Naar.

Chaise empilable en tôle emboutie, 1970. (Fabricant: Ets Sternfeld).
Document CCI.

Vaisselle, 1973. (Fabricant: Coquet).
Document Coquet.

« Culbuto », 1970. Fauteuil lesté, pivotant-basculant.
Document Jon Naar.

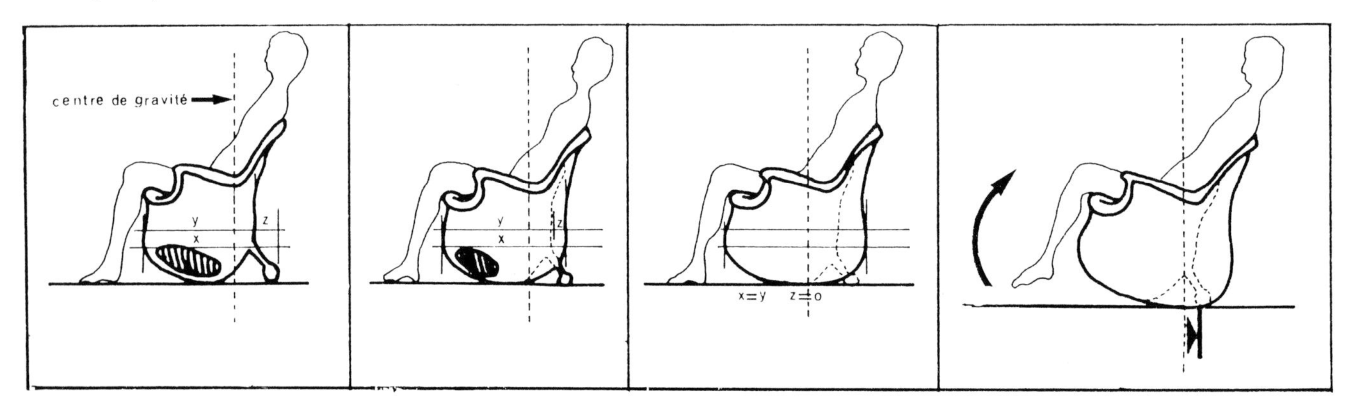

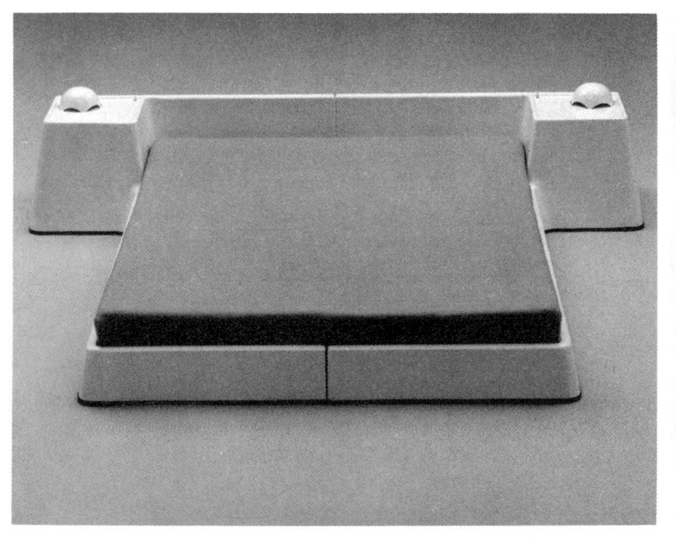

Serge
MANSAU

Né en 1930, son père le destine au métier d'ingénieur mais, très vite, son sens de l'esthétique et ses talents de dessinateur le font s'orienter vers une voie plus artistique. Autodidacte, il fait des décors de théâtre et de la sculpture. Il expose ses œuvres à la FIAC en 1984.
Il se met à dessiner des flacons pour habiller le parfum qu'il considère comme un art. Il travaille à deux niveaux : celui du tirage limité pour les grands couturiers et celui de la grande distribution. Depuis 1963, il crée des flacons pour les parfums de Capucci, Guy Laroche, Lancôme, Molyneux, Christian Dior, Jacques Fath, Révillon, Rochas, Stern, Pierre Cardin, Sonia Rykiel, Charles Jourdan, Montana. De même, il crée des flacons pour L'Oréal (« Bien-être », « Ambre Libertine », « Mennen »), Elida Gibbs (« Storm », « Darling ») et Avon (« Imari»).

Born in 1930. His father wanted him to be an engineer, but very quickly his aesthetical sense and his talent for drawing led him towards a more artistic carrer. Self-taught, he designed stage sets and made sculptures. His works were shown at the FIAC in 1984.
He began designing bottles to « dress » perfumes, which he considers an art in itself. He works on two level: limited series for top designers and also mass distribution. Since 1963, he has designed perfume bottles for Capucci, Guy Laroche, Lancôme, Molyneux, Christian Dior, Jacques Fath, Révillon, Rochas, Stern, Pierre Cardin, Sonia Rykiel, Charles Jourdan, Montana, as well as L'Oréal («Bien-Être», «Ambre», «Libertine», «Mennen»), Elida Gibbs («Storm», «Darling») and Avon («Imari»).

1970

« L'infini », 1970. Flaconnage de parfum pour Molyneux.
Document Serge Mansau.

« Vivre », 1971. Flaconnage de parfum pour Molyneux.
Document Serge Mansau.

1980

« Montana pour femme », 1986. Flaconnage de parfum pour Montana.
Document Serge Mansau.

infini
CARON

VIVRE
PARFUM
MOLYNEUX
27ml
0.9fl oz

MATRA AUTOMOBILE

Le Groupe Matra, fondé en 1945, comporte une dizaine d'activités centrées sur les technologies de pointe : transports urbains avec le « Val », les télécommunications spatiales, l'armement, etc. En 1987, le Groupe emploie 28 000 personnes dont 1 447 chez Matra Automobile dont le CA de 1 400 MF le situe au 4e rang du Groupe. Matra Automobile, dont les activités ont débuté en 1964, comprend un Centre technique animé par environ 200 ingénieurs et techniciens et composé d'un centre de recherche de concepts, d'un bureau de style, des études et la CAO, d'un centre de calcul, d'un département industrialisation, d'un service des homologations, de l'atelier des prototypes, des essais route, d'un laboratoire d'essais. De 1965 à 1974, Matra Automobile participe aux compétitions sportives avec des Formule 3, puis 2 et 1. Il remporte 124 victoires dont 3 consécutives aux 24 h du Mans (1972 à 1974). En 1974, la compétition est abandonnée.
Parallèlement, Matra Automobile met en place une activité industrielle pour produire des véhicules spécifiques, différents de la grande série : la Matra 530 étudiée et produite de 1967 à 1973, la Bagheera de 1973 à 1980, la Rancho de 1977 à 1983, la Murena de 1980 à 1983, et la Renault Espace, en collaboration avec Renault, à partir de 1984. Depuis 1986, Matra Automobile est présent au Salon de l'automobile à Paris.

The Matra group, founded in 1945, comprises a dozen activities centered around advanced technologies: urban transportation with the « Val », spatial telecommunication, armament, etc. In 1987, the group employed 28,000 persons. 1,447 of them worked for Matra Automobile, which has a turnover of 1,400 million francs ranking it fourth in the group. Matra Automobile's activities began in 1964. About 200 engineers and technicians work for the Technical Center, which includes a research center for concepts, a styling office with CAD, a calculating center, a department of industrialisation and licencing, a prototype workshop, a road tests unit and a trial laboratory. From 1965 to 1974, Matra Automobile participated in sports competitions with Formula 3 cars, then Formula 2 and 1 cars. They scored 124 victories, three of which were consecutive, at Le Mans (1972 to 1974). In 1974, they decided to forego competitions.
Concurrently, Matra Automobile has implemented an industrial activity to produce specific vehicles, different from the larger series: the Matra 530, designed and produced from 1967 to 1973, the Bagheera from 1973 to 1980, the Rancho from 1977 to 1983, the Murena from 1980 to 1983, and the Renault Espace, in collaboration with Renault from 1984. Since 1986, Matra Automobile participates in the Paris Car Show.

1960

Matra 530, 1965-67. Coupé dont la carrosserie est en matière plastique avec toit amovible et pièces interchangeables. (Concepteur : Philippe Guédon ; designer : Jacques Nochet ; fabricant : Matra Automobile).
Document Matra.

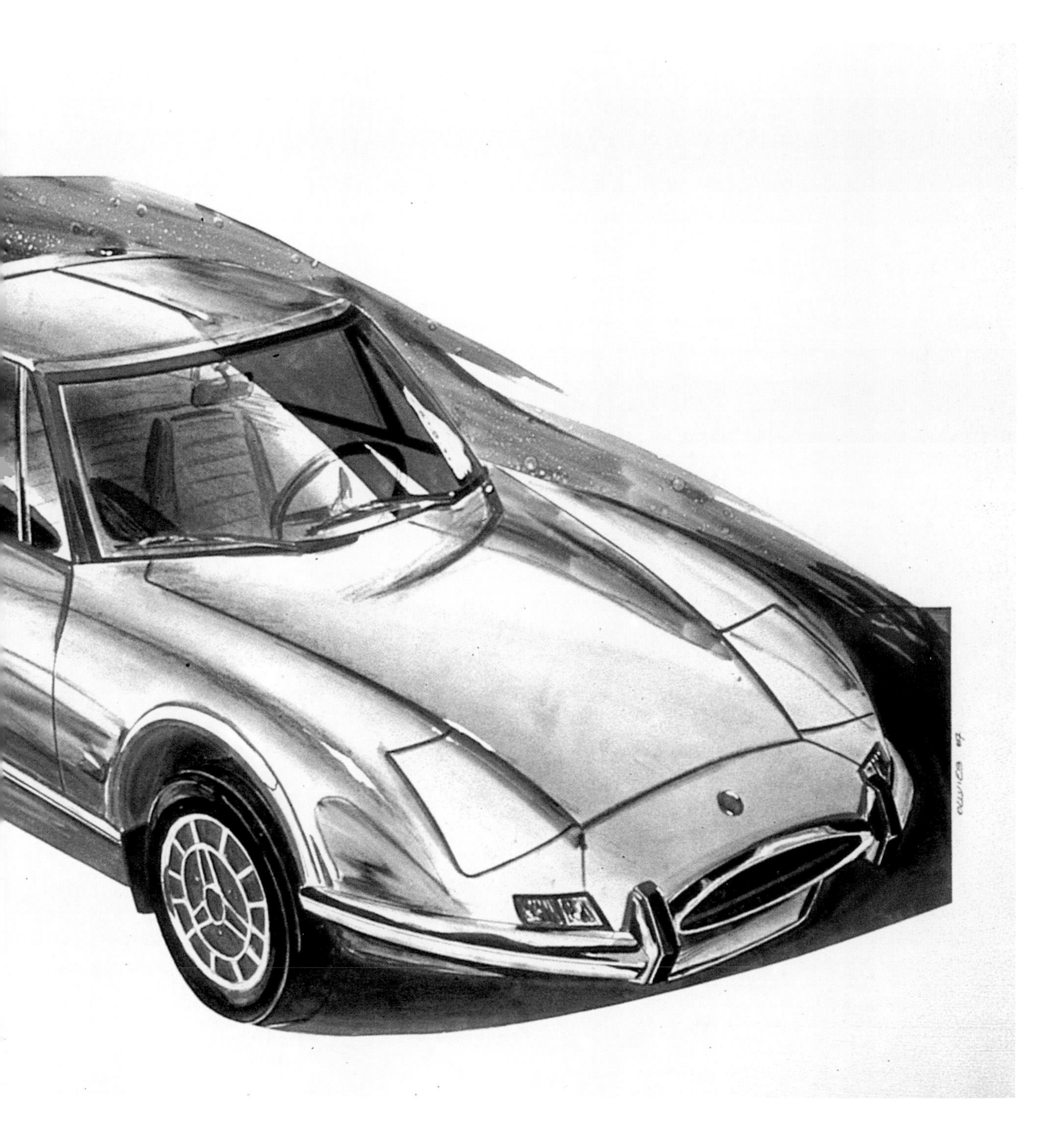

MBD (GROUPE DESIGN)

Bureau de design fondé en 1972 et animé par Yves Domergue, né en 1941, diplômé de l'ENSAD, et Alain Domergue, né en 1942, BTS de mécanique générale.
Le Groupe Design MBD intervient dans trois secteurs. Le design de produit : « Francorail », Pont-à-Mousson (programme de robinetterie « Odyssée », 1976), Beghin-Say, SNCF (rame suburbaine « Z6400 » et « ZZN », 1986), RATP (étude prospective « Métro 2000 »). Le design graphique : Jacques Vabre, Valrhona, Union des Brasseries, Lotus, Tollens, Éminence. Le design d'environnement : Coopérative des agriculteurs de Bretagne, Crédit Agricole, Agence nationale pour la création d'entreprise. Parmi les derniers travaux du Groupe Design MBD, il faut noter un équipement télévision « Compact Star » lancé par LME (Le Matériel Électronique), le thermostat électronique d'ambiance « Tybox », 1981, pour Delta-Gore.

This design studio founded in 1972 is conducted by Yves Domergue, born in 1941, graduate of the ENSAD, and Alain Domergue, born in 1942, certificated in general mechanics.
The Groupe Design MBD handles three sectors. Product design: «Francorail», Pont-à-Mousson (the «Odyssée» tap fittings program, 1976), Beghin-Say, SNCF (suburban trains «Z6400» and «ZZN», 1986), RATP (prospective study «Métro 2000»). Graphic design: Jacques Vabre, Valrhona, Union des Brasseries, Lotus, Tollens, Eminence. Environmental design: Farmer's Cooperative in Brittany, Crédit Agricole Bank, Agence Nationale pour la Création d'Entreprise. Among the latest works of the group, one must mention «Compact Star», a television set launched by LME (electronic equipment) and the indoor electronic thermostat «Tybox», 1981, for Delta-Gore.

Siège CAO pour train de banlieue, 1973. Dessins assistés par ordinateur.
Document Groupe Design MBD.

« Odyssée », 1976. Robinetterie sanitaire thermostatique. (Fabricant : Pont-à-Mousson).
Document Groupe Design MBD.

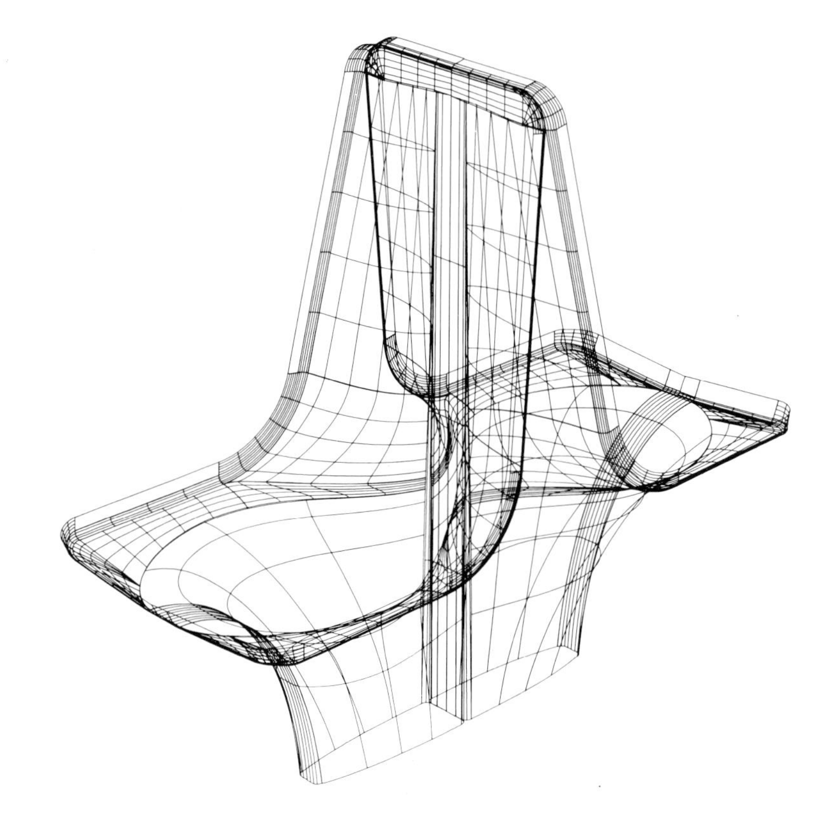

1980

« Sybic », 1984. Nouvelle locomotive SNCF, 1984.
Document Groupe Design MBD.

Pierre

MONNET

Né en 1940. Formation technique et artistique. De 1961 à 1979, il dirige, à Paris, le service de création, recherche et développement design du groupe SCHNEIDER RT, dont les activités sont l'électronique, les produits de grande consommation et les biens d'équipement. Il conçoit notamment, les « Transdécors », gamme de téléviseurs transportables, les électrophones mono « SE 210 » et stéréo « SE 460 ».
En 1980, il crée, en Savoie, un studio de design et de communication visuelle, intervenant comme consultant auprès de sociétés nationales et internationales.

Born in 1940. Technical and artistic training. From 1961 to 1979, he headed in Paris the department of creation, research and development of design for the Schneider RT group, whose activities include electronics, general consumer products and durable goods. In particular, he conceived the «Transdécors» line of portable television sets, the mono «SE 210» and stereo «SE 460» record-players.
In 1980, he created in the Savoy region, a studio of design and visual communication, working as a consultant for national and international companies.

1980

Pinces «CPY», 1986.
(Fabricant: Facom).
Document Facom.

Tournevis «Expert», 1986.
(Fabricant: Garnache et Chiquet).
Document Garnache et Chiquet.

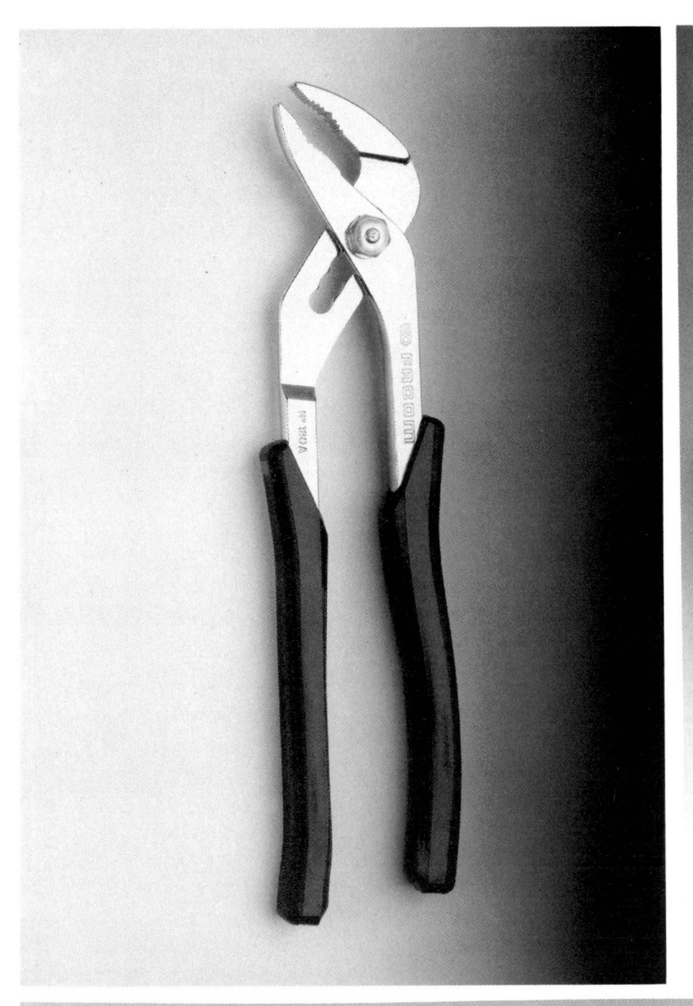

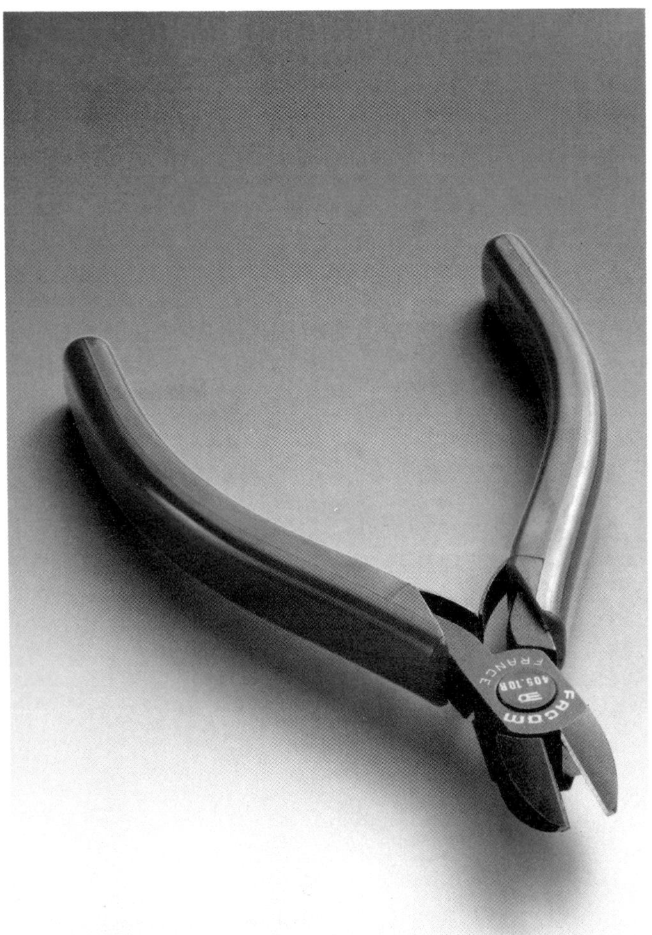
FRANCE
405.10A
FACOM

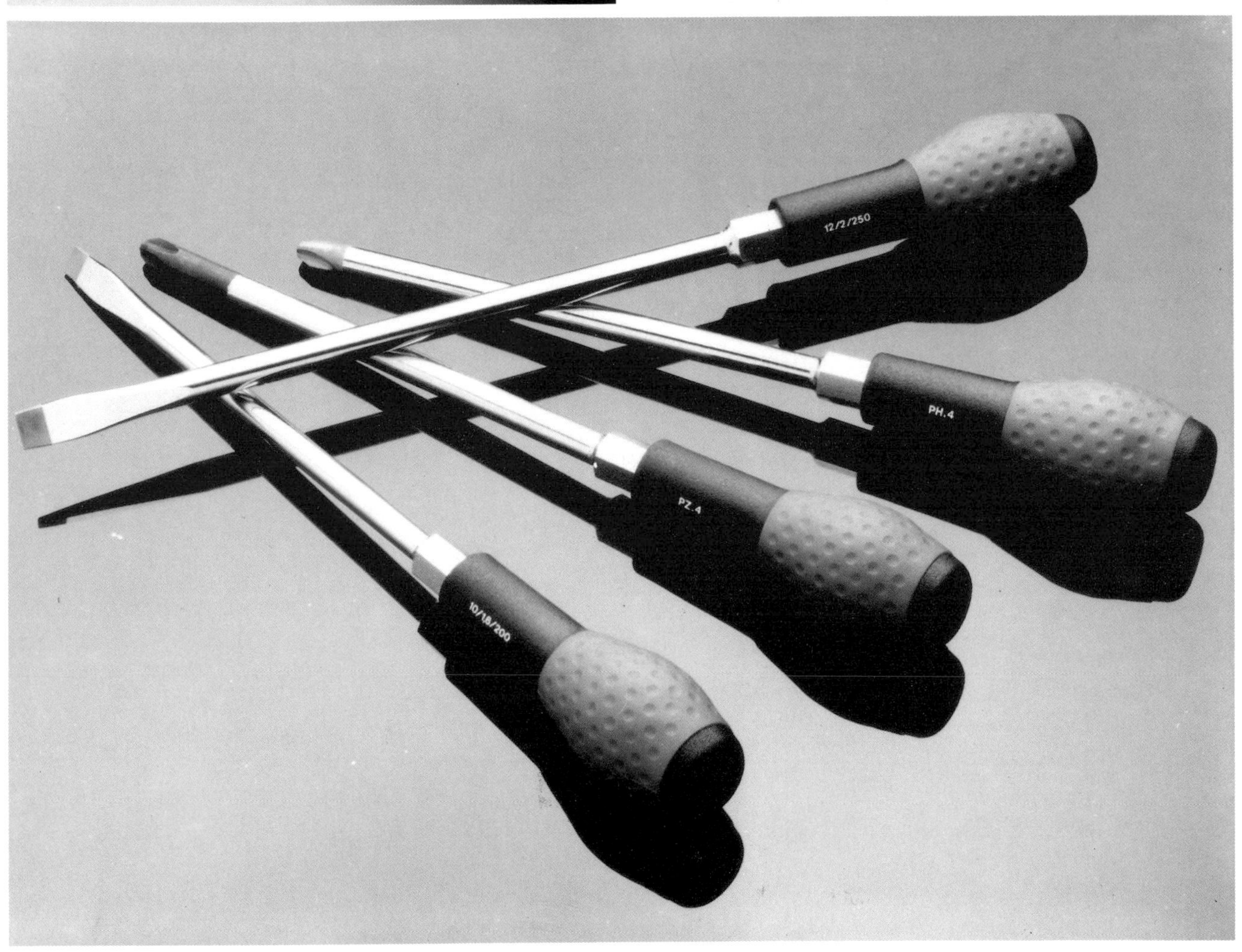
12/2/250
PH.4
PZ.4
10/18/200

Joseph-André

MOTTE

Né en 1925. Diplômé de l'École des arts appliqués à l'industrie de Paris en 1948. Architecte d'intérieur, il a travaillé à l'aménagement de grands équipements publics. Dès le début de sa carrière, il participe à des expositions et reçoit de nombreuses récompenses. Il est sélectionné dans le cadre des manifestations « Formes utiles » en 1956, 1958, 1961, 1963, 1965, 1966. Il obtient les médailles d'argent aux Xe et XIe Triennales de Milan et le Grand Prix à l'Exposition de Bruxelles en 1958, etc.
En 1954, puis de 1958 à 1961, il aménage l'aéroport d'Orly, en 1962, la Maison de la radio et le Palais de la présidence du Mali à Bamako puis, en 1964, le siège de l'Assemblée nationale du Mali.
Il participe à l'aménagement de ports, Le Havre (1962), Strasbourg, Dunkerque (1965), et Marseille (1968-1969), à l'aménagement des aérogares de Paris-Nord-Roissy (1969), de l'aéroport Lyon-Satolas (1974) et de la gare ferroviaire Roissy-Charles-de-Gaulle (1976).
Il conçoit des meubles pour le Mobilier national, Airborne, Steiner, des sièges en rotin, du mobilier de bureau (Compasso d'Oro 1970 pour Graphis édité par Tecno), des luminaires, des revêtements muraux, etc.
Il est professeur chef d'atelier à l'ENSAD.

Born in 1925. Graduated in 1948 from the École des arts appliqués à l'industrie in Paris. He has worked as an interior designer on large public constructions and has been present in a number of exhibitions from early on in his career, receiving numerous awards. «Formes utiles» selected his work for their exhibitions in 1956, 1958, 1961, 1963, 1965 and 1966. He was awarded silver medals at the 10th and 11th Milan Triennales and the Grand Prix at the Brussels World Fair in 1958.
In 1954, and again from 1958 to 1961, he works on the interior design of Orly Airport and, in 1962, tackles the Maison de la Radio and the Presidential Palace in Bamako, Mali, before designing the country's National Assembly building in 1964.
He also collaborates on the design of sea and river ports (Le Havre in 1962, Strasbourg, Dunkerque in 1965, and Marseilles in 1968-69) as well as airports (Paris-Nord-Roissy in 1969, Lyons-Satolas in 1974) and a railway station (Roissy-Charles-de-Gaulle in 1976).
Has designed furniture for Mobilier national, Airborne, Steiner, cane seating, office furniture (Compasso d'Oro in 1970 for «Graphis» produced by Tecno), lamps, wall coverings.
He is a professor in charge of a workshop at ENSAD.

1960 Aménagements intérieurs de l'aéroport d'Orly Sud, 1961.
Document Aéroports de Paris.

1970 Aérogare 2, Paris-Nord-Roissy, 1969.
Document Aéroports de Paris.

ANTIQUITES

Olivier MOURGUE

Né en 1939. Cours à l'École Boulle et à l'ENSAD ainsi que des stages en Suède et Finlande de 1958 à 1961. A partir de 1963, il collabore avec Airborne : sièges, expositions en France et à l'étranger, aménagement de magasins, usine de Tournus. 1968, édition du siège « Cubique » et de la chaise longue « Djinn » qui reçoit l'International Design Award de l'AID. Il participe au décor de *2001 l'Odyssée de l'espace.* En 1967, il conçoit les sièges du salon de réception du Pavillon français à l'Exposition de Montréal pour le Mobilier national. Il réalise, en 1969, des meubles et des sièges pour Prisunic et participe à l'aménagement du Pavillon français à Osaka (figures « Bouloum », sièges, signalisation, 1970). Au début des années 70, il s'installe en Bretagne et enseigne à l'École des beaux-arts de Brest. Il figure, en 1983, dans l'exposition « Design since 1945 » au Philadelphia Museum of Art.

Born in 1939. Studied at the École Boulle and ENSAD, also attended training courses in Sweden and Finland between 1958 and 1961. Worked with Airborne from 1963, designing seats, exhibiting both in France and abroad, designing shop interiors, and a factory in Tournus. In 1968, «Cubique», a seat, and «Djinn», a deckchair (AID International Design Award), are produced. He also participates in the set designs for «2001 A Space Odyssey». In 1967, he designs seats for the reception hall of the French Pavilion at Expo' 67 in Montréal on behalf of Mobilier national, and in 1969, he creates furniture, in particular seating, for Prisunic. Takes part in the design of the French Pavilion at Osaka («Bouloum» figure, seating and signage, 1970). In 1970, he decides to settle in Brittany and teaches at the art school in Brest. Some of his work is exhibited at the Philadelphia Museum of Art's 1983 «Design since 1945» exhibition.

1960

« Djinn », 1964. (Fabricant : Airborne).
Document Peter Willi.

Décor du film de Stanley Kubrick, *2001 L'Odyssée de l'espace,* 1967.
Document National Film Archive / Stills Library.

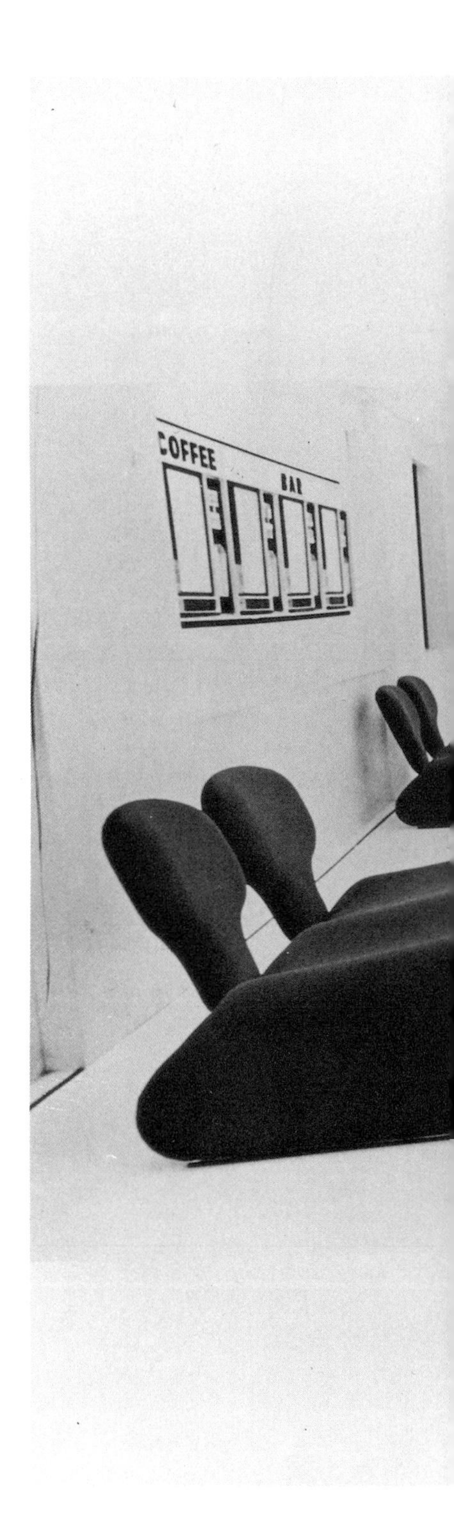

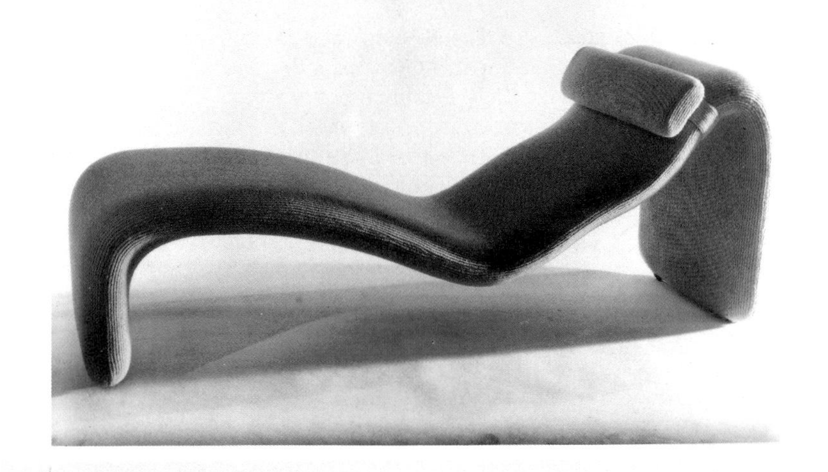

235

Pascal MOURGUE

Né en 1943. Formation à l'École Boulle et à l'École des arts décoratifs (architecture intérieure et design). Dès 1960, il commence sa carrière de designer et connaît un grand succès. Il conçoit du mobilier scolaire, de bureau, de collectivités (UGAP, VINCO, KNOLL USA, etc.) et depuis 1982, des meubles pour l'habitat en étroite collaboration avec des industriels : « Lune d'argent », 1985, « Face à face », secrétaire et mini-bar extra-plat pour Fermob ; programme de tables « Atlantiques » pour Artelano ; trois dessins de nouveautés pour Toulemonde-Bochart ; canapé de cuir pour Guermonprez, etc.
Parallèlement à ses créations de mobilier, il dessine des assiettes, un tapis, des éléments d'aménagement de parc, et conçoit, avec Patrice Hardy, deux trimarans. Il est élu créateur de l'année en 1984, reçoit le Grand Prix de la Critique du meuble contemporain en 1986, est choisi par VIA comme designer au premier Designers' Saturday à Paris. Il est également chargé de cours à l'École des arts décoratifs en 1987.

Born in 1943. Studied at the École Boulle and École des arts décoratifs (interior and product design). As soon as he begins his career as a designer, receives wide acclaim. Designs furniture for schools, offices and public institutions (UGAP, VINCO, KNOLL USA, etc.) and, since 1982, for the home in close association with manufacturers «Lune d'argent» in 1985, «Face à Face», davenport and horizontal mini-bar for Fermob; «Atlantiques» table range for Artenalo; three original designs for Toulemonde-Bochart; leather sofa for Guermonprez, etc.
Along with furniture, he also designs tableware, a rug, some park facilities and two trimarans with Patrick Hardy. He received the Grand Prix de la Critique for contemporary furniture in 1986, and was chosen by VIA as designer for the first «Designers' Saturday» held in Paris. He has been teaching at the École des arts décoratifs since 1987.

« Arc », 1983. Chaise longue. (Fabricant : Triconfort ; Éditeur : Pamco Intérieur).
Document CCI.

Collection « Lune d'argent », 1985. Dessin. (Fabricant : Fermob).
Document Fermob.

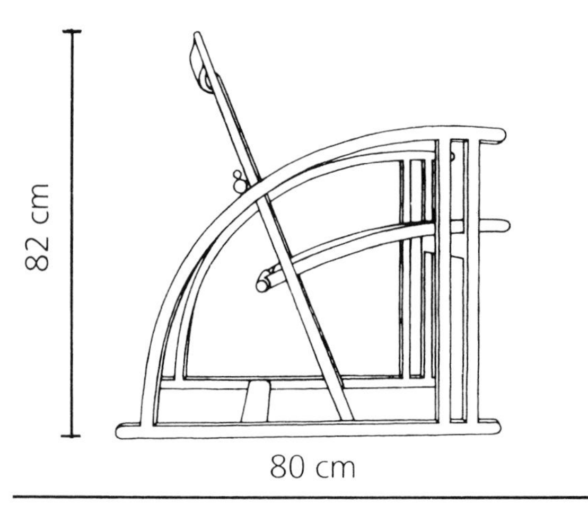

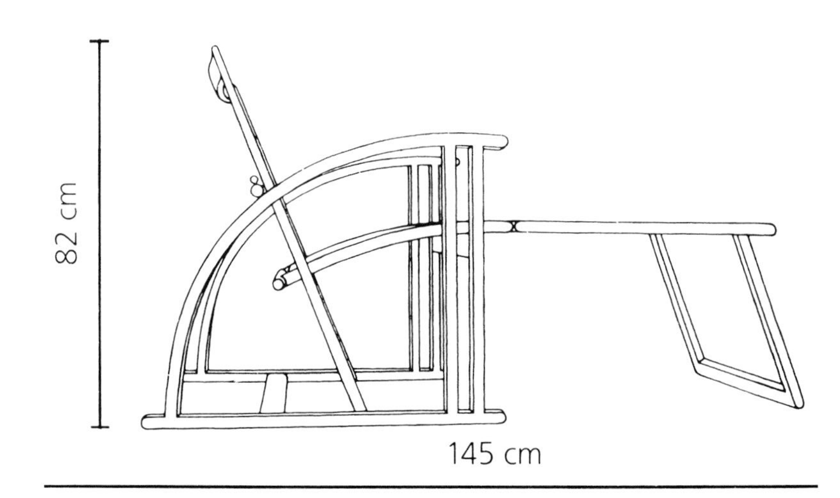

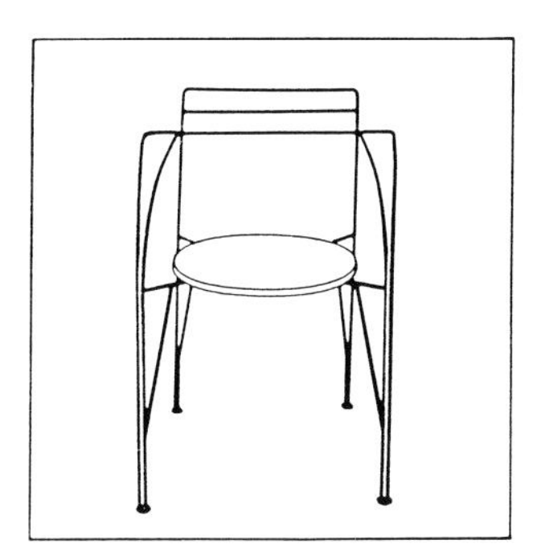

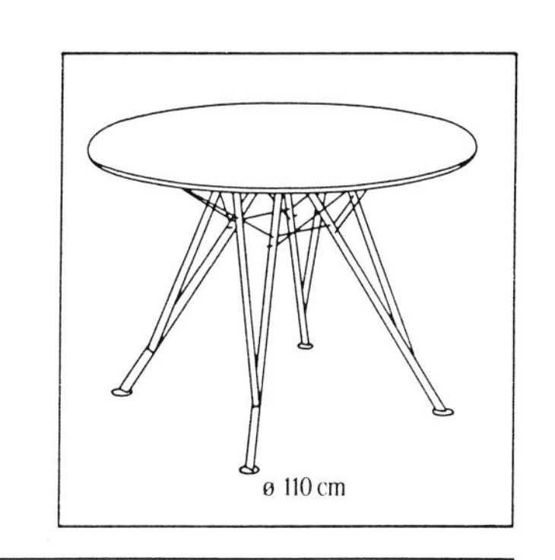
ø 110 cm

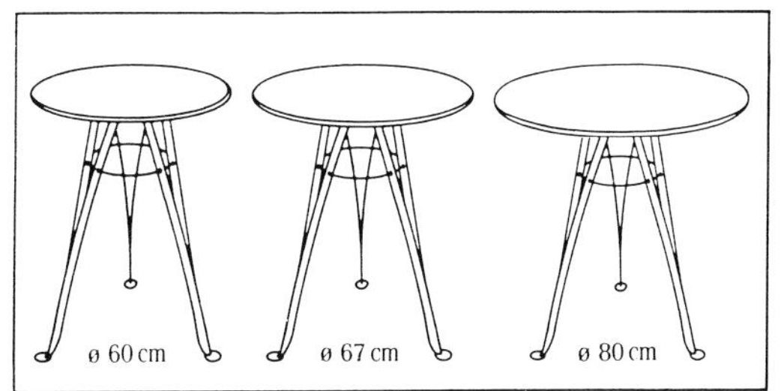
ø 60 cm
ø 67 cm
ø 80 cm

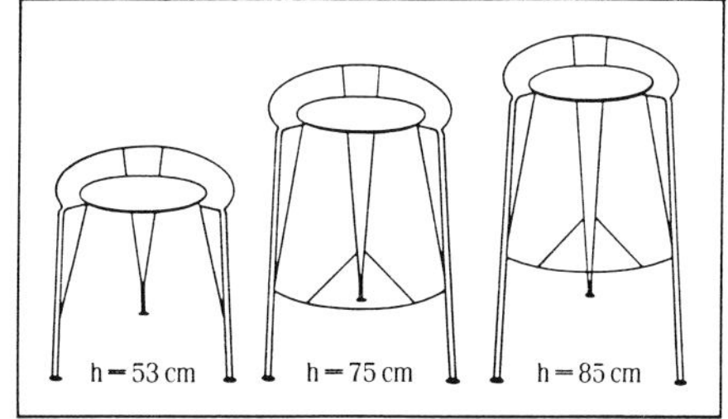
h = 53 cm
h = 75 cm
h = 85 cm

NEMO

Fondé par François Scali et Alain Domingo en 1982. Scali, né en 1951 et Domingo, né en 1952, se sont rencontrés à UP5 en préparant leur diplôme d'architecte en 1979. NEMO est à la fois bureau d'études et éditeur de mobilier. Ils rencontrent un grand succès médiatique et industriel au Salon du meuble 1983. La même année, ils sont retenus par le Mobilier national. Ils participent aux concours organisés par le ministère de la Culture : mobilier de bureau en 1982 (projet non retenu), lampe de bureau « Megano » en 1984 (lauréat), mobilier pour le musée de La Villette en 1985.
Ils s'intéressent à la publicité et à la vidéo : films publicitaires Wonder Products et PTT, vidéodisques interactifs « Melody Movies ». Ils conçoivent le code visuel de MBK Motobécane, la signalétique et les affiches de l'exposition « Art et industrie » en 1985, un micro-ordinateur « Leanord », des prototypes de pâtes alimentaires pour Panzani. Pour les dix ans du Centre Georges Pompidou, ils réalisent le « Génitron », horloge qui décompte les secondes jusqu'à l'an 2000, et travaillent à la future boutique du Centre.

Set up in 1982 by François Scali and Alain Domingo. Born respectively in 1951 and 1952, the two met at UP5 while preparing for their architecture diplomas in 1979. NEMO is a design office and furniture producer. Manufacturers and the press pay considerable attention to them at the 1983 Salon du Meuble and in the same year they are selected for the Mobilier national. They take part in design competitions held by the Ministry of Culture: office furniture in 1982 (not selected), office lighting «Megano» in 1984 (prize-winner), furniture for the Musée de La Villette in 1985.
Their work in advertising and video includes commercials for Wonder Products and PTT, «Melody Movies» interactive video disks. They also designed M.B.K. Motobécane's visual image, signage and posters for the «Art et industrie» exhibition held in 1985, a micro-computer called «Leanord» and pasta designs for Panzani. To celebrate the 10th anniversary of the Centre Georges Pompidou, they conceived the «Génitron», a clock giving a second by second countdown to the year 2000. They are also working on the Centre's future boutique.

« Faizzz », 1984. (Éditeur : Tebong).
Document CCI.

Postes de consultation audiovisuelle et/ou informatique pour la Cité des sciences et de l'industrie de La Villette, 1985. (Fabricant : Sitraba/Électronavale).
Document CCI.

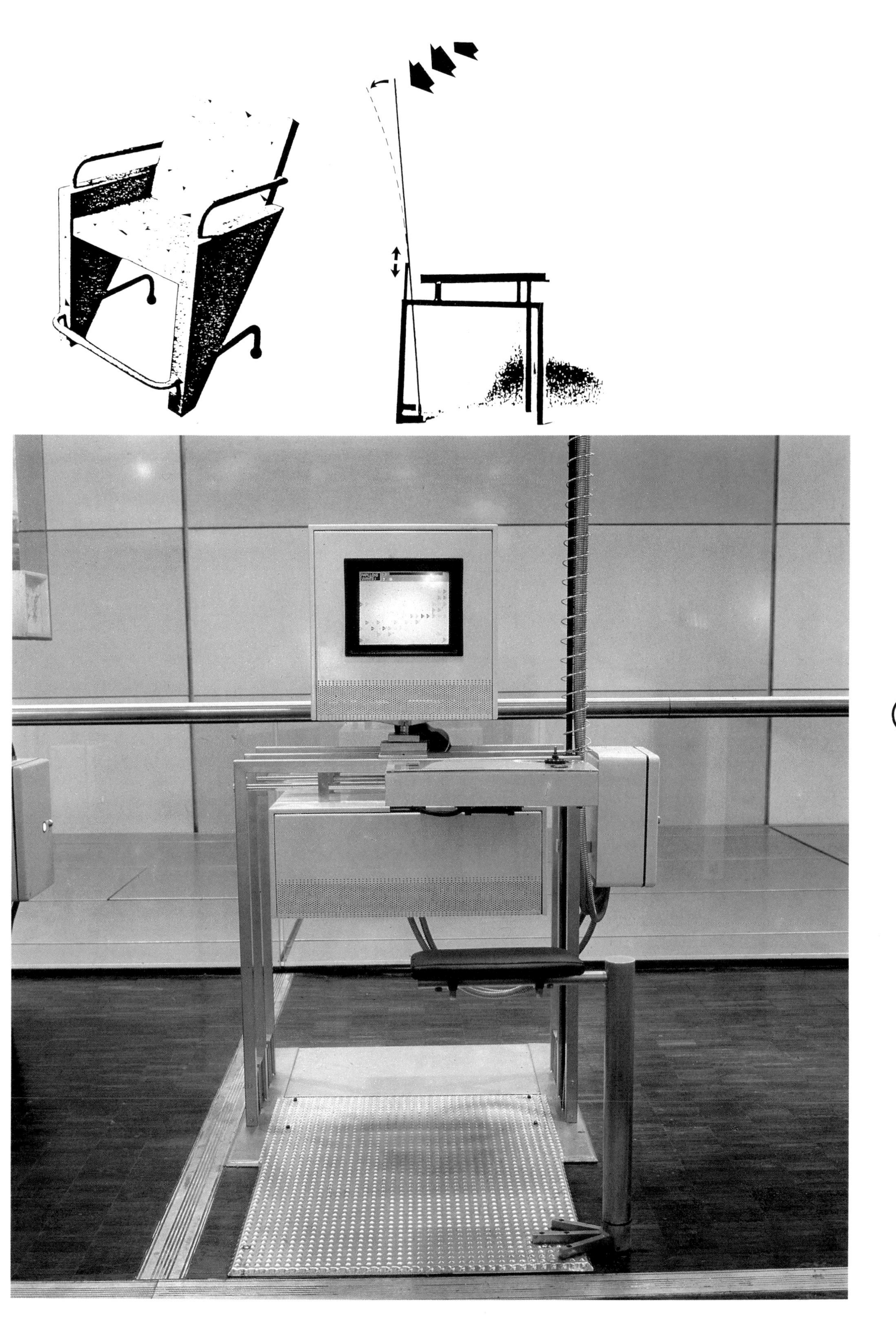

OUIDIRE

Hélène Diebold, née en 1932, styliste ENSAD, Véronique Dolfuss, née en 1956, architecte DPLG, Sarah Lassale, née en 1959, architecte d'intérieur Camondo, ont travaillé de 1981 à 1986 à l'équipement mobilier pour l'aménagement de la Cité des sciences et de l'industrie-La Villette, sous la responsabilité d'Hélène Diebold. De cette collaboration et de cette expérience sans précédent en matière d'équipement public et collectif naît OUIDIRE en janvier 1987.
Des musées (en 1986, leur projet, dans le cadre de la consultation sur l'aménagement du hall du musée de l'Homme, est primé), aux halls de gares, aux bibliothèques, aux restaurants d'entreprise, OUIDIRE réalise des espaces et des équipements pour le grand public et les collectivités, de l'échelle du bâtiment à celle du mobilier. En 1988, OUIDIRE présente un projet pour le réaménagement des stations du métro parisien, s'intéressant à l'usager RATP, à la fois voyageur et acteur de la ville, restituant à la station son ampleur et mettant en valeur voûte et carrelage blanc, symbole du patrimoine RATP.

Hélène Diebold, born in 1932, stylist from ENSAD; Véronique Dolfuss, born in 1956, qualified architect; Sarah Lassalle, born in 1959, interior design architect from Camondo. All three worked from 1981 to 1986 on the furnishings for the implementation of the Cité des sciences et de l'industrie of La Villette, under the supervision of Hélène Diebold. Their excellent team work and unprecedented experience in public and collective furnishings enabled them to create OUIDIRE in 1987.
From museums (in 1986, their consultant's project for the implementation of the Hall in the musée de l'Homme was awarded a prize), to train station concourses, libraries, and company cafeterias, OUIDIRE conceives spaces and furnishings for the general public and communities, both at the scale of a large building or just simple furniture. 1986: OUIDIRE has presented a project to refurnish the Paris subway stations, taking into consideration the user of the RATP, both traveller and actor within the city, conveying back to the station its full breadth and showing off its upper vaults and white tiles, symbols of the RATP heritage.

Projet pour le réaménagement des stations du métro parisien (concours RATP), 1988. Banc et assise semi-debout.
Document OUIDIRE.

Projet pour le réaménagement des stations du métro parisien (concours RATP), 1988. Ensemble et détail, support d'éclairage, câblage.
Document OUIDIRE.

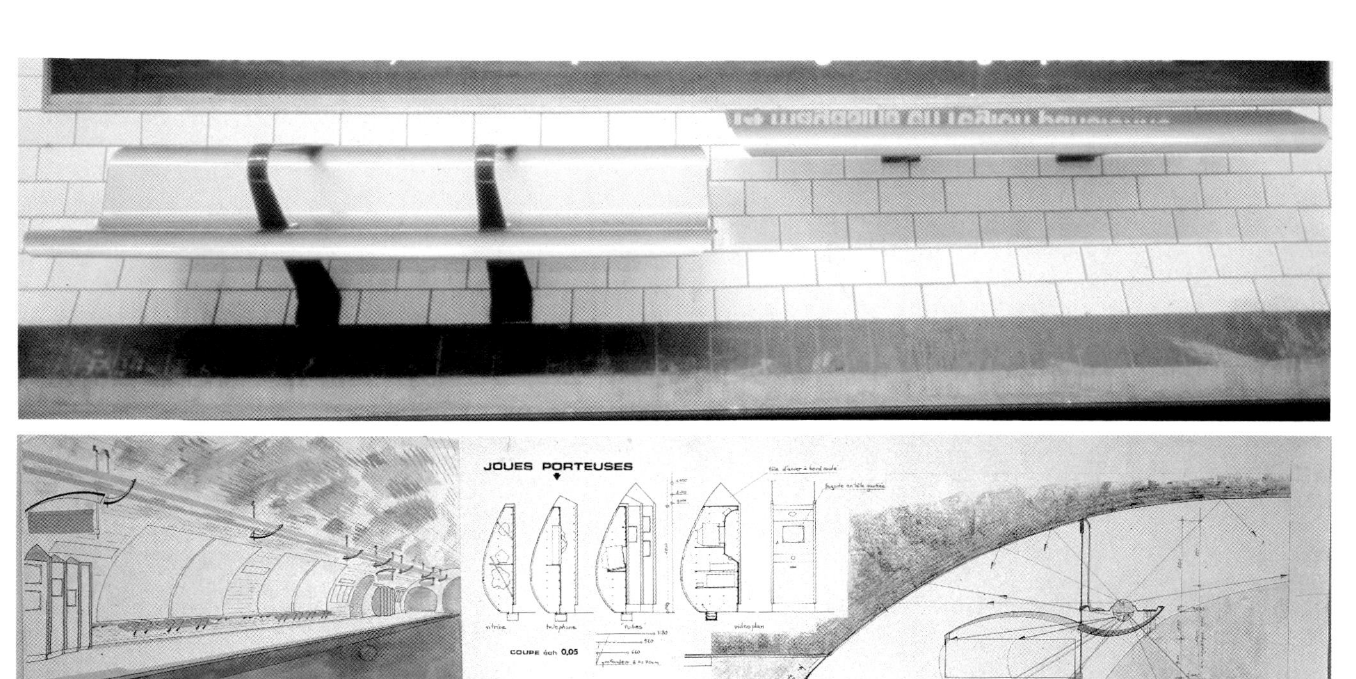

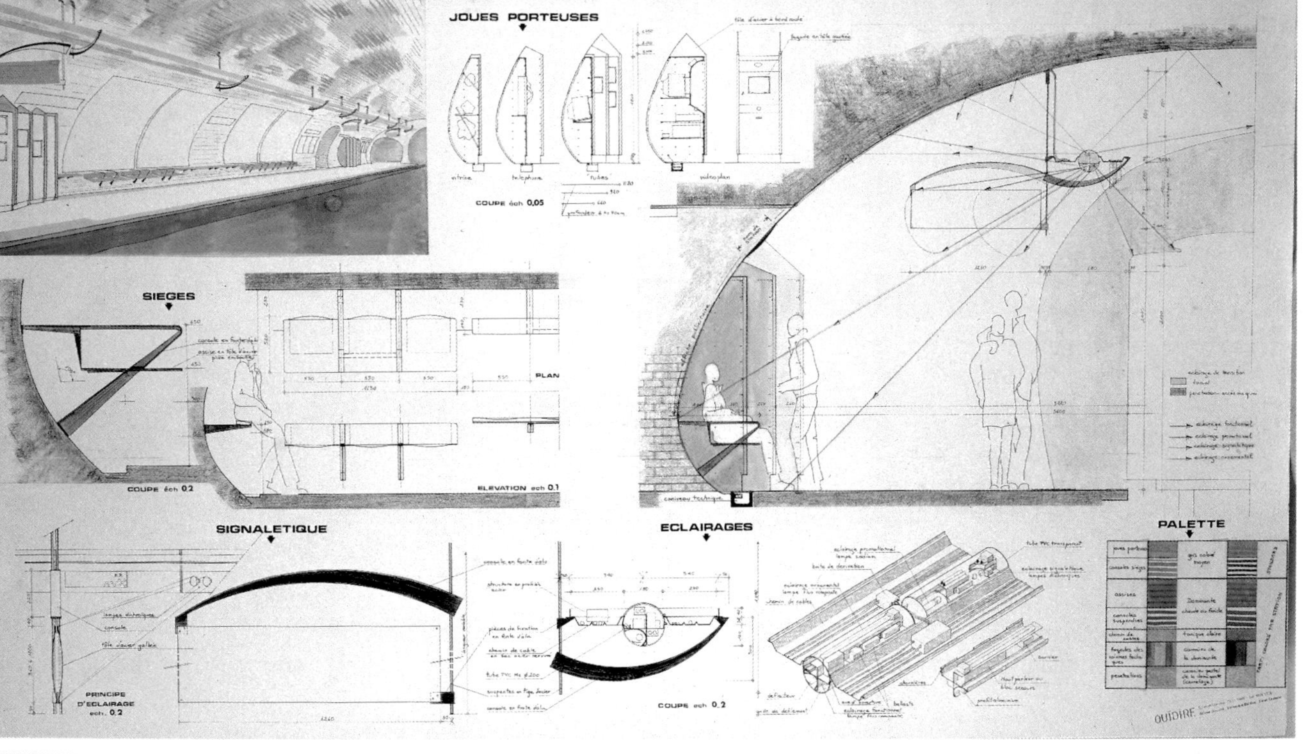

JOUES PORTEUSES
COUPE éch 0,05
SIEGES
COUPE éch 0.2
ELEVATION éch 0.1
PLAN
SIGNALETIQUE
PRINCIPE D'ECLAIRAGE éch. 0.2
ECLAIRAGES
COUPE éch 0.2
PALETTE

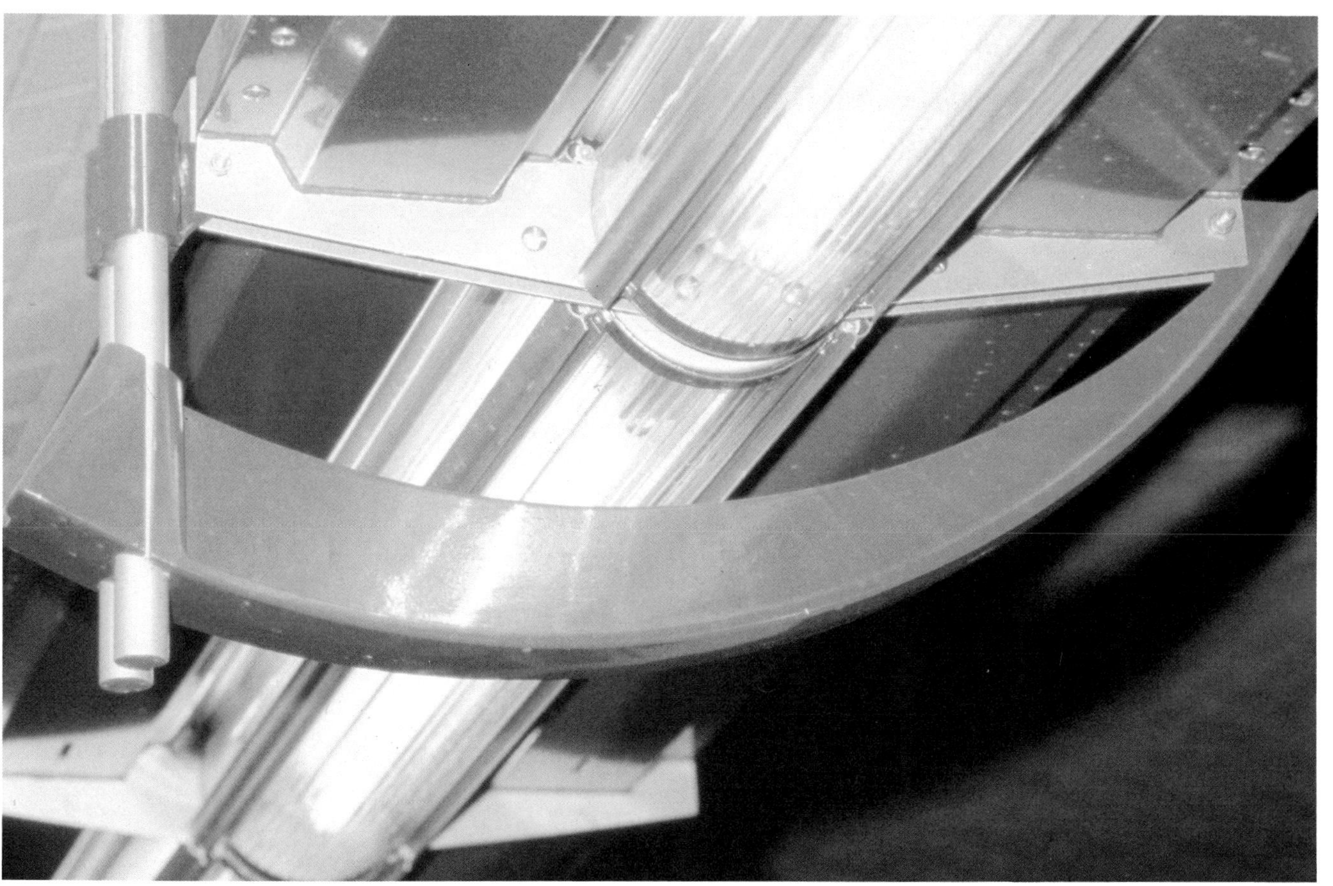

Georges

PATRIX

Né en 1920. Études à l'université de Caen et à l'université de Cologne, puis à l'École nationale supérieure des beaux-arts. Il débute en 1947 comme ingénieur-conseil en esthétique industrielle à la Compagnie française d'organisation.
Il fonde son Bureau d'études de design et d'architecture industrielle en 1950. En vingt ans, il participe à la conception d'environ 200 usines en Europe et en France : Air Liquide, filatures en France, Belgique et Italie, Béghin, Centre d'études nucléaires de Saclay, Chausson, Trois Suisses, Philips, Centrale thermique EDF, usines SIMCA de Poissy, manufactures de tabac de la SEITA, usines Pernod à Bordeaux, Marseille et Créteil. Durant cette période, il réalise des études pour des objets industriels, comme, par exemple, le plateau-repas Air France encore utilisé de nos jours, des machines-outils, du mobilier, etc.
Il enseigne à l'École des arts appliqués, au Centre de recherches des chefs d'entreprises du patronat français et à l'Institut supérieur des carrières artistiques. En 1965, il fonde avec Michel Ragon, Iona Friedman, Nicolas Schoffer, Paul Maymont et Walter Jonas, le GIAP (Groupe International d'Architecture Pròspective). Il publie en 1961, dans la collection « Que sais-je ? », *L'Esthétique industrielle.*

Born in 1920. Studies at Caen and Cologne Universities before going on to the École nationale supérieure des beaux-arts. Begins his career in 1947 as an engineering consultant in industrial design with the Compagnie française d'organisation.
In 1950, he sets up his own design and industrial architecture office. He has, in the past 20 years, contributed to the design of approximately two hundred factories in France and Europe: Air Liquide, mills in France, Belgium and Italy, Beghin, the Centre d'études nucléaires in Saclay, Chausson, 3 Suisses, Philips, a power station for EDF, the Simca production unit in Poissy, tobacco factories for SEITA, Pernod's factories in Bordeaux, Marseilles and Créteil. During this period, he also designed some products such as the Air France in-flight meal tray, still in use today, machine-tools, furniture, etc.
He teaches at the École des arts appliqués, the Centre de recherches des chefs d'entreprise du patronat français and the Institut supérieur des carrières artistiques. In 1965, he is a founder-member of GIAP (Groupe International d'Architecture Prospective) along with Michel Ragon, Iona Friedman, Nicolas Schoffer, Paul Maymont and Walter Jonas. In 1961, the «Que sais-je?» series publishes a paperback entitled «L'Esthétique industrielle» written by him.

Verre en plastique, 1968. Création d'un plateau jetable (verre, assiette, tasse à café, flacon à eau) destiné à servir les repas sur les lignes d'Air France.
Document CCI.

Pierre

PAULIN

Né en 1927. Études à l'École Camondo et apprend la taille de la pierre et le modelage. Puis il se lance dans la création de mobilier. Ses sièges sont édités par Thonet depuis 1954 et par Artifort depuis 1958. En 1967-1968, il réalise une série de sièges en polyester moulé et en mousse et entreprend une collaboration suivie avec le Mobilier national.
Il participe au réaménagement du musée du Louvre en 1968. En 1969, il reçoit le Design Award AID à Chicago pour sa « Chaise ruban ». En 1970, il crée le siège collectif « Amphys » pour l'Exposition universelle d'Osaka et en 1971, il conçoit l'aménagement de l'Élysée.
En 1975, il fonde le groupe ADSA + Partners auquel se joignent, en 1984, Roger Tallon et Michel Schreiber. En 1983, il réalise le mobilier du bureau du président à l'Élysée. En 1985, il conçoit des rasoirs et des appareils de chauffage pour Calor et obtient le Janus de l'industrie pour le fauteuil « Boston » de Stamp.
Il reçoit, en 1987, le Grand Prix national de la Création industrielle et l'Oscar du design pour ses produits Calor.

Born in 1927. Studied at Camondo School and learned clay-modeling and stone-carving, before embarking on a furniture design career. Thonet has produced his chairs since 1954 and Artifort since 1958. In 1967-68, he designs a series of foam and moulded polyester seats and develops a close association with Mobilier national.
Participates in the refurbishing of the Louvre in 1968. The following year, he is awarded the AID Design Award in Chicago for his «Chaise ruban». In 1970, he designs «Amphys», a seat for the Expo'70 in Osaka and, in 1971, decorates the private apartments at the Élysée Palace.
In 1975, he sets up ADSA + Partners and is joined by Roger Tallon and Michel Schreiber in 1984. He designs the furniture for the presidential office at the Élysée Palace. In 1983 and in 1985, he designs razors and domestic heaters for Calor and obtains a Janus de l'Industrie for «Boston», an armchair for Stamp.
In 1987, he is awarded the Grand Prix national de la création industrielle and the Oscar du design for his Calor products.

1960

Fauteuil « F 560 », 1960. (Diffuseur: Artifort).
Document Pierre Paulin.

Fauteuil « Ruban », 1969. (Diffuseur: Artifort).
Document Pierre Paulin.

1970

Mobilier pour le palais de l'Élysée, 1971-72. (Réalisation: Mobilier national).
Document Pierre Paulin.

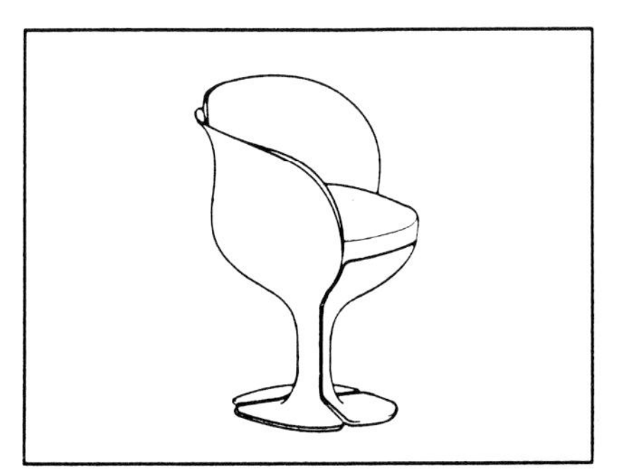

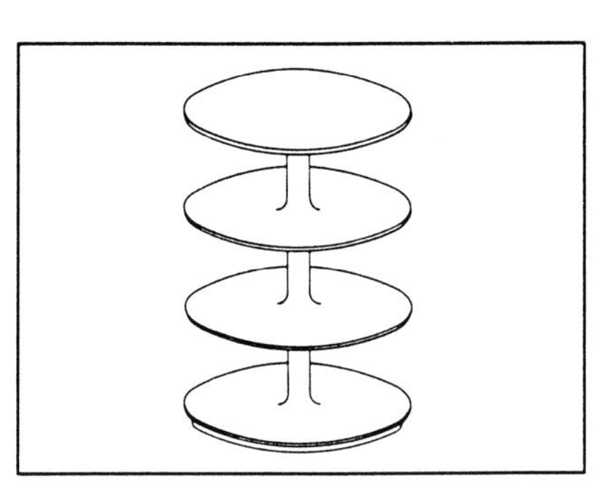

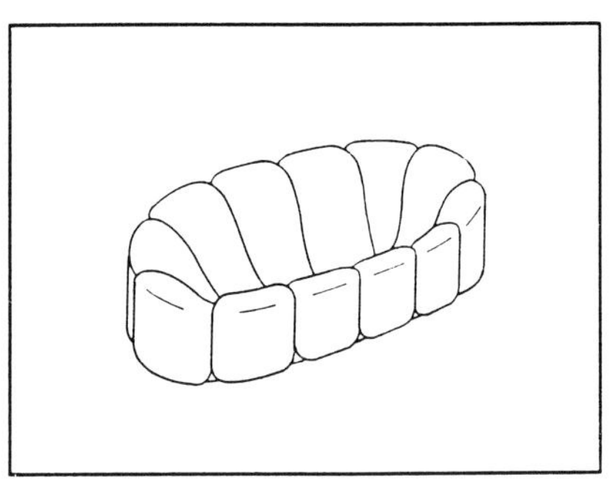

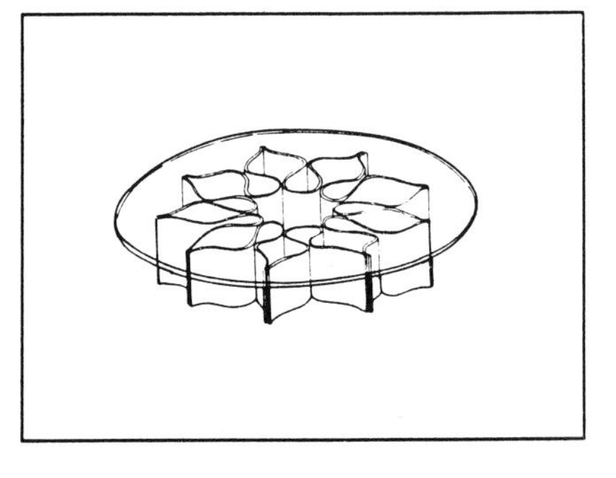

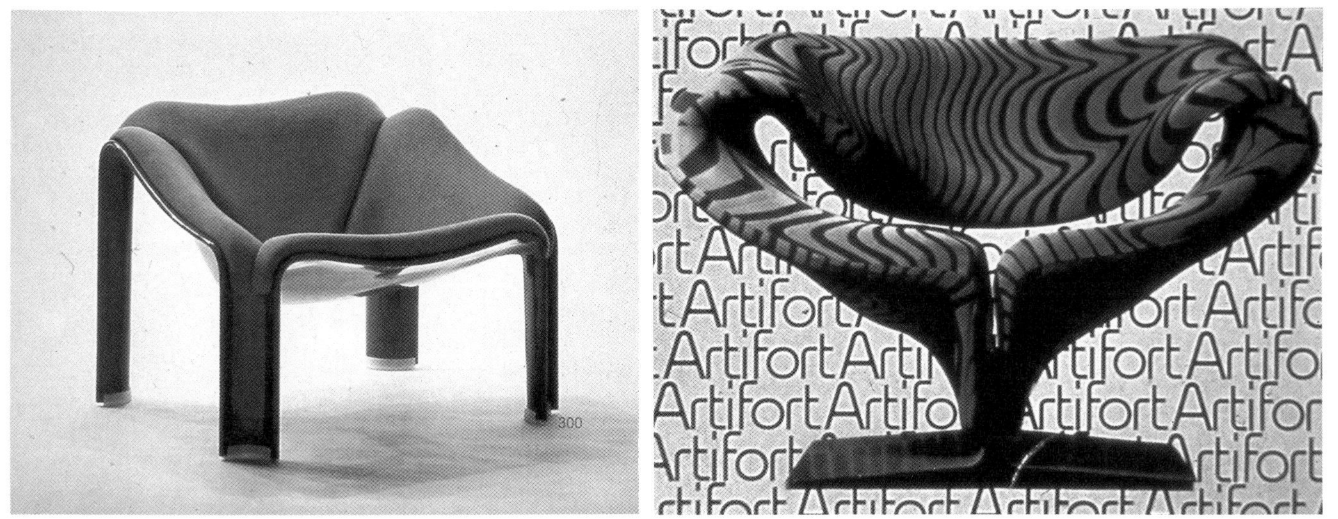

1980

Mini-rasoir de voyage, 1985.
(Fabricant: Calor).
Document APCI / Alain Vivier.

PLAN CRÉATIF

Agence de design et communication fondée en 1985 par C. Braunstein et C. Rousseau. Claude Braunstein, né en 1940. Études au Cours supérieur d'esthétique industrielle et au CNAM avec J. Prouvé. Successivement designer à Technès, directeur du design à IBM France, fondateur de Signis, enseignant à l'Institut de l'environnement et aux Beaux-Arts de Marseille et de Metz puis, de 1978 à 1985, responsable du département Design et Communication de PA Design. Clément Rousseau, né en 1948. Études à l'École Camondo, chez Étienne Fermigier en 1974 puis Harold Barnett en 1976. Designer puis directeur d'études de Raymond Loewy International. En 1981, il est directeur du département Design de produit.
Plan créatif obtient le Janus de l'industrie 1986 et un Oscar du design 1987 pour la robinetterie « Porphyre-Porcher », un Oscar du design 1986 pour la machine de suremballage « Rémy » et une nomination au Prix européen du Design en 1987.

This design and communication agency was founded in 1985 by C. Braunstein and C. Rousseau. Born in 1940, Claude Braunstein studied at the École des métiers d'art, and at the CNAM with J. Prouvé. He worked in turn as a designer for Technès and as director of the design department for IBM France; he also founded Signis and teached at the Institut de l'environnement and at the Beaux-Arts in Marseilles and Metz. Then from 1978 to 1986, he was responsible for the Design and Communication Department of PA Design. Clément Rousseau was born in 1948. He first studied at the Camondo School, then with Étienne Fermigier in 1974 and Harold Barnett in 1976. Designer, then research manager studies for Raymond Loewy International. In 1981, he was appointed head of its product design department.
Plan Créatif was awarded the 1986 Janus de l'industrie and an Oscar du design in 1987 for the Porphyre-Porcher tap fittings; as well as a 1986 Oscar du design for the Rémy overwrapping machine.

Gamme Porphyre, 1986. Mitigeur bain-douche version chromée. (Fabricant: Porcher).
Document Plan Créatif.

Identité visuelle et packaging des produits Comasec, 1987. Janus de l'industrie 1987 pour le catalogue (Fabricant: Comasec).
Document Plan Créatif.

Machine d'encaissage et de suremballage en continu, 1986. Oscar du *Nouvel Économiste* 1986; nomination au Prix européen du design 1988. (Fabricant: Rémy).
Document Plan Créatif.

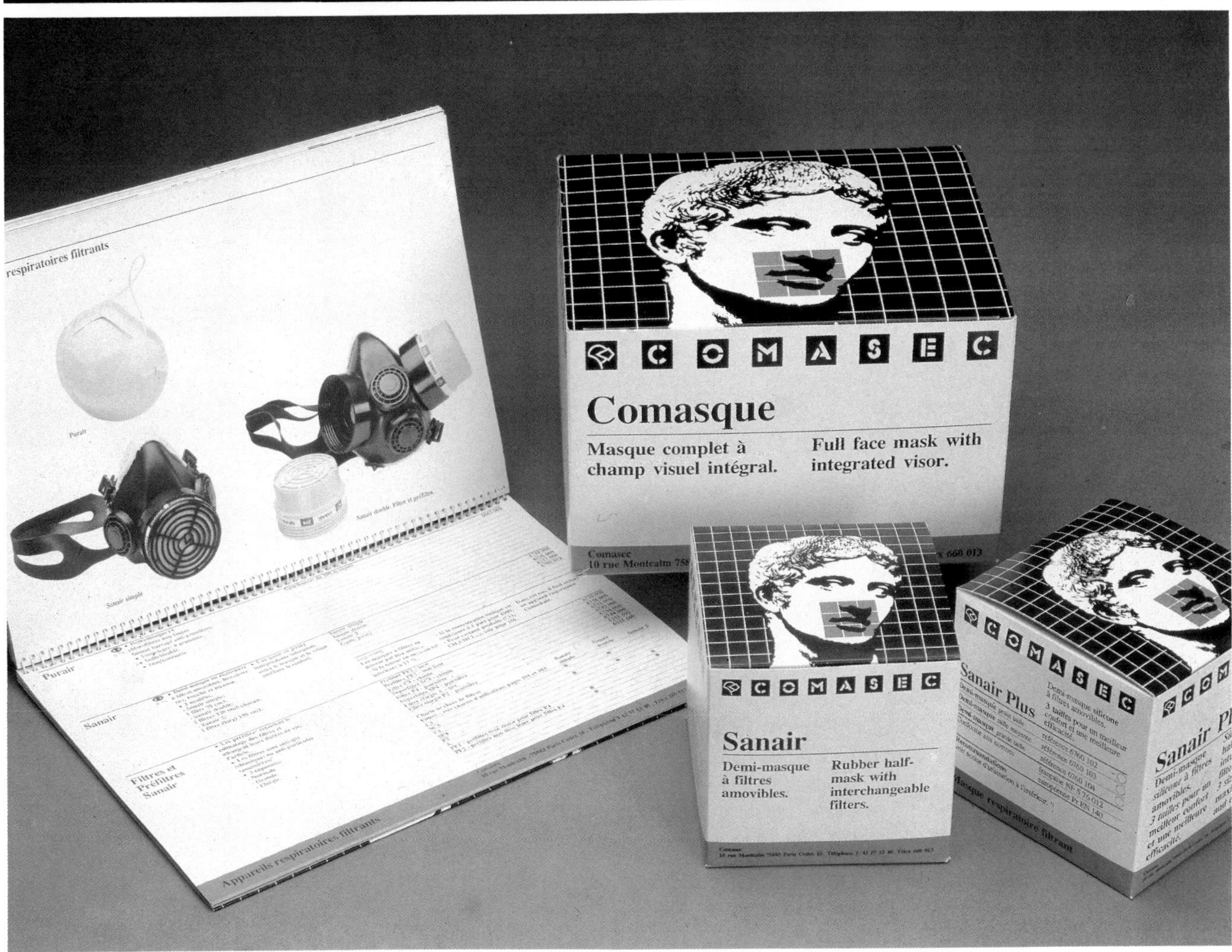

respiratoires filtrants
Purair
Sanair
Filtres et Préfiltres Sanair
Appareils respiratoires filtrants
COMASEC
Comasque
Masque complet à champ visuel intégral.
Full face mask with integrated visor.
Sanair
Demi-masque à filtres amovibles.
Rubber half-mask with interchangeable filters.
Sanair Plus
Masque respiratoire filtrant

Andrée

PUTMAN

Dans les années 60, elle entreprend une carrière de journaliste à *Elle* puis de styliste à Prisunic. En 1971, elle est chargée par les Créateurs industriels de fédérer, avec Didier Grumbach, les jeunes créateurs. En 1977, elle crée, avec l'architecte Jean-François Bodin, l'agence de décoration et d'architecture Ecart. Un an plus tard, ils fondent la société d'édition Ecart International qui réédite les meubles d'Eileen Gray, Frank, Mallet-Stevens, Gaudi, Herbst...
Andrée Putman décore et aménage les espaces des grands couturiers français en France et aux États-Unis : Thierry Mugler (1980-1983), Karl Lagerfeld (1985), Azzedine Alaïa (1985). D'autre part, elle aménage le bureau du ministre de la Culture (1985). Elle réalise l'architecture intérieure d'hôtels à Paris, New York, Toronto et la plus grande discothèque de New York, le Palladium. Elle conçoit l'aménagement des Entrepôts Lainé (1984), le mobilier pour le musée d'Art contemporain de Bordeaux (1984) et l'Hôtel de Région de Bordeaux (1987). Elle travaille actuellement à l'aménagement des bureaux du ministère des Finances à Bercy et du musée des Beaux-Arts de Rouen.

During the 60s, she was involved in a journalism career at Elle *magazine and then became a stylist for Prisunic. In 1971, she was asked by the Créateurs Industriels to create an organization of young creative designers along with Didier Grumbach. In 1977, with the help of architect Jean-François Bodin, she started the Ecart agency of decoration and architecture. A year later, they founded the Ecart International company that specializes in replicas of furniture by Eileen Gray Frank, Mallet-Stevens, Gaudi, Herbst...*
Andrée Putman has decorated and arranged working spaces for top French fashion designers in France and the United States: Thierry Mugler (1980-83), Karl Lagerfeld (1985), Azzedine Alaïa (1985). She has also decorated the office of the Minister of Culture (1985). She has undertaken the interior design of hotels in Paris, New York, Toronto as well as that of New York's biggest disco, the Palladium. She conceived the installation of the Entrepôts Laîné and designed furniture for the Museum of Contemporary Art in Bordeaux (1984) then the designed furniture for the Région offices, also in Bordeaux (1987). She is currently working on the arrangement of the offices of the Ministry of Finance in Bercy (Paris) and of the Fine Arts Museum in Rouen.

Architecture intérieure et mobilier du Centre d'art contemporain de Bordeaux, 1984.
Document Deidi von Schaewen.

Aménagement intérieur de l'Hôtel Morgans à New York, 1984. Axonométrie.
Document Andrée Putman.

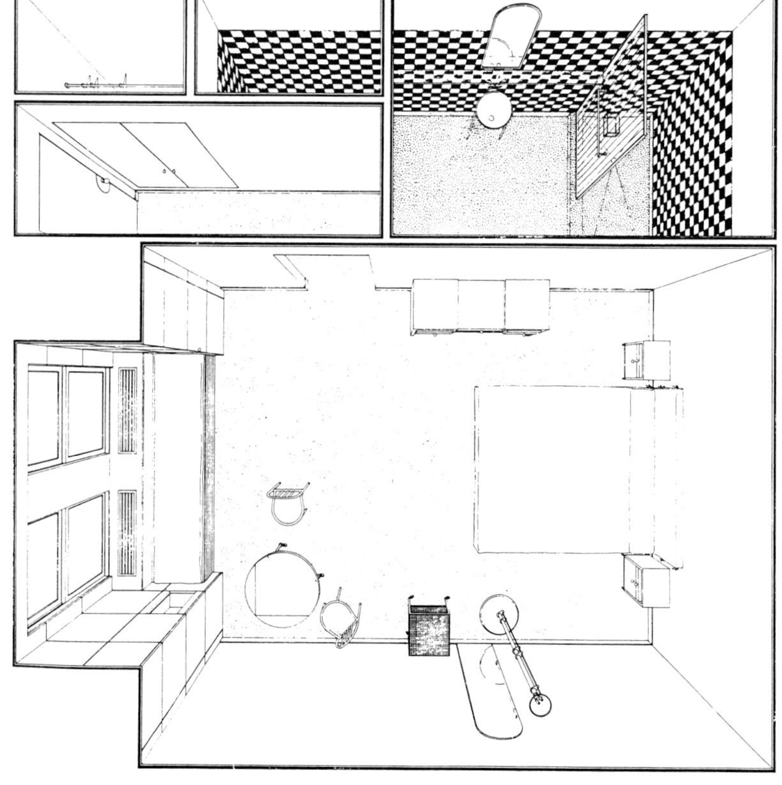

Commande du ministre de la Culture, M. Jack Lang, d'un mobilier de bureau ministériel, 1985. (Réalisation : Mobilier national).
Document Deidi von Schaewen.

Andrée Putman pour les Trois Suisses, 1987-88. (Éditeur : les Trois Suisses).
Document CCI.

Danielle QUARANTE

Née en 1938. Études à l'ENSAD de 1959 à 1962 dans l'atelier de André Arbus. Elle débute dans le graphisme et la conception de stands et d'expositions. Elle crée l'image de marque PLV de Zeiss Ikon France pour Publicis.
A partir de 1966, elle se consacre uniquement au design de produit et présente un mobilier extensible pour enfants au SAD 1967 ainsi qu'une nouvelle chaîne haute fidélité pour ERA au Festival international du Son en 1969. Au SAD 1969, elle présente un fauteuil en polyester Airborne et une table en glace Saint-Gobain. Pour les deux, elle obtient le Prix Henry Mercier 1969. Elle est sélectionnée au concours Prisunic-Shell en 1970. De 1973 à 1974, elle entreprend des recherches de mobilier pour Saint-Gobain et Uginox. En 1974, elle entre à l'université de Technologie de Compiègne comme enseignant-chercheur. Elle met en place une division design pour les ingénieurs et mène une politique de collaboration avec l'industrie. En 1980, elle ouvre la spécialisation d'ingénieur-designer (filière du Génie mécanique) avec l'aide du ministère de l'Industrie.
Depuis, elle participe à de nombreux jurys, colloques et conférences et, depuis sa création en 1981, aux travaux du Comité national de l'enseignement de la conception des produits. Elle a été, de 1985 à 1987, membre du Comité directeur de l'ICSID.

Born in 1938. Studied at ENSAD from 1959 to 1962 in André Arbus' workshop. Began working in graphics and on the design of display stands and exhibitions. Designs a brand image for Zeiss Ikon France's in-store display material on behalf of Publicis.
From 1966 onwards, she has concentrated exclusively on product design, presenting children's furniture at the 1967 SAD followed by a new Hi-Fi system for ERA at the Festival international du son in 1969. At the 1969 SAD show she presents a polyester chair designed for Airborne and a Saint-Gobain glass table. She is awarded the Henri Mercier Prize for both items. In 1970, she is selected in the Prisunic-Shell competition. From 1973 to 1974, she carries out research into furniture for Saint-Gobain and Uginox. In 1974, she joins the Université de Technologie of Compiègne as a research teacher. She sets up a design section for engineers and develops links with industry. In 1980, she starts a specialist course for engineer-designers (attached to the Mechanical Engineering department) with financial assistance from the Ministry of Industry.
Since then, she has appeared on numerous juries and congresses and participated in the work of the Comité national de l'enseignement de la conception des produits since its establishment in 1981. She was on the ICSID Executive Board from 1985 to 1987.

« Albatros », 1968. Fauteuil en polyester et fibre de verre. (Éditeur: Airborne).
Document Danielle Quarante.

Table basse et sièges empilables, 1971. (Concours design Shell-Prisunic).
Document CCI.

QUASAR

De son vrai nom Nguyen Manh Khan'h, est né à Hanoï en 1934. Formation d'ingénieur à l'École nationale des ponts et chaussées de 1955 à 1958. Il travaille au viaduc de l'Estrées en 1958-1960 et au barrage de Manicouagan au Québec de 1960 à 1963. En 1964, il conçoit un prototype de voiture urbaine qui a la forme d'un cube transparent puis, en 1966, une série de sièges gonflables. En 1967, ses voitures type « Quasar-unipower » sortent en petite série. En 1969, il crée la Quasar-France qui fabrique des meubles en mousse. En 1970, il réalise des vêtements masculins édités par Biderman. Il travaille actuellement au navire à effet de sol *Hydrair KX1.*

His real name is Nguyen Manh Khan'h and he was born in Hanoï in 1934. Having studied from 1955 to 1958 at the École nationale des ponts et chaussées, he worked on the Estrées viaduct in 1958-60 and on the Manicouagan dam in Quebec between 1960 and 1963. In 1964, he conceived a prototype for a city car in the shape of a transparent cube, followed by a series of inflatable seats. In 1967, his «Quasar-unipower» cars came out on the market in a small series. In 1969, he created Quasar-France, which manufactures foam rubber seats. In 1970, he created a line of menswear that was produced by Bidermann. He is currently working on the Hydrair KX1, a ship with ground cushion.

1960

Siège gonflable, 1968.
Document Quasar.

Voiture urbaine, 1968.
Document Quasar.

1970

Habitation et sièges gonflables, 1968.
Document Quasar.

QUASAR
AERO SPACE

QUASAR

Bernard QUENTIN

Né en 1923. Études à l'École nationale des beaux-arts et aux Arts décoratifs, en 1940.
Il fait sa première exposition personnelle qui itinère en Suisse en 1946. Il découvre des œuvres de Paul Klee et réalise ses premiers idéogrammes-écritures. A la fin des années 40 et dans les années 50, il participe à de nombreuses manifestations artistiques dans les galeries parisiennes. En 1960, il va en Italie et entreprend des recherches avec des oscilloscopes et des ordinateurs chez Olivetti. Il crée sa première structure gonflable chez Pirelli, en 1962.
En 1970, il fait un projet de structure gonflable pour le Pavillon français à Osaka. Pour le bi-centenaire des États-Unis, il conçoit en 1974-1975 la « Vénus » gonflable de Chicago.
De retour à Paris en 1976, il revient aux écritures monumentales, aux Rues-Poèmes et aux Objets-Poèmes. En 1977, il est cofondateur du groupe L'art + qui se propose de prolonger l'art dans l'environnement.
En 1979-1980, il va en Arabie Saoudite pour édifier des monuments dans le désert.
A partir de 1984, il conçoit des « monuments végétaux », des « monuments-anamorphoses » pour les autoroutes, les « monuments du 3e millénaire ».

Born in 1923. Studied at the École nationale des beaux-arts and the Arts décoratifs in 1940.
In 1946, he has a first one-man show on tour in Switzerland. He discovers Paul Klee's work and develops his first « Idéogrammes-écritures ». In the late 40s and throughout the 50s he takes part in numerous artistic events in Paris galleries. He goes to Italy in 1960 and researches into oscilloscopes and computers with Olivetti. He produces his first inflatable structure with Pirelli in 1962.
In 1970, he proposes an inflatable structure for the French Pavilion at Osaka. For the American bicentenary, he designs, in 1974-75, an inflatable « Venus » to be erected in Chicago.
Upon his return to Paris in 1976, he goes back to monumental writings, « Rues-Poèmes » and « Objets-Poèmes ». He is, in 1977, a founder-member of Art +, a group for whom the extension of art into the environment is the declared principal objective.
In 1979-80, he travels to Saudi Arabia to erect some monuments in the desert.
Since 1984, his work includes « Monuments végétaux » and « Monuments-anamorphosés » for motorways, « Monuments du IIIe millénaire ».

1960

Prototype du fauteuil gonflable en PVC soudé, 1966.
Document CCI.

Table, chaise et repose-pieds en structure alvéolaire extensible, 1968.
Document CCI.

Structure « Molecul Air », 1967.
Structures gonflables permettant par assemblage, de réaliser des meubles, des maisons, des jeux.
Document B. Quentin.

Maison gonflable, 1967. (Fabricant : SIEM).
Document B. Quentin.

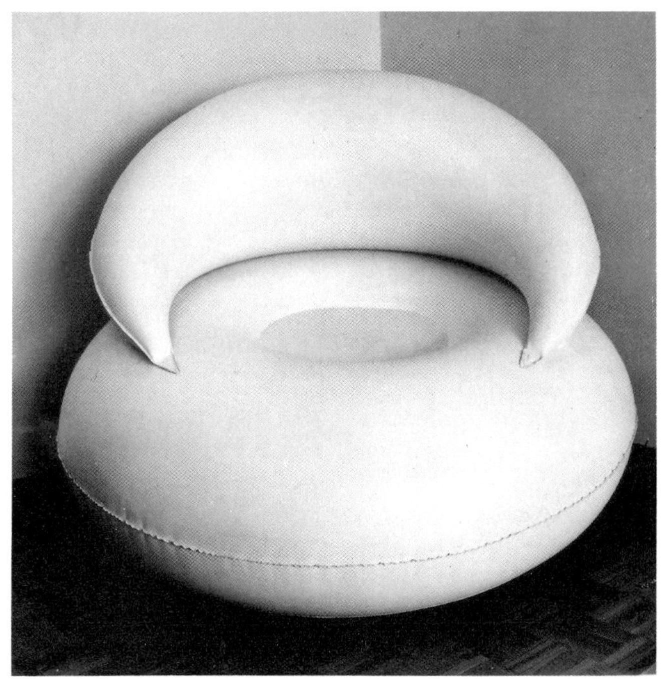

Christian

RAGOT

Né en 1933. Formation technique à Bordeaux avant de venir à Paris où il suit les cours de l'École Boulle et de l'ENSAD, du CNAM (certificat d'ergonomie), de l'Institut de l'environnement et de Paris VIII (urbanisme). En 1970, il crée son studio de design. Depuis lors, il conçoit et réalise des projets qui révèlent le caractère inventif et souvent humoristique de leur auteur. En 1969, il crée une série de sièges « Élisa » pour Roset et, dans les années 70, la série « Reptilampes » diffusée par Bobois et Roche, le mobilier « Trio » fabriqué et diffusé par la Permanente de Cantu (Italie), une façade éphémère en toile (Rero), des vêtements pour Kickers, des bagages et des sacs de sport pour MBE.
En 1980, il conçoit une architecture préfabriquée en bois qu'il utilise pour construire son propre chalet dans le Puy-de-Dôme. Parmi ses derniers projets : une nouvelle forme de pâte pour Panzani (réalisé) ; une « Bouteille pour l'an 2000 », Vittel, 1986 ; une station orbitale pour le concours Archépolis et un « Monument spatial » pour le centenaire de la tour Eiffel.

Born in 1933, he underwent technical training in Bordeaux before coming to Paris, where he studied at the École Boulle, the ENSAD, CNAM (diploma in ergonomics) the Institut de l'environnement and Paris VIII (town planning). In 1970, he created his own design studio. Since then, he has conceived and realized projects, which are indicative of the imaginative and humoristic character of their author. Most notable are his «Elisa» line of seats created for Roset in 1969, and in the 70s, the «Reptilampes» series he did for Roche et Bobois. Also to be mentioned, the «Trio» furniture manufactured and distributed by the Permanente de Cantu (Italy), an ephemeral canvas façade (Rero), a line of clothes for Kickers, as well as luggage and sports bags for MBE.
In 1980, he conceived a prefabricated architecture made of wood, which he used to build his own chalet in the Puy-de-Dôme region. Among his latest projects: a new shape of noodle for Panzani (realized), a Vittel «bottle for the year 2000»; an orbital station for the Archépolis contest and a «Spatial Monument» for the centennial of the Eiffel Tower.

1970

Christian Ragot en collaboration avec Michel Cadestin, « Alcôve 2000 », 1969. « Nouvelle cellule familiale »

composée de boudins de mousse, de matelas de jersey ; murs et sols en matière molle.
Document Ch. Ragot.

RENAULT (DIRECTION DU DESIGN INDUSTRIEL)

Le développement d'un véritable bureau de style chez Renault date de la fin des années 50 grâce à l'action de trois hommes : Pierre Dreyfus (PDG en 1955), Philippe Charbonneaux, responsable du style de 1960 à 1964, et Gaston Buchet, ingénieur de l'École centrale. Gaston Buchet conçoit la R16 (1965) puis les coupés R15 et R17 (1971). En 1972, la R5, dessinée par Michel Boué, connaît un énorme succès. De plus, pour la première fois, les pare-chocs en acier chromé sont remplacés par des boucliers en matière synthétique. Autre innovation, la CAO, que Robert Broyer utilise intensivement pour la conception de la R14.

En 1975, Robert Opron succède à Gaston Buchet. Il crée de nouvelles structures. Le Centre de style est scindé en deux studios dont l'un, tourné vers le style avancé, est dirigé par Jacques Nocher. Les stylistes prennent plus d'autonomie par rapport au bureau d'études. Des designers comme Olivier Mourgue, Mario Bellini, Marc Held, Terence Conran ou Geneviève Dupeux sont appelés comme consultants. Jean-Philippe Lenclos crée un nouveau secteur Couleurs & matières.

En 1984, Gaston Buchet revient à la direction du Centre de style qui se compose de plusieurs départements : Style extérieur, Style intérieur, secteur Diversification géré par Jean-Paul Manceau. Depuis octobre 1987, le Centre de style, situé à Rueil-Malmaison, est dirigé par Patrick Le Quément (1945), qui a reçu une formation d'ingénieur et de designer industriel en Grande-Bretagne, avant de travailler chez Ford en RFA et aux États-Unis, puis chez Volkswagen.

The development of a full-fledged design studio at Renault goes back to the 50s and was implemented by three men: Pierre Dreyfus (managing director in 1955), Philippe Charbonneaux (head of styling from 1960 to 1964) and Gaston Buchet (engineer from the École Centrale). Gaston Buchet created the R16 in 1965, then in 1971 the R15 and R17 two-door sportscars. In 1972, the R5, designed by Michel Boué, was a big hit. Furthermore, for the first time, the fenders in chromed steel were replaced with synthetic shields. Another innovation was the CAD that Robert Broyer used intensively for the elaboration of the R14.

In 1975, Robert Opron took over from Gaston Buchet. He set up new structures. The Styling Center was divided into two studios: one in particular was geared towards advanced styling and headed by Jacques Nocher. The designers became more autonomous towards the research department. Designers such as Olivier Mourgue, Mario Bellini, Marc Held, Terence Conran or Geneviève Dupeux were brought in as consultants. Jean-Philippe Lenclos created a new section for colours and materials.

In 1984, Gaston Buchet came back to head the Styling Center, which was divided into several departments: Outside Styling, Inside Styling, and a Diversification department supervised by Jean-Paul Manceau. Since October 1987, the Styling Center, located in Rueil-Malmaison, is headed by Patrick Le Quément (1945), who studied engineering and industrial design in Great Britain before working for Ford in Germany and the United States and then for Volkswagen.

1960

Direction du design industriel Renault, Renault 16, 1965. Étude. (Fabricant : Renault).
Document Renault.

1970

Michel Boué / Direction du design industriel Renault, Renault 5, 1972. Dessin original. (Fabricant : Renault).
Document Renault.

Michel Boué / Direction du design industriel Renault, Renault 5, 1972. Première maquette en plâtre, échelle 1 / 1. (Fabricant : Renault).
Document Renault.

1980

Matra et Direction du design industriel Renault, Espace, 1984. Étude. (Fabricant : Matra Automobile ; commercialisé par Renault).
Document Renault.

3215

6117-RS92

Pierre

SALA

Né en 1948. Études de sémiologie gestuelle, de scénographie et de gestion. Metteur en scène depuis 1969, il ouvre le théâtre Marie Stuart en 1972 et dirige le théâtre de la Potinière en 1973. Parallèlement, il crée des meubles et, en 1980, fonde sa propre maison d'édition Furnitur. C'est en 1983, avec son bureau-cahier « Clairefontaine » qu'il se fera connaître tant en France qu'à l'étranger. Il en vend plus de 5 000 exemplaires entre 1983 et 1984, et reçoit le Label VIA à Montréal. En octobre 1984, il abandonne toute activité théâtrale. Il crée la ligne « Mikado ». En 1985, il est lauréat d'un concours lancé par Cartier pour l'aménagement de son siège place Vendôme. Il lance la collection « Café » à l'occasion d'un concours organisé par la Fondation Cartier. Cette collection sera présentée à Chicago, Montréal, New York et à Paris dans l'exposition « Art et industrie ». En 1985, il ouvre un nouveau magasin près du musée d'Orsay (meubles, objets, vêtements). Parmi ses dernières créations : « Cabines poétiques » (1985), « Tapis piscine » (1986) et une collection, « Brutes de meubles » (1986). Il aménage en 1987 le restaurant « Cactus bleu ».

Born in 1948. He studied gestual semiology, stagecraft and management. Producer since 1969, he opened the Marie-Stuart Theatre in 1972 and directed the théâtre de la Potinière in 1973. At the same time, he designed furniture and founded Furnitur, his own company, in 1980. It was in 1983, with his Clairefontaine looseleaf-desk, that he became known in France and abroad. Between 1983 and 1984, he sold more than 5,000 of these and was awarded the VIA Label in Montreal. In October 1984, he abandoned all his theatre activities. He created the «Mikado» line. In 1985, he was the winner of a contest organized by Cartier for the installation of its headquarters in the Place Vendôme. He launched the «Café» series during a competition organized by the Cartier Foundation. This series was presented in Chicago, Montreal, New York and Paris with the «Art and Industry» exhibit. In 1985, he opened a new shop near the Musée d'Orsay (furniture, objects, clothes). Among his latest creations: «poetic cabins» (1985), «swimming pool carpet» (1986) and a series called «Brutes de meubles» (1986). He designed the interior of the Cactus Bleu restaurant in 1987.

17 modèles de chaise en bois laqué, 1981. Édition signée et numérotée. (Éditeur : Pierre Sala Furnitur).
Document Alain Dovifat.

« Clairefontaine », 1983.
Bureau-cahier rechargeable.
(Fabricant : Sopamco International ; diffuseur : Grange).
Document Alain Dovifat.

Michel

SCHREIBER

Né en 1930. Designer de vêtements. En 1950, il débute dans l'atelier du tailleur de Paul Portes à Paris. Il entreprend parallèlement une formation d'architecte d'intérieur.

En 1955, il crée des vêtements pour ses amis graphistes, puis, dès 1960, il décroche ses premiers contrats. Il est styliste à la Belle Jardinière. De 1959 à 1966, il présente des modèles de costumes masculins avec Daniel Hechter.

En 1965, il s'associe à Patric Hollington et crée la marque Schreiber-Hollington. Ils ouvrent un atelier dans le Marais et organisent le premier défilé de prêt-à-porter. Leurs clients : Lee Cooper, Rhône-Poulenc, Timwear. En 1966, il réalise une collection pour Prisunic. Il voit dans les événements de 1968 la fin du costume traditionnel.

Il organise un défilé à la Triennale de Milan. En 1970, Schreiber et Hollington se séparent. Michel Schreiber conçoit des vêtements de travail pour Rhône-Poulenc, BP, EDF, SONATRAC, Habitat, une ligne pour enfants aux Trois Suisses. En 1984, il s'associe à Roger Tallon et Pierre Paulin dans ADSA + Partners.

Il enseigne à l'École Camondo. Il est le tailleur de nombreuses personnalités du spectacle et de la politique.

Born in 1930. Clothes designer. In 1950, he starts his first job in Paul Portes' Paris workshop. At the same time he follows interior design courses.

In 1955, he designs clothes for his friends among the graphic designers and in 1960 earns his first contracts. Works as stylist at La Belle Jardinière. From 1959 to 1966, he presents men's suits with Daniel Hechter.

In 1965, he goes into partnership with Patric Hollington and launches the Schreiber-Hollington label. They open a workshop in the Marais and put on the first ready-to-wear show. Their clients include Lee Cooper, Rhône-Poulenc, Timwear. In 1966, he designs a special collection for Prisunic. For him, the events of the 1968 herald the end of the traditional suit.

He organizes a fashion show at the Milan Triennale. In 1970, Schreiber and Hollington go their own ways, Michel Schreiber designing work-clothes for Rhône-Poulenc, BP, EDF, SONATRAC, Habitat and children's wear for the 3 Suisses. In 1984, he joins Roger Tallon and Pierre Paulin at ADSA + Partners. Teaches at Camondo School. Dresses a number of political and show-business personalities.

1970

Michel Schreiber / Patric Hollington, costume « Foker », 1970-71.
Document CCI.

Michel Schreiber, collection Été enfants pour les Trois Suisses, 1984.
Document Trois Suisses.

Michel Schreiber, détail de la veste, 1987.
Document Schreiber.

SLAVIK

Slavik Vassiliew ou Wassilieff, dit Slavik, est né à Tallin (Estonie) en 1920. Il vient en France en 1930. Études à l'ENSAD où il s'intéresse à l'art baroque, en particulier italien.
Devenu peintre-cartonnier et décorateur, il réalise des tapisseries comme *Paris ma fête* ou *Noble Pantomime.* Découvert dans les années 60, grâce à l'aménagement des drugstores Saint-Germain et Champs-Élysées.
Actuellement, associé au serrurier et ferronnier d'art Patrice Tatard, il conçoit l'aménagement de lofts pour particuliers. Il vient également de créer, avec Jacques Esclasse, des sièges de bar avec assise et dossier en verre armé.

Slavik Vassiliew or Wassilieff, known as Slavik, was born in Tallin (Estonia) in 1920. He came to France in 1930 and studied at the ENSAD, where he became interested in baroque art, more particularly Italian.
Having become a painter, specialized in cartoons for carpets and tapestries, and a decorator, he worked on tapestries such as «Paris ma fête» or «Noble Pantomime». He was discovered in the 60s, after he designed the Saint-Germain and Champs-Élysées Drugstores.
At present, in association with Patrice Tatard, art metal worker and locksmith, he conceives the decoration of lofts for private use. He has also just created with Jacques Esclasse bar stools with backs and seats in wired glass.

1960

Drugstore Étoile, aménagement intérieur, 1960.
Document Drugstore Publicis.

Pub Renault, aménagement intérieur, 1963.
Document Drugstore Publicis.

Pub Renault, aménagement intérieur, 1963.
Document Drugstore Publicis.

Drugstore Saint-Germain, aménagement intérieur, 1965.
Document Drugstore Publicis.

PICNIC-STORE
JOHNNIE
WALKER

Ronald Cecil

SPORTES

Né en 1943. Études à l'École nationale des métiers d'art. Jusqu'en 1968, il effectue différents stages dans des agences d'architecture en France et à l'étranger. Il mène des études personnelles sur les structures gonflables. En 1970, il est sélectionné par le concours Shell.
Directeur de création et des études à l'agence Marange de 1970 à 1975, il crée sa propre agence en 1975.
Il réalise depuis plusieurs chantiers au Moyen-Orient et au Maroc, des sièges sociaux pour L'Oréal, l'Office chérifien des phosphates, Fiat, la galerie Artcurial (1977), la salle de cinéma Arletty du Parc de La Villette (1985). Il travaille aussi pour le ministère de la Justice (Dijon, Nantes, Centre international de criminologie de Paris). En 1983, il est sélectionné pour concevoir une partie du mobilier du Palais de l'Élysée. Il organise, en 1987, une exposition à la fois rétrospective et de ses meubles édités aux États-Unis à l'International Design Center de New York, et travaille régulièrement aux États-Unis et en Chine.

Born in 1943. Studied at the École nationale des métiers d'art. Until 1968, he underwent different training programs in architectural agencies in France and abroad. On his own, he experimented with inflatable structures.
In 1970, he was selected at the Shell contest.
Creative and research manager at Marange agency from 1970 to 1975, he created his own agency in 1975.
He has been on several construction sites in the Middle-East and Morocco, designing the main offices of L'Oréal, the Office chérifien des phosphates, Fiat, the Artcurial Gallery (1977), the Arletty movie-theatre at the Parc de La Villette (1985). He has also worked for the Ministry of Justice (Dijon, Nantes, Centre international de criminologie in Paris). In 1983, he was selected to conceive part of the furniture for the Élysée Palace. He organized, in 1987, an exhibit at the International Design Center of New York, that was both a retrospective and a show of his furniture produced in the United States. He works regularly in the U.S. and in China.

1980

«Bradrock Two», 1982. (Diffuseur: J.G. Furniture Systems Inc. USA).
Document R.C. Sportes.

Dessins de l'ensemble du mobilier créé à la demande du président Mitterrand, pour le salon des appartements privés du palais de l'Élysée, 1984.
Document APCI.

«The Sportes Mesh Chair», 1984. Chauffeuse du salon des appartements privés du palais de l'Élysée. (Fabricant: Mobilier national).
Document R.C. Sportes.

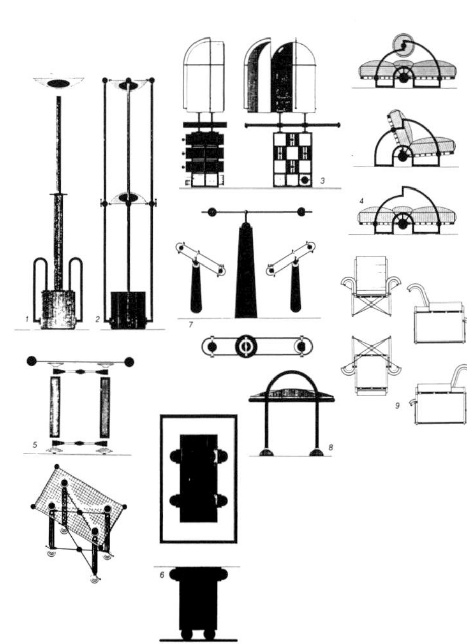

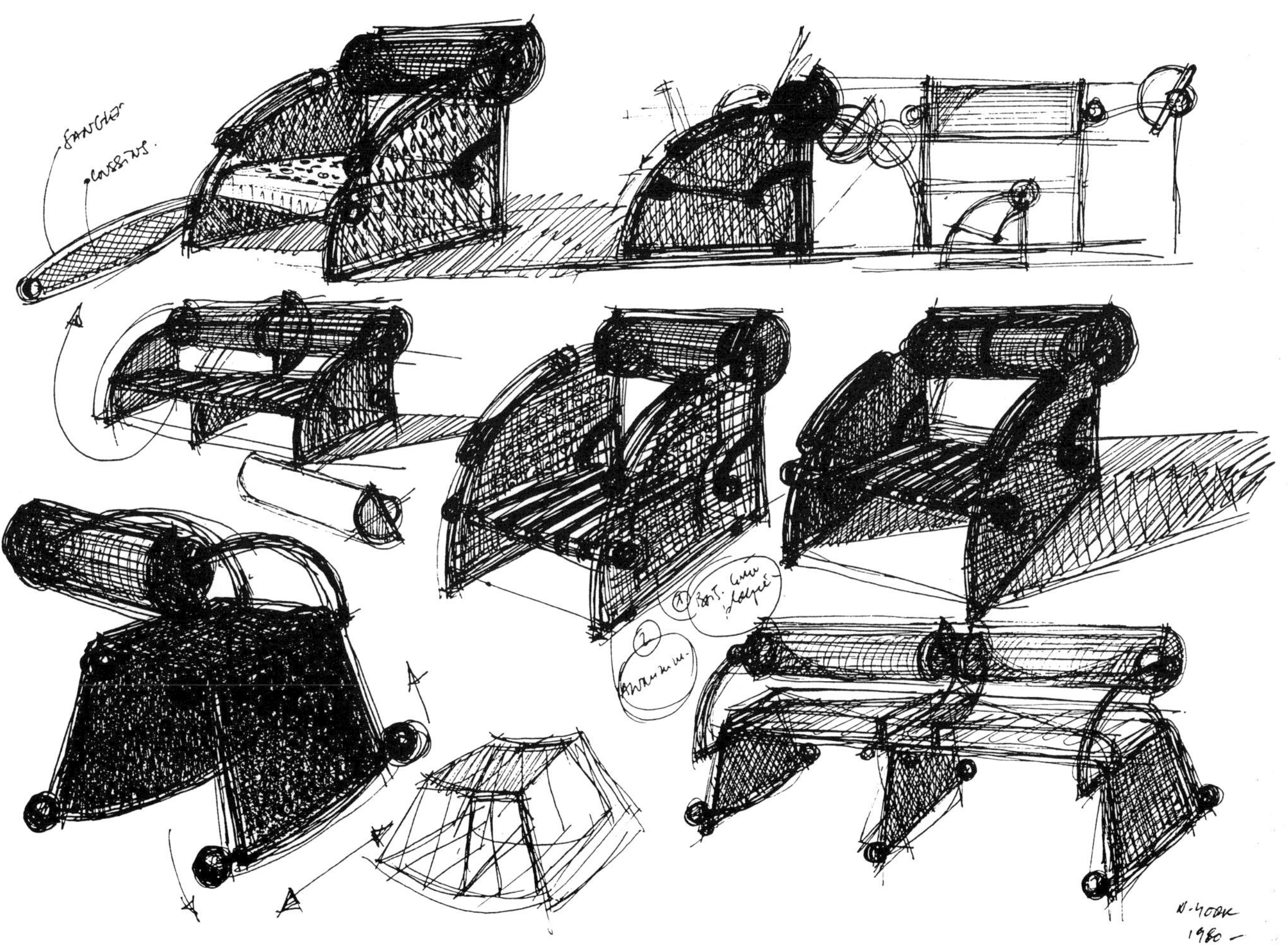

Croquis divers.
Document R.C. Sportes.

Philippe

STARCK

Né en 1948. Études à l'École Camondo. A ses débuts, il crée des structures gonflables (financées par L. Ventura, puis chez Quasar). Lors de son bref passage comme directeur artistique chez Pierre Cardin, il dessine 65 modèles de meubles. Il fait le tour du monde et, à son retour, crée sa propre maison d'édition Starck Products en 1980 pour éditer (et commercialiser à l'étranger) les modèles qu'il a dessinés pendant son voyage (« Francesca spanish » 1970, tube fluorescent « Easy Light » 1977, canapé « Dr von Vogelsang » 1978, etc.).
A partir de 1975, il devient célèbre avec l'aménagement intérieur et le mobilier des clubs parisiens (La Main Bleue, les Bains Douches, etc.). C'est surtout à partir de 1983, avec le Café Costes et le réaménagement de l'appartement privé du président de la République (collection complète de mobilier), qu'il se taille une réputation de « star du design ».
Lauréat, en 1985, du concours du Mobilier urbain de La Villette, il passe de l'architecture intérieure de boutiques (Kansaï, Yamamoto, Bocage, Creeks... en 1986) au design industriel (Vittel, Beneteau, Panzani...) et à l'architecture en 1987 (notamment immeuble Naninani, Tokyo).

Born in 1948. Studied at Camondo School. Begins by designing inflatable structures (financed by L. Ventura and later by Quasar). During his brief stay at Pierre Cardin's as art director, he designs 65 items of furniture. After a round-the-world trip he returns to set up his own manufacturing company, Starck Products, in 1980, to produce (and distribute abroad) the designs he made during his trip («Francesca Spanish», 1970, «Easy Light», a fluorescent tube, 1977, «Dr Von Vogelsang», a sofa, 1978, etc.).
From 1975, his furniture and interior designs for Parisian night club bring him wide acclaim («La Main Bleue», the «Bains-Douches», etc.). However, it is really from 1983, with the Café Coste and the redesign of the President's private apartments, incorporating a complete furniture range, that his reputation as a «star of design» is made.
In 1965, he wins La Villette's furniture competition, and moves from shop interiors (Kansaï, Yamamoto, Bocage, Creeks... in 1986) to product design (Vittel, Beneteau, Panzani) and architecture in 1987 (principally the Naninani building in Tokyo).

Chaise « Costes », 1981.
(Éditeur: Driade).
Document Ph. Starck.

Fauteuil « Richard III », 1981.
(Éditeur: Baleri).
Document Ph. Starck.

Aménagement intérieur et conception du mobilier pour le café Costes, Paris Les Halles, 1982.
Document Ph. Starck.

Chaise « Lola Mundo », 1986.
(Éditeur: Driade).
Document Ph. Starck.

« Mundog », 1988. Image de synthèse d'un projet d'immeuble pour Tokyo.
Document Ph. Starck.

Dessins de mobilier.
Document Ph. Starck.

Roger
TALLON

Né en 1929, il termine ses études en 1949. En 1953, il rencontre Jacques Viénot et entre à Technès dont il devient directeur des études en 1960, et depuis 1963, enseigne à l'ENSAD. En 1973, il fonde Design Programmes SA et, en 1984, s'associe à Pierre Paulin et Michel Schreiber pour former ADSA + Partners.
Sa vocation internationale s'affirme dès le début. Il travaille en permanence avec des sociétés multinationales ou étrangères (Caterpillar, General Motors, ITT, Philips, ERCO...). Il est le concepteur du téléviseur Téléavia (1964), de sièges et de l'escalier pour Lacloche et le Mobilier national (« Cryptogramme », Pavillon français à Osaka, 1970), de luminaires pour Lacloche et ERCO, de vaisselle pour Raynaud, Ravinet d'Enfert et Dauny (Système « 3/T », 1968), de montres pour LIP (1974) et Certina (Suisse). Dans le domaine des transports, il conçoit le métro de Mexico (1969), le train « Corail » (1977), le TGV Atlantique et travaille actuellement à la navette Trans-Manche. Il est membre honoraire de la Faculty of Royal Designers for Industry en Grande-Bretagne, et a reçu, en 1985, le Grand Prix national du Design.

Born in 1929, he studied until 1949. After meeting Jacques Viénot in 1953, he joined Technes and became their research manager in 1960. He has been teaching at the ENSAD since 1963. In 1973, he founded Design Programmes SA and teamed up with Pierre Paulin and Michel Schreiber to create ADSA + Partners.
His international vocation was a strong influx from the beginning. He constantly worked with multinational or foreign companies (Caterpillar, General Motors, ITT, Philips, ERCO...). He has designed the Téléavia TV set (1964), the seats and the staircase for Lacloche and the « Cryptogramme » of Mobilier national (French Pavilion in Osaka, 1970), light fixtures for Lacloche and ERCO, plates and dishes for Raynaud, Ravinet d'Enfert and Daum (Système « 3/T », 1968), watches for LIP (1974) and Certina (Switzerland). In the transportation field, he conceived the subway in Mexico City (1969), the « Corail » train (1977), the « Atlantique » TGV and is currently working on the Trans-Channel shuttle. He in an honorary member of the Faculty of Royal Designers for Industry in Great Britain, and received in 1985 the Grand Prix national du design.

1960

ADSA/Roger Tallon, Téléavia, 1963. Téléviseur portable.
Document ADSA.

Escalier hélicoïdal, 1966. Modulaire, en aluminium moulé et poli. (Éditeur: Lacloche).
Document ADSA.

1970

ADSA/Roger Tallon, montre chronomètre, 1973. (Fabricant: LIP).
Document ADSA.

ADSA/Roger Tallon, train « Corail », 1975. Sièges de seconde classe. (Fabricant: SNCF).
Document ADSA.

ADSA/Roger Tallon, train « Corail », 1987. Cabine couchettes. (Fabricant: SNCF).
Document Bruno Vignal/SNCF-CAV.

1980

ADSA/Roger Tallon,
TGV-Atlantique, sortie prévue en 1990. Salon vidéo, étude de 1986-87.
Document Bruno Vignal/SNCF-CAV.

ADSA/Roger Tallon,
« Trans-Euro-Star », 1987. Maquette du train pour l'Euro-Tunnel. Réalisation de l'aménagement des voitures de classe Club en collaboration avec la Société Louis Vuitton. Document Louis Vuitton.

TECHNÈS/MAURANDY

Daniel Maurandy, né en 1922. Après la Résistance, il reprend sa formation de juriste tout en étudiant l'architecture en autodidacte.
En 1960, il fonde l'APES (Agence Parisienne d'Esthétique Industrielle). Dans les années 70, il réalise le design urbain de Vitry (mobilier urbain, signalisation, véhicules). Il met au point l'image de marque de la FNAC et conçoit l'aménagement du magasin de Montparnasse ainsi que la signalétique et un système de circulation du parking au magasin par véhicules « VEC », puis, en 1976, la FNAC du Forum des Halles ainsi que les différents magasins FNAC de province.
En 1975, APES absorbe Technès et devient Technès/Maurandy, équipe pluridisciplinaire. Aujourd'hui, l'agence exerce ses activités dans les secteurs du design d'environnement, du design de produit, du design de communication. Elle a une filiale à Grenoble, Technès Rhône-Alpes.
Janus de l'industrie 1984 et 1985. Il est associé, depuis 1986, à Jean-Claude Prinz.

Born in 1922. After serving in the Resistance movement during the last war, he returned to his law studies and at the same time taught himself architecture.
In 1960, he sets up APES (Agence Parisienne d'Esthétique Industrielle). In the 70s, he carries out an urban design programme for Vitry (street furniture, signage, transport), finalizes FNAC's corporate image, designs their Montparnasse store, including signage and «VEC», a motorised shuttle service linking the store and car park. In 1976, he designs the interior of the Forum des Halles FNAC as well as its provincial branches.
in 1975, APES absorbs Technes to become Technes/Maurandy, a pluridisciplinary team. The agency's principal activities today are in the areas of environmental, product and communication design. Technes Rhône-Alpes is a Grenoble-based affiliated company. Received the Janus de l'Industrie in both 1984 and 1985. Has been in partnership with Jean-Claude Prinz since 1986.

1960

Daniel Maurandy, schéma de principe de circulation dans les FNAC, 1957-1988.
Document Technès.

Daniel Maurandy, aménagement intérieur et principe de signalisation des FNAC, 1957-1988.
Document Technès.

Daniel Maurandy, principe de fiche d'information sur les produits vendus, 1972.
Document FNAC.

Technès/Maurandy/Gérard Guerre, construction du logo pour la Société Merlin Gerin, 1966.
Document Technès.

1970

Daniel Maurandy, magasin FNAC-Montparnasse, Paris, 1974.
Document Technès.

Daniel Maurandy (Agence APES). Étude théorique sur le design urbain pour la ville de Vitry, 1972. Exemples de signalisation.
Document Technès.

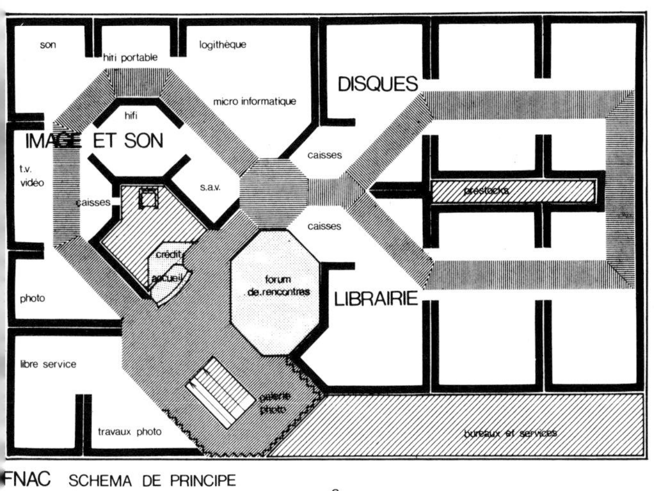

FNAC SCHEMA DE PRINCIPE
SUPERFICIE COMMERCIALE 1.600 m^2

tableau comparatif de la fnac

26, avenue
de Wagram
Paris-8e

6, boulevard
de Sébastopol
Paris-4e

15 mars 1972

Tous les appareils mentionnés dans ce tableau utilisent les films 35 mm en cartouches standard de toutes marques. Ils sont tous à objectifs interchangeables. Les Leica M 4 et M 5, à visée télémétrique, figurent dans ce tableau en raison des possibilités qu'ils offrent à leurs utilisateurs.

Nous rappelons que la fnac ne communique jamais de prix par téléphone.

1 vitesses
2 diaphragmes
3 obturateur électronique
4 dos-magasins interchangeables
5 compléments optiques seulement
6 automatisme au flash
7 verres de visée interchangeables
8 seul appareil reflex 18 x 24 obturateur rotatif focale plane
9 mesure à pleine ouverture
10 moteur électrique adaptable
11 objectif Macro-Switar mise au point jusqu'à 28 cm
12 prisme à 2 positions
13 couplé aux diaphragmes seulement
14 avec verrouillage
15 transmission électrique du diaphragme
16 posemètre couplé aux vitesses adaptable
17 chambre reflex adaptable (Visoflex).

				objectifs																			
	marque	type	origine	type	ouverture maximum focale	monture à vis	monture à baïonnette	cellule CDS - TTL	posemètre couplé	automatisme débrayable	mesure sélective	mesure intégrale	viseurs interchangeables	mise au point par microprismes	mise au point par stigmomètre	indications dans le viseur	obturateur central	obturateur à rideau	vitesses	retardement	chargement amélioré	blocage miroir	signes particuliers
moins	**Zeiss-Voigt.**	Icarex 35 TM	all.	Tessar	2,8 50	●							●7	●	●			●	B 2-1000	●			
de	**Praktica**	Super TL	r.d.a.	Domiplan	2,8 50	●		●	●			●		●				●	B 1-500		●		
1 000 F	**Kowa**	Set R 2	jap.	Kowa	1,8 50		●	●	●			●		●			●		B 1-500	●			9
	Ricoh	Singlex TLS	jap.	Rikenon	2,8 55	●		●	●			●		●				●	B 1-1000	●			
	Canon	EX EE	jap.	Canon EX	1,8 50	● 5		●	●	●		●		●		2		●	B 8-500	●	●		9
	Topcon	Unirex	jap.	UV Topcor	2 50		●	●	●	●	●	●		●		2	●		B 1-500	●			9
de	**Olympus**	Pen FT	jap.	Zuiko	1,8 38		●	●	●			●						8	B 1-500	●	●		9
1 000	**Yashica**	TL Electro X	jap.	Yashinon	1,7 50	●		●	●			●		●				●3	B 2 sec. 1000	●	●	●	
à	**Canon**	FT QL	jap.	Canon FL	1,8 50		●	●	●		●			●				●	B 1-1000	●	●	●	
1 200 F	**Praktica**	LLC	r.d.a.	Oreston	1,8 50	●		●	●		●			●				●	B 1-1000	●	●		9-15
	Asahi-Pentax	Spotmatic 500	jap.	Takumar	2 50	●		●	●			●		●				●	B 1-500				
	Miranda	Sensomat RE	jap.	Auto Miranda	1,8 50		●	●	●		●		●7	●				●	B 1-1000		●		
de	**Zeiss-Voigt.**	Icarex 35 S TM	all.	Ultron	1,8 50	●		●	●			●		●		2		●	D 2-1000	●			
1 200	**Asahi-Pentax**	Spotmatic II	jap.	Takumar MC	1,8 50	●		●	●			●		●				●	B 1-1000	●			
à	**Miranda**	Sensorex B	jap.	Auto Miranda	1,8 50		●	●	●		●		●7	●				●	B 1-1000	●	●		9
1 500 F	**Canon**	FT b QL	jap.	Canon FD	1,8 50		●	●	●		●			●				●	B 1-1000	●	●	●	9
	Fujica	ST 701	jap.	Fujinon	1,8 50	●		●	●			●		●				●	B 1-1000	●			
	Topcon	RE Super	jap.	RE Auto Topcor	1,8 50		●	●	●			●	●7		●			●	B 1-1000	●			9-10
	Minolta	SRT 101	jap.	Rokkor	1,7 55		●	●	●			●		●		1		●	B 1-1000	●		●	9
	Olympus	FTL	jap.	Zuiko	1,8 50	●14		●	●			●		●				●	B 1-1000	●	●		9
de	**Nikon**	Nikkormat FTN	jap.	Nikkor	2 50		●	●	●		●			●		1		●	B 1-1000	●	●	●	9
1 500	**Konica**	Autoreflex T II	jap.	Hexanon	1,8 52		●	●	●	●	●	●		●		1-2		●	B 1-1000	●	●		9
à	**Miranda**	Auto Sensorex EE	jap.	Auto Miranda E	1,8 50		●	●	●	●	●	●	●7		●	2		●	B 1-1000	●	●		9
2 000 F	**Nikon**	F	jap.	Nikkor	2 50		●						●7	●				●	BT 1-1000	●		●	10
plus	**Nikon**	Photomic FTN	jap.	Nikkor	2 50		●	●	●		●		●7	●		1		●	BT 1-1000	●		●	9-10
de	**Canon**	F 1	jap.	Canon FD	1,8 50		●	●	●		●		●7	●		1		●	B 1-2000	●	●	●	9-10
2 000 F	**Leitz**	Leica M 4	all.	Summicron	2 50		●		16									●	B 1-1000	●			17
	Zeiss-Voigt.	Contarex S	all.	Planar B	2 50		●	●	●		●		7	●	●	1-2		●	B 1-1000	●		●	4-6-9
	Leitz	Leicaflex SL	all.	Summicron R	2 50		●	●	●		●			●		1		●	B 1-2000	●			9
	Leitz	Leica M 5	all.	Summicron	2 50		●	●	●		●					1		●	B-2-1000	●			17
	Alpha	11 e	ch.	Kern	1,9 50		●	●	●			●			●			●	B 1-1000	●			10-11
	Zeiss-Voigt.	Contarex SE	all.	Planar B	2 50		●	●	●		●		7	●	●	1-2		●3	B 1-1000	●		●	4-6-9-10

manuel des constantes d'identification du groupe Merlin Gerin 1.2

logotype

Le logotype étant la signature de la société, il est donc fondamental de ne pas le déformer. Sa construction est géométriquement simple. Cependant, pour éviter tout risque d'erreur, il est recommandé d'utiliser le film original : réf. 1.2.1, IPV-M2, tél. 76 60 55 50 et 4 55 50

Construction du logotype :

Tracer un carré et ses diagonales.

Reporter AB en ab.

Des points b tracer une parallèle aux diagonales.

BD = Ab.

Des points D tracer une parallèle aux côtés.

ax = 3/4 ad.

Reporter Bx en By.

Tracer les cercles de rayon yB et yD.

Reporter EF = DB centré sur y.

hy = HY

De h tracer une parallèle à EF.

De E et de F tracer une parallèle à hy.

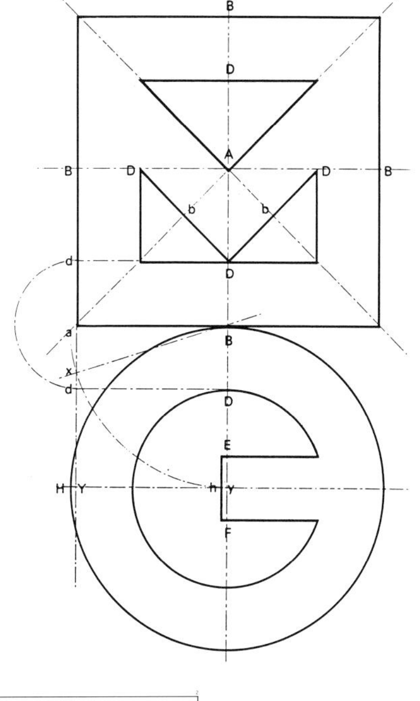

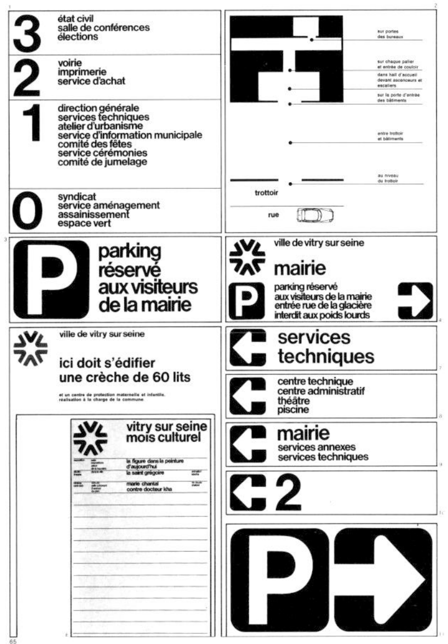

TECHNÈS/PARTHENAY

Jean Parthenay né en 1919. Diplômé de l'ENSAD. De 1948 à 1978, il travaille à l'agence Technès. Il dirige des études pour Poclain, SEB, Calor, Thomson-Vedette, Air Liquide, Camping Gaz, CSF, Lissac, SAFT, Arthur Martin, Singer, Noirot... Plusieurs de ses produits reçoivent le Label français d'esthétique industrielle, en particulier, les pelles hydrauliques Poclain en 1965, 1966, 1968 et 1976.
En 1971, il devient enseignant de design à l'École nationale supérieure des arts appliqués.
En 1980, il fonde la société Objectif Design dont il devient gérant avec Hervé Bernard, Pierre-Étienne Feertchak, Jacques Flambard et Jean-Marc Fuselier. Leur activité s'étend au design de produit, de communication visuelle, de conditionnement et d'environnement. Ils ont conçu, en particulier, un téléphone alphanumérique (« Alpha X » de GEE), lauréat du Consumer Electronic Show de Chicago.

Born in 1919. Graduated from the ENSAD. From 1948 to 1978, he worked for the Technès agency. He supervised studies for Poclain, SEB, Calor, Thomson-Vedette, Air Liquide, Camping Gaz, CSF, Lissac, SAFT, Arthur Martin, Singer, Noirot... Several of his products received the Label français d'esthétique industrielle, most notably for the Poclain hydraulic shovels in 1965, 1966, 1968 and 1976. In 1971, he started to teach design at the École Nationale Supérieure des Arts Appliqués.
In 1980, he founded the Objectif Design company and became co-director with Hervé Bernard, Pierre-Étienne Feertchak, Jacques Flambard and Jean-Marc Fuselier. The activities encompass product design, visual communication, packaging and environment. One of their creations was the alphanumeric telephone («Alpha X» produced by GEE), with was selected at the Consumer Electronics Show in Chicago.

1960

Excavateurs hydrauliques, 1967.
(Fabricant: Poclain).
Document Technès.

Poclain
75

90
Poclain
Poclain

TOTEM

Groupe de designers créé à Lyon en 1980 par Jacques Bonnot, Frédérick du Chayla, Vincent Lemarchands et Claire Olives. Tous les quatre, autodidactes et ayant reçu une formation d'ébéniste, sont nés dans les années 50.
TOTEM mène une recherche sur les formes et les couleurs à mi-chemin entre la conception de mobilier et la création artistique. Ils exposent régulièrement dans les galeries et les musées. Ils présentent leur première collection de meubles-manifestes, en 1981, dans une galerie d'art. Par la suite, leur activité s'étend à l'architecture intérieure, l'aménagement d'espaces publics, le graphisme et l'image de marque. Ils réalisent, entre 1980 et 1986, une centaine de modèles de meubles, aménagent l'espace d'accueil de la mairie de Villeurbanne, le musée d'Art moderne de Saint-Étienne (décoration, mobilier, signalétique), restaurent la Villa Gillet à Lyon pour accueillir le FRAC Rhône-Alpes. Ils conçoivent également l'image de marque de centres commerciaux, des accessoires de bureau, un projet de vaisselle pour la Manufacture de Sèvres et, avec Alchimia, une collection de tapis, mobilier et objets édités par Zabro.
En 1986, TOTEM crée l'association Caravelles et organise la Quadriennale internationale de design. Claire Olives et Vincent Lemarchands quittent le groupe.

Lyons-based design group created in 1980 by Jacques Bonnot, Frédérick du Chayla, Vincent Lemarchands and Claire Olives. All four are self-taught, having trained originally as cabinet-makers.
TOTEM's research into form and colour is midway between furniture design and the arts; they exhibit in both galleries and museums. Their first « meubles-manifestes » series is shown in an art gallery in 1981. Thereafter they extend their field to include interior and environmental design (particularly in public spaces), graphics and corporate images. Between 1980 and 1986, they design about a hundred items of furniture, decorate the lobby in Villeurbanne town hall, the Musée d'art moderne in Saint-Étienne (including the furniture and signage), restore and convert the Villa Gillet in Lyons to accomodate the FRAC Rhône-Alpes. They also define the corporate image of a number of commercial centres, design some office accessories, propose tableware to the Manufacture de Sèvres and bring out a whole series of floor rugs, furniture and various objects with Alchimia to be produced by Zabro.
In 1986, TOTEM creates « Caravelles », an association, and organizes the Quadriennale Internationale de Design. Claire Olives and Vincent Lemarchands are no longer in the group.

Tabouret « Jupiter », 1982.
(Diffuseur : Nestor Perkal).
Document TOTEM.

Mobilier pour le restaurant « Le petit Faucheux » à Tours, 1983.
Document TOTEM.

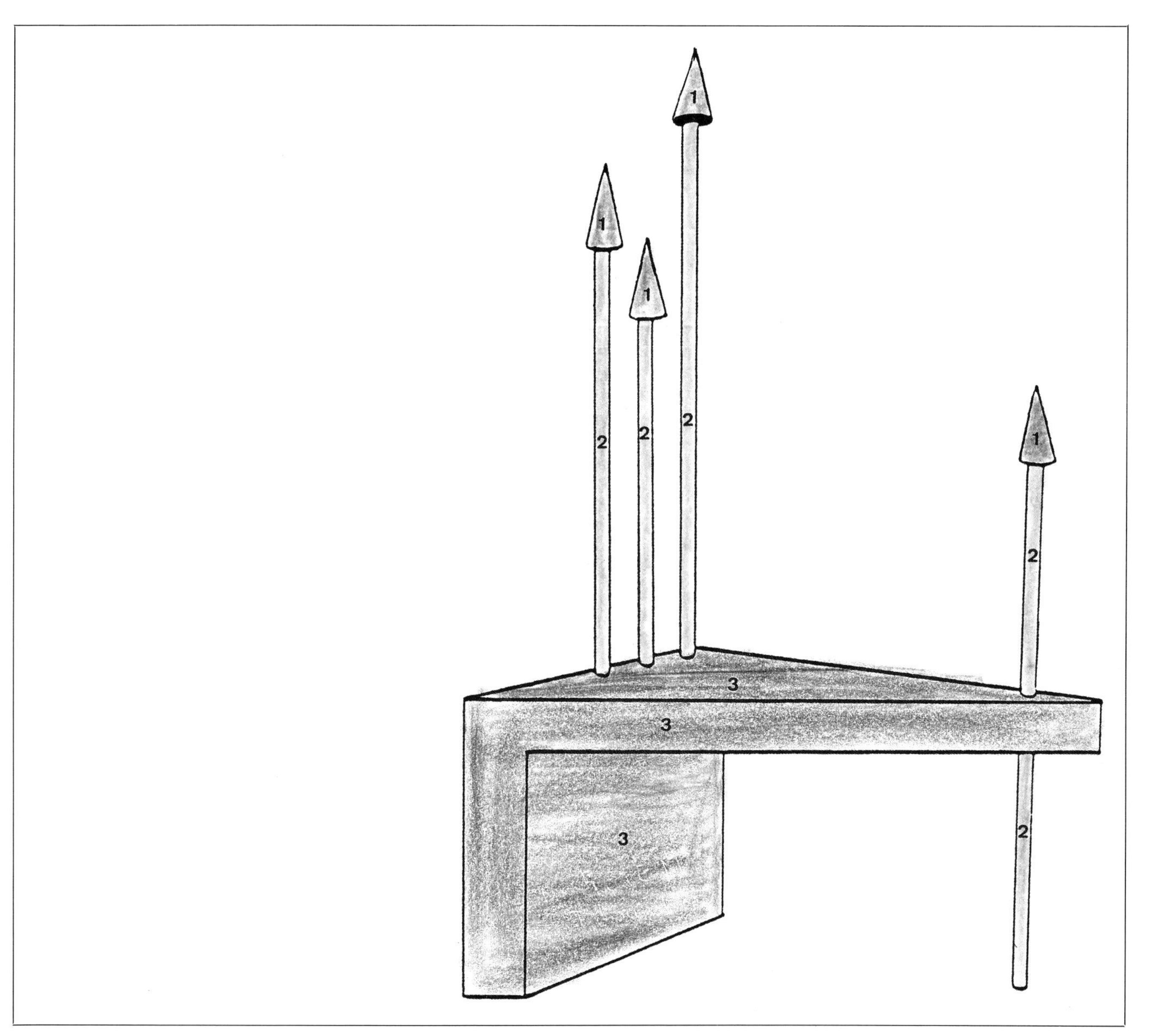
1
1
1
2
2
2
1
2
3
3
3
2

277

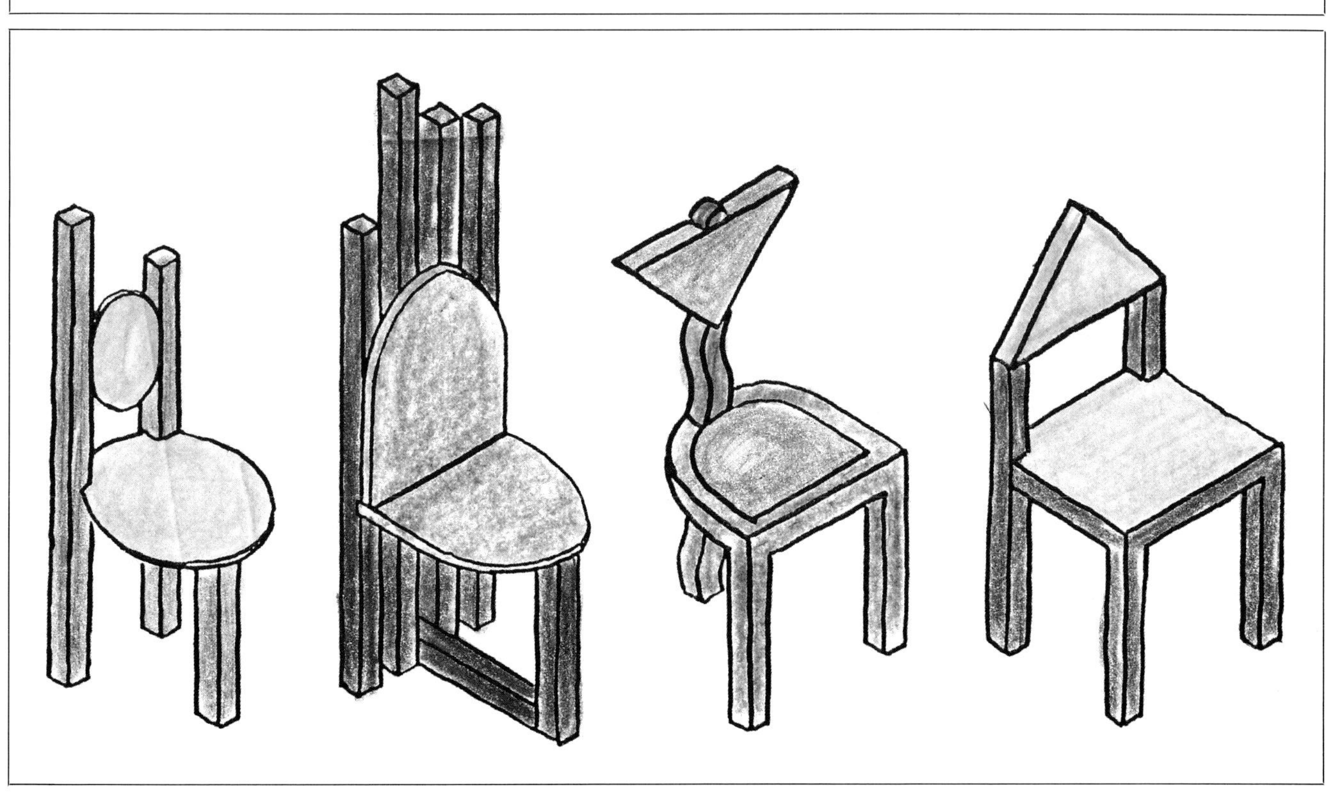

TRAM DESIGN

Atelier de design créé en 1983 par Jean-François Mermillod et installé dans la région Rhône-Alpes. Les spécialités de Tram Design sont les produits de grande consommation, l'équipement technique, l'identité visuelle et le packaging.
Jean-François Mermillod, né en 1951, BT de fabrication mécanique et BTS d'esthétique industrielle à l'École nationale supérieure d'arts appliqués de Paris en 1973. Il s'intéresse également au graphisme et à la photographie.
Tram Design travaille notamment pour Salomon (chaussures « SX 91 » et fixations de ski « 747 », 1983) ainsi que pour Maped (système de règle-cutter « Profila » en 1984, cutter « CS », en 1985 et compas « SC 16 », en 1986).

This design workshop was created in 1983 by Jean-François Mermillod and set up in the Rhône-Alpes region. Tram Design's specializes in general consumer products, technical equipment, visual identity and packaging.
Jean-François Mermillod was born in 1951. He has certificated in mechanical manufacturing and in industrial design from the École Nationale Supérieure des Arts Appliqués in Paris (1973). He is also involved in graphics and photography.
Tram Design has worked notably for Salomon (« SX 91 » shoes and « 747 » ski bindings, 1983) as well as for Maped (« Profila », a ruler-cutter system in 1984, « CS » cutter in 1985 and « SC 16 » dividers in 1986).

Compas « NC 5 », 1987. Dessins des éléments adaptables au compas de base. (Fabricant : Maped SA).
Document Maped SA.

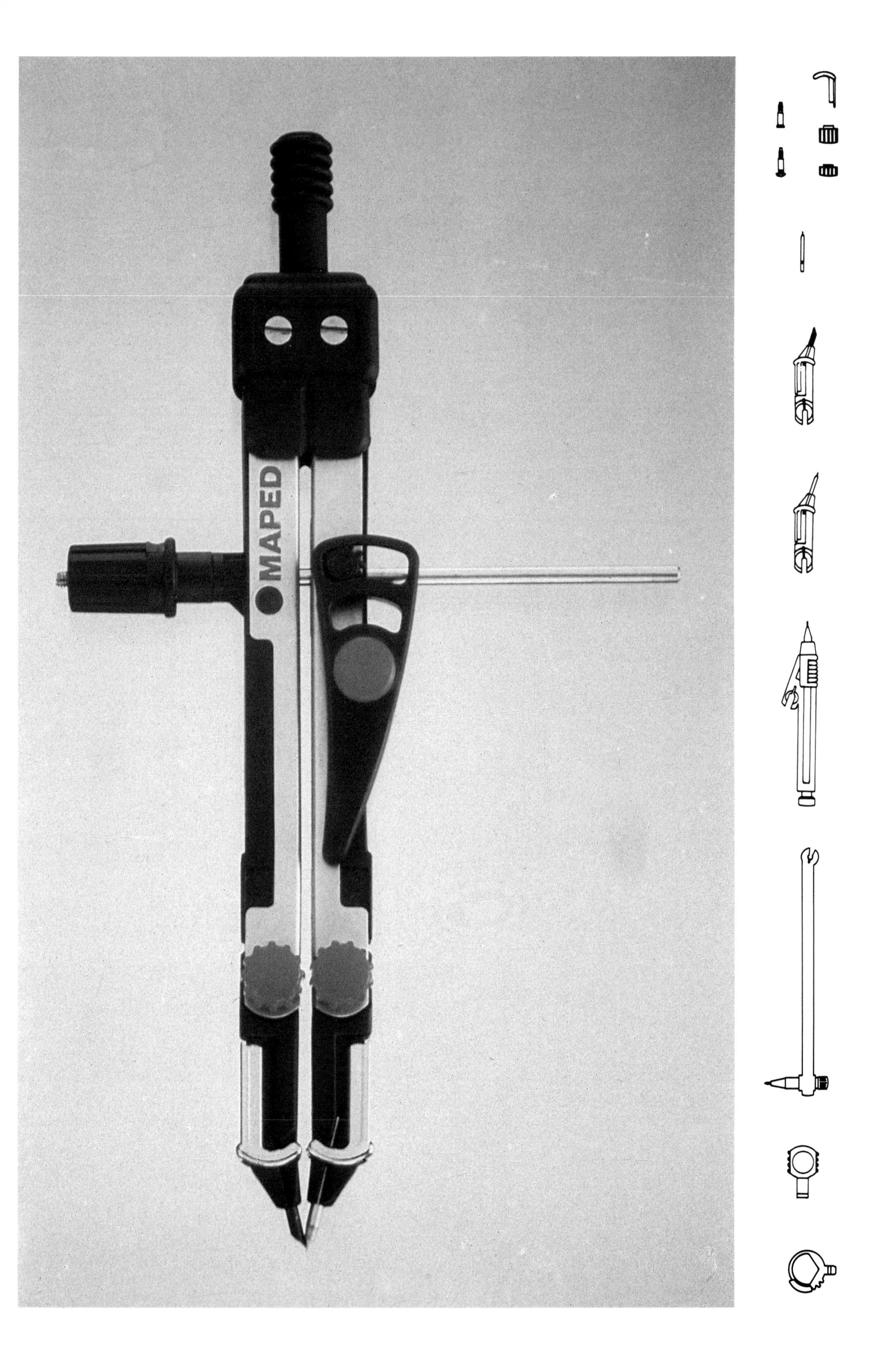
MAPED

Annie

TRIBEL

Née en 1933. Études à l'ENSAD de 1952 à 1956. De 1957 à 1960, elle séjourne en Inde puis entre à l'Atelier d'urbanisme et d'architecture en 1962. De 1962 à 1968, elle étudie et réalise des équipements intérieurs et du mobilier pour des programmes socioculturels : foyers de jeunes et de personnes âgées, patronages, bibliothèques municipales dans la banlieue parisienne, villages de vacances. Elle conçoit également l'aménagement de bureaux, de maisons individuelles, de magasins (Roche-Bobois). De 1970 à 1972, elle participe à l'étude d'un système d'habitat préfabriqué « Tétrodon » avec une équipe de l'AUA. Depuis les années 60, elle aménage de nombreux théâtres : Hammamet en Tunisie, Théâtre de la Ville et TEP à Paris, théâtre d'animation « Paris-Vincennes », Saint-Avold ; des salles de conférences : Agence spatiale européenne et nouveau ministère des Finances à Paris, la salle des Congrès du Mans ; des équipements publics : ambassade de France à New Delhi, « Chambre d'amis » des appartements privés de l'Élysée (1983), restructuration de l'ensemble de l'ENSAD. Elle est actuellement enseignante à l'École Camondo.

Born in 1933, she studied at the ENSAD from 1952 to 1956. From 1957 to 1960, she stayed in India and then joined the Atelier d'urbanisme et d'architecture in 1962. Until 1968, she worked on interior design and furniture for socio-cultural programs: youth centers and rest homes, youth clubs, municipal libraries around the Paris suburbs and holiday resorts. She also conceived office furnishings, private houses, and stores such as Roche-Bobois. From 1970 to 1972, she participated in the development of « Tetrodon », a prefabricated housing system with a team from the AUA. Since the 60s, she has installed many theatres: Hammamet in Tunisia, the Théâtre de la Ville and the TEP in Paris, the animation theatre « Paris-Vincennes » and Saint-Avold; conference rooms: the European Spatial Agency and the new Ministry of Finance in Paris, the conference hall in Le Mans. Her public works include the French Embassy in New Delhi, the guest rooms in the private apartments of the Élysée (1983), and the restructuration of the entire ENSAD. She is currently on the teaching staff of the Camondo School.

1960

Cafétéria (coque en plastique) du Théâtre de la Ville, Paris, 1968. Aménagement intérieur du restaurant-cafétéria, des bars, guichets, foyers et loges. (Fabricant : Dubigeon-Normandie). Document Annie Tribel.

1970

Passage couvert sur le chantier des Halles à Paris, 1973. (Fabricant : Société Technor pour la Semah). Document Annie Tribel.

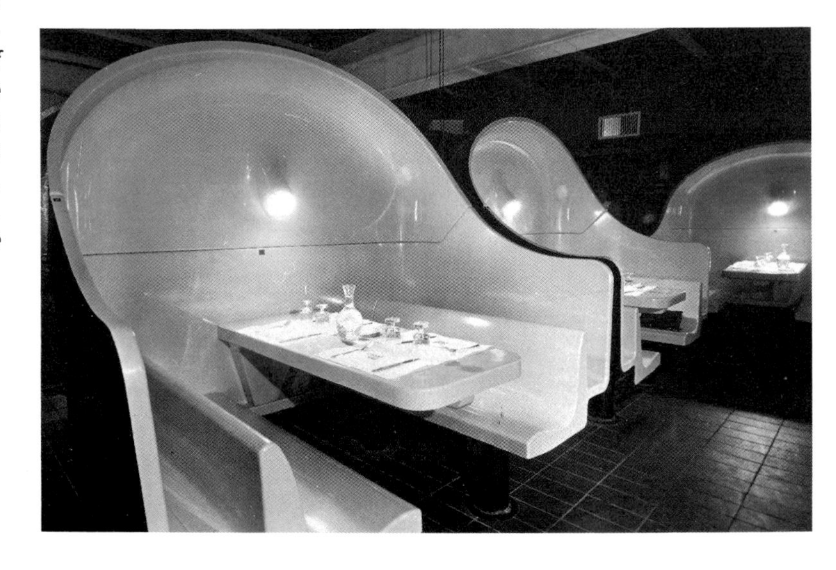

Chambre d'amis dans les appartements privés du palais de l'Élysée, 1984. Commande du président Mitterrand. (Réalisation : Mobilier national).
Document Annie Tribel.

Aménagement intérieur du Théâtre de la Colline, Paris, 1988. Hall, bar, accueil et polychromie générale. (Fabricant : Société Mangau).
Document Annie Tribel.

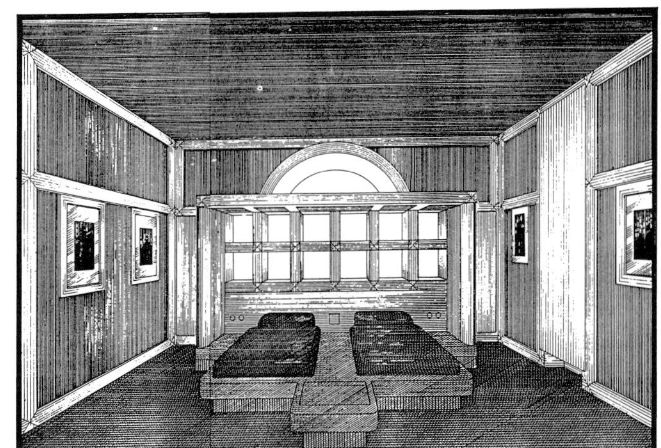

Jean-Pierre

VITRAC

Né en 1944. Études à l'École des arts appliqués. A sa sortie, il travaille chez Lancôme puis il monte une petite entreprise de flaconnage et de PLV. En 1974, il crée sa société, J.-P. Vitrac Design, et évolue vers le design de produit. Aujourd'hui, J.-P. Vitrac Design a plusieurs filiales à l'étranger (Milan, New York, Tokyo). Parmi ses créations : un set de pique-nique jetable « Plack » pour Diam en 1979, une ligne de bagages en plastique compact pour Superior en 1983, un programme de bureaux pour Atal-Litton, des chaussures de jogging pour Achilles (Japon), la chaise pliante « Lollipop » pour Prodamco, une gamme de produits de toilette « Free and Free » pour Lions (Japon), des couteaux pour Sedasco et un bloc-fauteuil dentaire « ATS » distribué par Ifker, qui reçoit une mention aux Oscars du design 1987. La même année, il réalise un meuble informatique « Pylos » édité par Agora et des lunettes pliantes pour K-Way. Auteur d'un ouvrage intitulé, *Comment gagner de nouveaux marchés par le design industriel.*

Born in 1944. After graduating from the École des arts appliqués, he worked for Lancôme, then launched his own company specialized in bottling and in-store advertising. In 1974, he created the J.-P. Vitrac Design company and evolved towards product design. Today, J.-P. Vitrac Design has several affiliates abroad (Milan, New York, Tokyo). Among his many creations: a disposable picnic set called «Plack» for Diam in 1979, a compact plastic luggage set for Superior in 1983, an office furniture series for Atal-Litton, jogging shoes for Achilles (Japan), the «Lollipop» folding chair for Prodamco, a line of toilet articles «Free and Free» for Lions (Japan), cutlery for Sedasco and «ATS», a dentist's chair distributed by Ifker and nominated for the 1987 Oscar du design. The same year, he came out with «Pylos», a computer console produced by Agora, and folding glasses for K-Way. He is the author of a book explaining «How to acquire new markets thanks to industrial design».

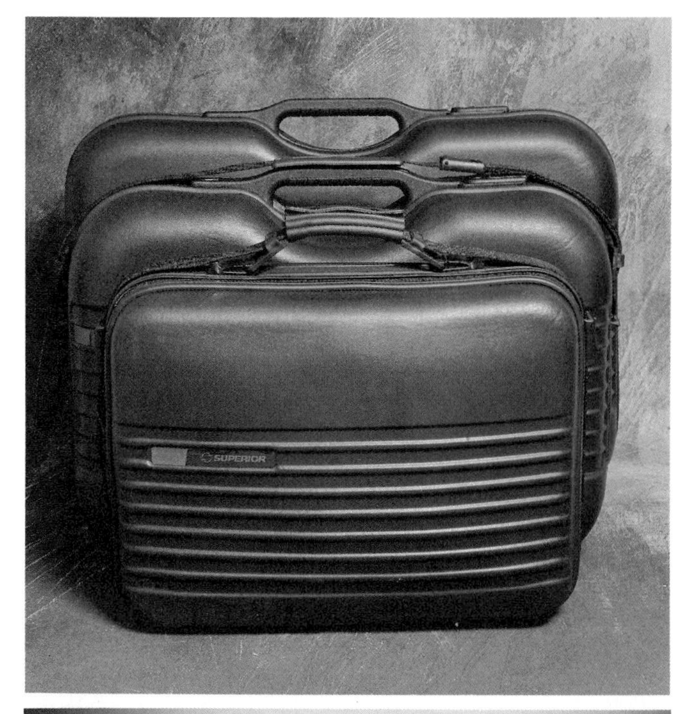

1980

« Superior », 1984. Valise souple. (Fabricant : Superior SA).
Document APCI / Deidi von Schaewen.

« Les pros », 1985. Couteau de cuisine. (Fabricant : Sedasco).
Document Jean-Pierre Vitrac.

Coffret de secours « Norma », 1987. Boîtier contenant un jeu d'ampoules automobiles. (Fabricant : Norma / Philips).
Document Jean-Pierre Vitrac.

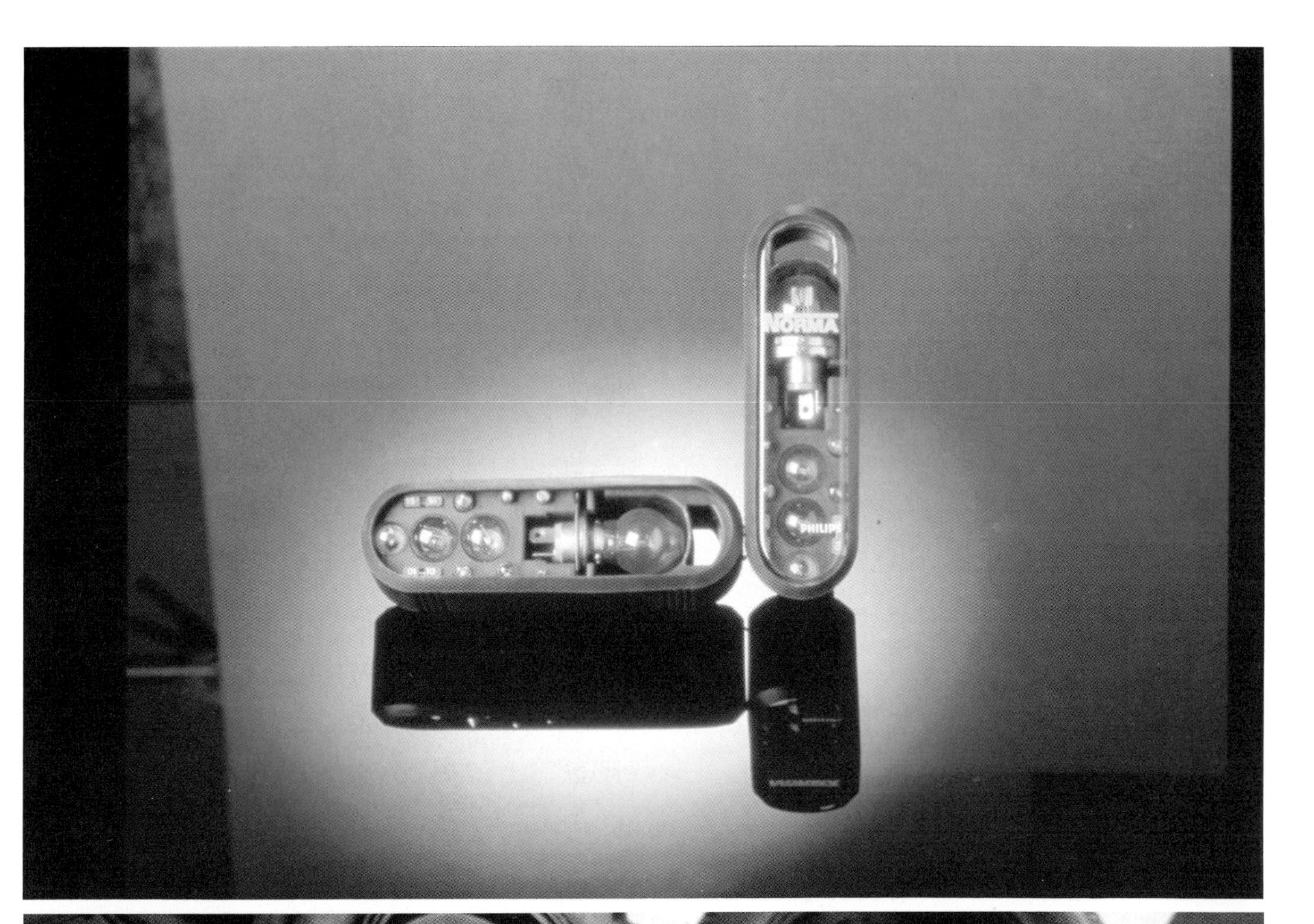
NORMA
PHILIPS

NORMA
PHILIPS
NORMA
PHILIPS

Jean-Michel

WILMOTTE

Né en 1948. Formation d'architecte d'intérieur à l'École Camondo. En 1975, il crée son propre bureau d'études, Governor SARL, et, en 1977, il ouvre la boutique Academy qui diffuse les meubles qu'il dessine et édite lui-même.
Il a aménagé des bureaux et des sièges sociaux : Mondial Assistance, Seeri Sari, Screg, Promogim, Canal + ; des boutiques : Sophie Canovas, Cacharel ; des restaurants et des grandes surfaces : Casino, Quick International ; des sièges sociaux et des chaînes de librairies : Albin Michel, Flammarion.
Aménagements, meubles ou luminaires (Mobilier national) pour des administrations françaises et étrangères : ministère des Finances et du Pétrole du Quatar, Palais national d'Abu Dhabi (1980), chambre-bureau du président de la République à l'Élysée (1983), bureau de l'ambassadeur de France à Washington, ministère de l'Éducation nationale, ministère de la Culture, Conseil supérieur de la magistrature, mairie de Nîmes, Ville de Grasse. Il participe à des concours : Opéra-Bastille et galerie d'exposition de la Bibliothèque nationale (1985), musée du Louvre, siège social de « Médecins sans frontières » (1986).
Il crée également des tissus, des tapis et de la vaisselle pour la Faïencerie de Gien. Depuis 1980, il enseigne à Camondo.

Born in 1948. Studied interior design at the Camondo School. In 1975, he created his own design studio, Governor Ltd, and in 1977 he opened the Academy boutique, which sells the furniture he designs and produces himself.
He implemented offices and company headquarters (Mondial Assistance, Seeri Sari, Screg, Promogim, Canal +), boutiques (Sophie Canovas, Cacharel), restaurants and supermarkets (Casino, Quick International), head offices and library chains (Albin Michel, Flammarion).
He designs interiors, furniture and light fixtures (Mobilier national) for French and foreign administrations: Ministry of Finance and Oil in Quatar, National Palace of Abu Dhabi (1980), the room-office of the President of the Republic at the Élysée Palace (1983), the office of the French Embassador in Washington, Ministry of National Education, Ministry of Culture, Conseil Supérieur de la Magistrature, the Town Hall of Nîmes, City of Grasse. He participated in several contests: Opéra-Bastille and the exhibitions area at the Bibliothèque nationale (1985), the Louvre Museum, the headquarters of « Médecins sans Frontières » (1986).
He has also designed fabrics, carpets and dishware for the Faïencerie de Gien. Since 1980, he teaches at Camondo School.

1980

Chambre du président de la République dans les appartements privés du palais de l'Élysée, 1984. Commande du président Mitterrand. (Réalisation : Mobilier national).
Document Mobilier national.

Fauteuil pour la chambre du président de la République dans les appartements privés du palais de l'Élysée, 1984. Commande du président Mitterrand. (Réalisation : Mobilier national).
Document APCI.

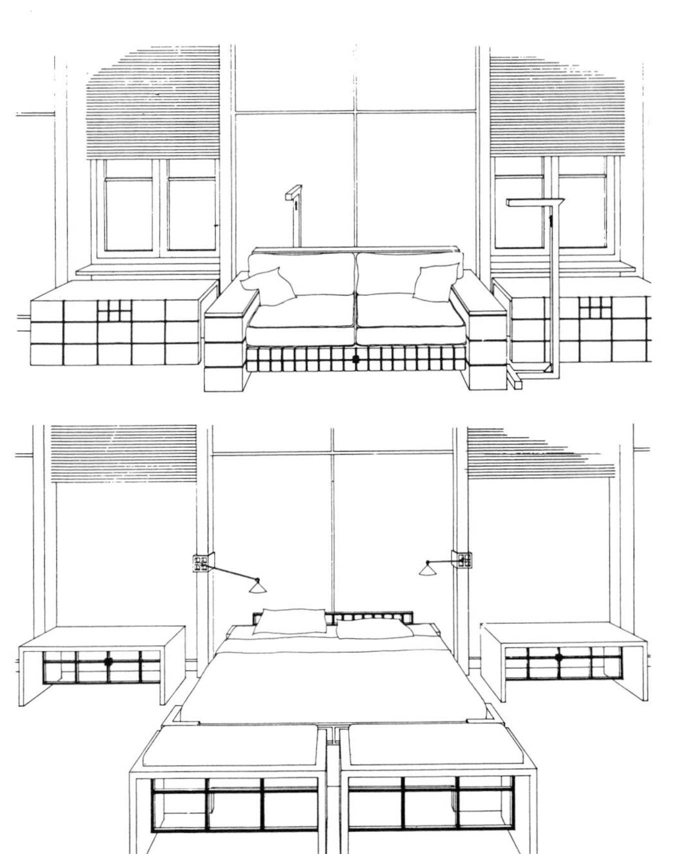

Chaise « Palais royal », 1986.
Commande de la Caisse nationale des monuments historiques.
(Diffuseur : Academy).
Document R. César.

AU DESIGNER INCONNU

Il est de plus en plus fréquent qu'à l'instar de l'artiste, le designer signe ses créations. Les industriels, longtemps réticents à partager la renommée, savent désormais exploiter les retombées médiatiques et commerciales du design personnalisé, voire « starifié ». Au cours de ces trente dernières années, notre paysage visuel quotidien s'est enrichi d'objets, d'images qui nous ont frappés, séduits, que nous avons achetés ou regardés, et dont nous gardons le souvenir.
Ces objets, ces images sont le fruit de créateurs anonymes, travaillant au sein des entreprises, ou collectivement, comme furent créées les affiches de Mai 68.
Le design est avant tout un travail d'équipe, et il est souvent difficile à un créateur de revendiquer seul la paternité de la création, particulièrement en entreprise ou dans les bureaux de design.
Allumer son briquet, mettre son sac à dos, monter en voiture ou prendre l'avion sont autant d'hommages aux créateurs — et ils sont nombreux — dont le nom restera dans l'ombre.

TO THE UNKNOWN DESIGNER

More and more designers are signing their work in the same way artists do. Industrialists, who remained for a long time hesitant about sharing the fame, are now aware they should take advantage of the repercussions in the media and the market of personalized and even «starified» design. During the last thirty years, our daily visual outlook has been enriched with objects and images that have stunned and seduced us, that we have bought or simply looked at and that we still remember.
These objects, these images, are the fruit of anonymous designers, working within companies or as groups, just like the May 68 posters were created.
Design stems foremost from team work and it is often difficult for a designer to claim sole fatherhood for a creation, particularly when he is working within a company or in a design studio.
Lighting one's lighter, putting on a rucksack, climbing into a car or taking a plane is each time a way of paying homage to the designers—and there are many—whose names will remain unveiled.

Zoom photographique, 1982-84.
Utilisation grand public.
(Fabricant : Angénieux).
Document Angénieux.

Les ouvriers de la Société Dupont, briquet « Cricket », 1965.
(Fabricant : Feudor).
Document APCI/Alain Vivier.

Bureau d'études intégré, casseroles « Élysée », 1982. (Fabricant : Cuisinox).
Document Cuisinox.

Peugeot 205, 1983. (Fabricant : Peugeot Automobile).
Document Peugeot.

Bureau d'études intégré, 1985-88. Matériel de plongée sous-marine. (Fabricant : Spirotechnique).
Document Spirotechnique.

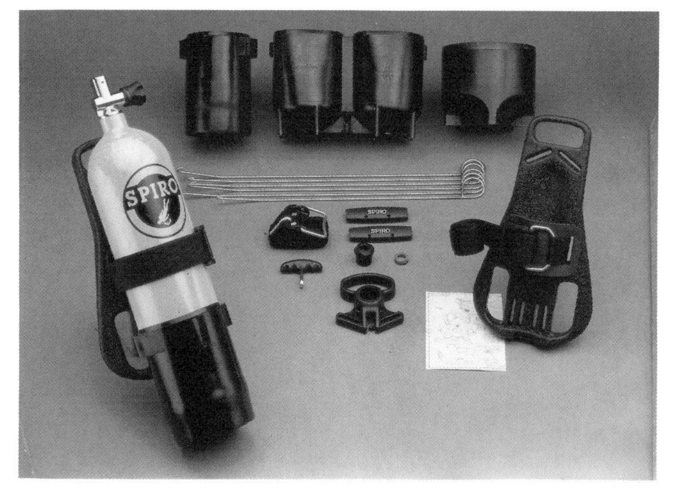

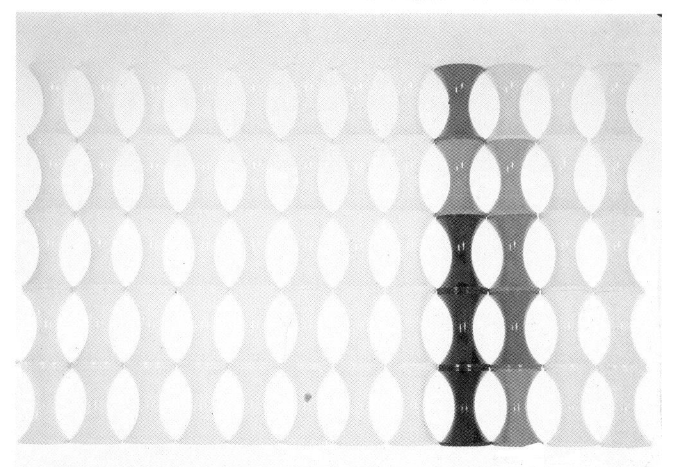

Tabouret « Tam-Tam », 1968.
(Fabricant : Stamp).
Document Stamp.

Bureau d'études intégré, siège « Greenwich », 1984. (Fabricant : Lafuma).
Document Lafuma.

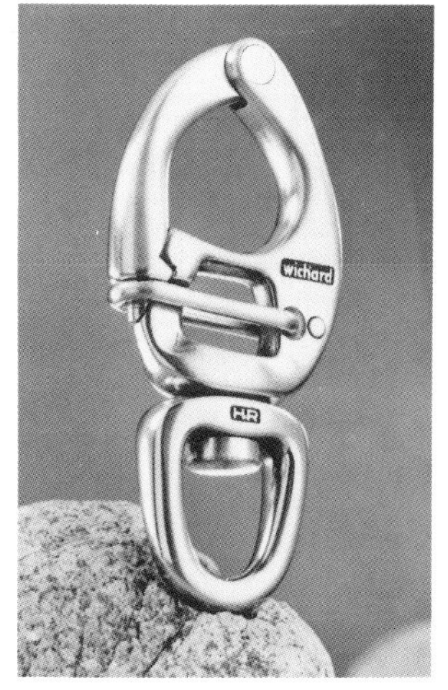

Bureau d'études intégré, « Spinnaker », 1983. Mousqueton pour navigation de plaisance. (Fabricant : Wichard).
Document Wichard.

BIBLIOGRAPHIE

Ouvrages

Amic Y., *Le Mobilier français 1945-1964,* Paris, Éditions du Regard, collection Intérieurs, 1983.

Anargyros S., *Le Mobilier français 1980...,* Paris, Éditions du Regard, collection Intérieurs, 1983.

Anargyros S., *Le Style des années 80, architecture décoration design,* Marseille/Paris, Éditions Rivages, collection Styles, 1986.

Les Années plastiques, catalogue d'exposition, Paris, Syros/Alternatives/La Villette, 1986.

Art director's-France 1987, guide des professionnels du design et de la création, Paris, Création, 1987,

A table, catalogue d'exposition, Paris, Éditions du Centre Pompidou, 1986.

Bure G. de, *Le Mobilier français 1965-1979,* Paris, Éditions du Regard, collection Intérieurs, 1986.

Cahiers du CCI, n° 1, « Architecture : récits, figures, fictions » (1986) ; n° 2, « Design : actualités fin de siècle » (1986) ; n° 3, « Monuments éphémères : BD, mode, théâtre, lumières... et architecture » (1987), Paris, Éditions du Centre Pompidou.

Caravelles, catalogue d'exposition, Lyon, Quadriennale internationale du design, 1986.

Les Carnets du design, n° 1, « Les chaises » ; n° 2, « Les arts de la table » (coédition APCI) ; n° 3, « Les fauteuils et canapés » ; n° 4, « Créations made in France », Paris, Éditions Mad Cap, 1986.

Castiglioni, catalogue d'exposition, Paris, Electa/Éditions du Centre Pompidou, 1985.

Chatel P., Leseur J., *Mobilier d'un siècle 1885-1985,* Paris, Éditions Paquebot, 1985.

Colin C., *Situation du design français,* Paris, Flammarion, 1988.

Deforges Y., *Technologie et génétique de l'objet en question,* Paris, Librairie Maloine, collection Université de Compiègne, 1985.

L'Empire du bureau, catalogue d'exposition, Paris, Berger Levrault/CNAP, 1984.

France High Tech, Paris, Éditions Autrement, 1985.

L'Image des mots, catalogue d'exposition, Paris, Éditions du Centre Pompidou/Syros/Alternatives/APCI, 1985.

Larroche H., Tucny Y., *L'Objet industriel en question,* Paris, Éditions du Regard, 1985.

Levitte A., Rouard M., *100 objets quotidiens made in France,* Paris, APCI/Syros/Alternatives, 1987.

Loewy R., *La Laideur se vend mal,* Paris, Gallimard, 1963.

Lumières, je pense à vous, catalogue d'exposition, Paris, Éditions du Centre Pompidou/Hermé/APCI, 1985.

Millet C., *L'Art contemporain en France,* Paris, Flammarion, 1988.

Noblet J. de, *Histoire du design,* Paris, Éditions Sanogy (à paraître fin 1988).

L'Objet industriel, catalogue d'exposition, Paris, Éditions du Centre Pompidou, 1980.

Quarante D., *Éléments de design industriel,* Paris, Librairie Maloine, collection Université de Compiègne, 1984.

Richard L., *Encyclopédie du Bauhaus,* Paris, Éditions Sanogy, 1985.

Style 85, catalogue d'exposition, Salon des artistes décorateurs, Paris, Syros/Alternatives, 1985.

Vitrac J.-P., *Comment gagner de nouveaux marchés par le design industriel ?,* Paris, Éditions de l'Usine nouvelle, 1984.

Périodiques

« A l'heure du design » *in : Art Press,* hors-série, n° 7, janvier 1987.

Blanche C., « Pas de marché pour les stars du design » *in : Le Monde,* 4 avril 1986.

Cuvelier P., « Le contemporain se réinstalle dans ses meubles », « En avoir un ou pas, that's the question » *in : Libération,* supplément du 8 octobre 1986.

« Design contemporain de A à Z » *in : Décoration internationale,* n° 96, février-mars 1987.

Fayard L., « Parlez-vous design ? » *in : L'Entreprise,* n° 21, mars 1987.

Finet N., Longchamp J., « Destination design » *in : BAT,* n° 92, février 1987.

Gaté J.-C., « Le putsch des designers au Japon » *in : Dynasteurs-Mensuel des échos,* n° 9, octobre 1987.

Imbert A., « Design industriel : on s'arrache les créateurs » *in : Médias,* n° 148, juin 1986.

« Le design français des années 80 » *in : Architecture intérieure-CRÉÉ/APCI,* numéro spécial, n° 205, mai-juin 1985.

« Luminaires 87 » *in : Architecture d'aujourd'hui,* n° 249, février 1987.

Malaurie G., « Le roi design » *in : L'Express,* février 1988.

Michel F., Thomas S., « Le futur a déjà maison » *in : Paris le magazine,* n° 17, mars 1987.

Turin P., « Design d'alarme » *in : Création,* n° 13, février 1986.

INDEX

D

E

F

G

H

293

S

T

U

V

W

APR. 1 1996

© ADAGP, Paris, 1988:
J.-C. de Castelbajac, M. Quarez.

© SPADEM, Paris, 1988:
J.-M. Folon, A. François, NEMO, B. Quentin, B. Villemot.

Achevé d'imprimer
sur les presses de l'Imprimerie Blanchard,
Le Plessis-Robinson,
le 20 juin 1988